De verzamelaars

Bezoek onze internetsite www.awbruna.nl
voor informatie over al onze boeken en softwareproducten.

David Baldacci

De verzamelaars

A.W. Bruna Uitgevers B.V., Utrecht

Oorspronkelijke titel
The Collectors
© 2006 by Columbus Rose, Ltd.
All rights reserved.
Published by arrangement with Lennart Sane Agency AB.
Vertaling
Rogier van Kappel
Omslagontwerp
Studio Jan de Boer
© 2006 A.W. Bruna Uitgevers B.V., Utrecht

ISBN 90 229 8946 1
NUR 332

Op pagina 1 en 7 zijn enkele pagina's afgedrukt uit het *Bay Psalm Book*, het eerste boek dat ooit in Noord-Amerika is gedrukt. Een zeldzaam exemplaar van dit Puriteinse gezangboek, voor het eerst uitgegeven in 1640 in Cambridge, Massachusetts, bevindt zich nu in de Congresbibliotheek.

mercifull unto mee;
heale thou my soule, because that I
have sinned against thee.
5 Those men that be mine enemies,
with evill mee defame:
when will the time come hee shall dye,
and perish shall his name?
6 And if he come to see *mee*, hee
speaks vanity: his heart
sin to it selfe heaps, when hee goes
forth hee doth it impart.

(2)

7 All that me hate, against mee they
together whisper still:
against me they imagin doe
to mee malicious ill.
8 *Thus doe they say* some ill disease,
unto him cleaveth sore:
and *seing now* he lyeth downe,
he shall rise up noe more.
9 Moreover my familiar freind,
on whom my trust I set,
his heele against mee lifted up,
who of my bread did eat.
10 But Lord me pitty, & mee rayse,
that I may them requite.
11 By this I know assuredly,
in mee thou dost delight:
For o're mee triumphs not my foe.
12 And mee, thou dost mee stay,
in mine integrity; & set'st

mee

---

mee thee before for aye.
13 Blest hath Iehovah Israels God
from everlasting *been*,
also unto everlasting:
Amen, yea and Amen.

THE

SECOND BOOKE.

PSALME 42
To the chief musician, *Maschil*, for the
Sonnes of Korah.

Like as the Hart panting doth bray
after the water brooks,
even in such wise o God, my soule,
after thee panting looks.
2 For God, even for the living God,
my soule it thirsteth sore:
oh when shall I come & appeare,
the face of God before.
3 My teares have been unto mee meat,
by night also by day,
while all the day they unto mee
where is thy God doe say.
4 When as I doe in minde record
these things, then me upon
I doe my soule out poure, for I
with multitude had gone:
With them unto Gods house I went,
with voyce of joy & prayse:

I with

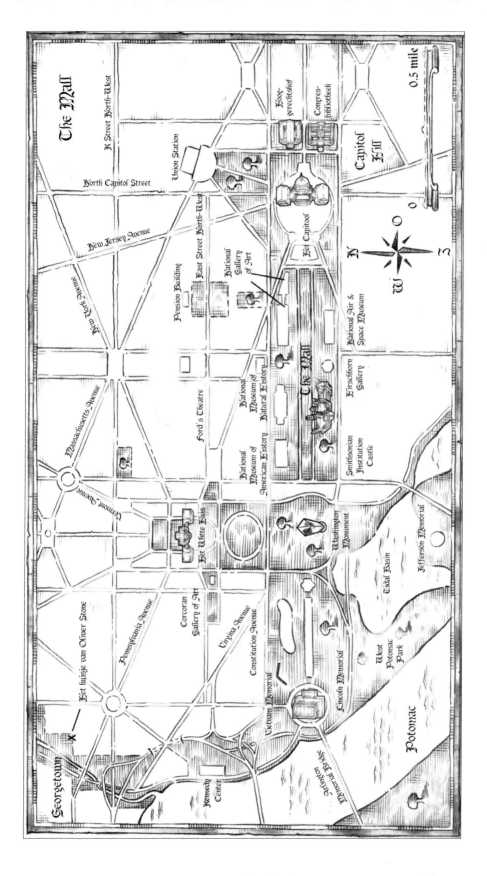

The Mall

K Street North-West

Union Station

North Capitol Street

New Jersey Avenue

New York Avenue

Hoog-gerechtshof

Congres-bibliotheek

Capitol Hill

Het Capitool

Pension Building

East Street North-West

National Gallery of Art

National Air & Space Museum

The Mall

Hirschhorn Gallery

Ford's Theatre

National Museum of Natural History

Smithsonian Institution Castle

Massachusetts Avenue

National Museum of American History

Vermont Avenue

Het White Huis

Washington Monument

Tidal Basin

Jefferson Memorial

Corcoran Gallery of Art

Pennsylvania Avenue

Virginia Avenue

Constitution Avenue

West Potomac Park

Het huisje van Oliver Stone

Vietnam Memorial

Lincoln Memorial

Georgetown

Kennedy Center

Arlington Bridge

Memorial Bridge

Potomac

N
O
Z
W

0.5 mile

0

•1•

Na een interessante bespreking die, verrassend genoeg, weinig met politiek te maken had gehad, liep Roger Seagraves het Capitool uit. Die
avond zat hij alleen in de woonkamer van zijn bescheiden woning
ergens in een buitenwijk. Hij had zojuist een belangrijk besluit genomen. Hij moest iemand vermoorden, en diegene was een heel belangrijk
doelwit. Seagraves beschouwde dat echter niet als een angstaanjagend
vooruitzicht maar als een interessante uitdaging.

De volgende ochtend reed Seagraves naar zijn kantoor in het noorden
van Virginia. Terwijl hij in een klein en rommelig kamertje zat dat zich
in niets onderscheidde van alle andere werkruimtes links en rechts van
hem, paste hij in gedachten de belangrijkste onderdelen van zijn taak
aan elkaar en kwam uiteindelijk tot het besluit dat hij niet bereid was dit
aan een buitenstaander over te laten en dat hij het daarom zelf maar zou
doen. Hij had wel eerder mensen gedood, vaak zelfs; het enige verschil
was dat hij deze keer niet in opdracht van de overheid zou doden. Deze
keer deed hij het alleen voor zichzelf.

De daaropvolgende twee dagen besteedde hij aan zorgvuldige en beslis-
sende voorbereidingen, die hij op efficiënte wijze met zijn dagelijks
werk wist te combineren. De drie essentiële regels waaraan hij zich bij
deze missie moest houden, waren: 1. Hou het simpel. 2. Hou rekening
met alle mogelijkheden. 3. Raak nooit in paniek, hoezeer je plan ook
misloopt. Want zo nu en dan gebeurde dat. Als hij nog een vierde regel
zou moeten opstellen, dan luidde die: Maak gebruik van het feit dat de
meeste mensen zich als idioten gedragen zodra het om dingen gaat die
werkelijk van belang zijn, zoals hun eigen overleven. Zelf had hij trouwens nooit last gehad van die tekortkoming.

Roger Seagraves was tweeënveertig jaar, alleenstaand en kinderloos. Van
vrouw en kinderen zou hij met zijn onorthodoxe levensstijl alleen maar
last hebben gehad. In zijn vorige carrière bij de federale overheid had hij
regelmatig valse identiteiten aangenomen en was hij de hele wereld
rondgereisd. Gelukkig was het in het computertijdperk verbijsterend
eenvoudig om van identiteit te veranderen. Een paar klikjes op zijn
computer, het gezoem van een server ergens in India en even later kwam
er een nieuwe, van alle officiële toeters en bellen voorziene identiteit uit
je mooie laserprinter glijden. Zelfs een bankrekening met wat geld erop
was al voor je geregeld.

Seagraves kon alles wat hij nodig had aanschaffen op een website waar je alleen met een zorgvuldig bewaakt wachtwoord toegang tot kreeg. Het was een soort warenhuis voor criminelen, die de website soms 'Evil-Bay' noemden. Hier was alles te koop: van creditcardnummers en een pakket identiteitsbewijzen van uitstekende kwaliteit tot de diensten van professionele huurmoordenaars, en gesteriliseerde moordwapens voor degenen die het vuile werk liever zelf deden. Over het algemeen schafte hij zich de vereiste materialen aan bij een verkoper die van zijn klanten een waarderingscijfer van 99 procent had gekregen, en die bovendien een 'niet goed, geld terug'-garantie bood. Want zelfs moordenaars zijn op kwaliteit gesteld.

Roger Seagraves was een lange, goedgebouwde en aantrekkelijke man met een dikke bos golvend blond haar, die op het eerste gezicht over een zorgeloze natuur beschikte en wiens glimlach aanstekelijk werkte. Vrijwel alle vrouwen in zijn omgeving, en nu en dan ook een jaloerse man, keken even om als hij langskwam, en daar maakte hij vaak gebruik van. Als je moest moorden of je van list en bedrog moest bedienen, dan maakte je zo goed mogelijk gebruik van het gereedschap dat je ter beschikking stond. Dat had hij ook van de overheid geleerd. Hoewel hij officieel nog steeds voor de Verenigde Staten werkte, werkte hij ook voor zichzelf. Zijn 'officiële' oudedagsvoorziening was lang niet voldoende om hem met pensioen te laten gaan in de stijl waarop hij recht meende te hebben na al die jaren dat hij zijn leven op het spel had gezet voor de rood-wit-blauwe vlag van de Verenigde Staten. Voor hem was die vlag trouwens voornamelijk rood geweest.

Op de derde middag na zijn verhelderende bezoek aan het Capitool veranderde Seagraves op subtiele wijze zijn gelaatstrekken en trok verschillende lagen kleding over elkaar aan. Toen het donker begon te worden reed hij in een bestelbusje naar de dure buitenwijken van noordwestelijk Washington D.C., waar de hoge muren om de ambassades en woonhuizen zonder uitzondering werden bewaakt door paranoïde beveiligingsmedewerkers.

Seagraves had een blauwe overall aan met op de rug het woord SERVICE. De sleutel die hij eerder die dag had gemaakt, paste in het eenvoudige slot van een leegstaand gebouw dat op een ingrijpende renovatie stond te wachten. Met zijn gereedschapskist in de hand liep hij met twee treden tegelijk de trap op totdat hij de bovenste verdieping had bereikt en een kamer aan de straatzijde binnenstapte. Hij liet de lichtbundel uit zijn kleine zaklantaarn door de kamer glijden tot hij het venster zag, het enige in het hele vertrek. Tijdens zijn vorige bezoek had hij de scharnieren goed geolied en toen hij wegging, had hij de deur niet op slot gedaan.

Hij maakte zijn gereedschapskist open en zette snel zijn scherpschutters-geweer in elkaar. Daarna schroefde hij de geluiddemper in de loop, bracht één patroon in de kamer – aan zelfvertrouwen had hij volstrekt geen gebrek – kroop naar voren en trok het venster een centimeter of vijf omhoog, net voldoende om de geluiddemper door de opening te kunnen schuiven. Hij keek op zijn horloge en liet zijn blik vervolgens aandachtig over de straat gaan. Hij maakte zich er weinig zorgen over dat hij vanuit zijn hoge post zou worden opgemerkt, want het was vol-komen donker in het gebouw waar hij zich nu bevond, en bovendien had zijn geweer geen optische signatuur en was het voorzien van een laagje Camoflex, zodat het zijn kleur aanpaste aan de achtergrond.

O, wat heeft de mens toch veel geleerd van de nederige nachtvlinder.

Toen de limousine en de voorste beveiligingswagen bij de club tot stil-stand kwamen, richtte hij het geweer op het hoofd van een van de man-nen die uitstapten om een luchtje te scheppen, maar haalde de trekker nog niet over. Het was nog te vroeg. Het clublid liep naar binnen, gevolgd door beveiligingsmensen met oortelefoontjes in en gesteven boorden om hun dikke nekken. Hij keek toe hoe de extra lange limousi-ne wegreed, gevolgd door de wagen van de beveiligingsmedewerkers.

Seagraves keek weer op zijn horloge: nog twee uur. Hij bleef de straat onder zich afspeuren terwijl vrouwen met ernstige gezichten uit luxe limousines en taxi's stapten. Ze waren niet in jurken van Versace gekleed, en al evenmin behangen met dure diamanten kettingen van DeBeers, maar droegen dure confectiemantelpakjes met een paar smaakvolle accessoires, en hadden hun sociale en politieke antennes hoog opgestoken. De ernstig kijkende mannen die hen vergezelden had-den krijtstreeppakken aan en saaie stropdassen om, en ze keken allemaal even stuurs.

Het gaat er niet beter op worden, heren. Neem dat maar van mij aan.

Honderdtwintig minuten kropen voorbij zonder dat hij zijn ogen ook maar een seconde van de bakstenen gevel afwendde. Door de grote ramen zag hij efficiënt circulerende mensen, die met een glas in de hand zachtjes en samenzweerderig met elkaar aan het praten waren.

Oké, tijd om in actie te komen.

Snel liet hij zijn blik nog even over de straat gaan. Niemand keek zijn kant uit. In zijn hele loopbaan had hij telkens weer geconstateerd dat niemand dat ooit deed. Seagraves wachtte geduldig totdat zijn doelwit voor de laatste keer door de kruisdraden van zijn vizier liep en kromde toen zijn gehandschoende vinger om de trekker. Hij vond het niet pret-tig om door een glazen ruit te moeten schieten, al zou de kogel die hij gebruikte daar niet door uit zijn baan worden gebracht.

Tsják. Het geluid werd onmiddellijk gevolgd door het rinkelen van gebroken glas en de zware klap van een nogal dikke man die tegen een goed gepolitoerde eiken vloer sloeg. De weledelgeboren heer Robert Bradley had er echter niets van gevoeld. De kogel had zijn hersenen al gedood voordat die zijn mond opdracht konden geven om het uit te schreeuwen. Lang geen slechte dood eigenlijk.

Rustig legde Seagraves het geweer neer en trok de overall uit, zodat het politie-uniform daaronder zichtbaar werd. Hij zette de bijpassende pet op die hij mee had genomen en liep snel de trap naar de achterdeur af. Toen hij het gebouw uit liep, hoorde hij aan de andere kant van de straat mensen gillen. Sinds het schot waren er niet meer dan negentien seconden verstreken; dat wist hij omdat hij die in gedachten zorgvuldig had afgeteld. Terwijl hij geluidloos bleef tellen, liep hij snel de straat uit. Even later hoorde hij het gieren van een op hoge toeren draaiende automotor. De zorgvuldig voorbereide scène nam nu concrete vorm aan. Hij zette het op een lopen en trok intussen zijn pistool. Hij had vijf seconden. Hij rende de hoek om, net op tijd om bijna aangereden te worden door de langs schietende auto. Op het allerlaatste ogenblik sprong hij opzij, liet zich om en om rollen en krabbelde midden op de rijweg weer op.

Aan de overkant van de straat stonden mensen naar hem te roepen. Ze wezen naar de auto. Hij draaide zich om, klemde beide handen om de kolf van zijn pistool en opende het vuur. De blindgangers in zijn pistool klonken net echt. Hij loste vijf schoten in de richting van de auto, rende er toen achteraan tot hij halverwege het blok was, en stapte daar snel in iets wat kennelijk een politiewagen zonder speciale merktekenen was, die met loeiende sirene en knipperende voor- en achterlichten achter de snel uit het zicht verdwijnende personenwagen aan schoot.

De auto die ze 'achtervolgden' sloeg op de eerstvolgende kruising linksaf en even later rechts af een steegje in, waar hij halverwege bleef staan. De bestuurder sprong eruit, holde naar de lichtgroene Volkswagen Kever die voor zijn auto in het steegje stond, en reed weg.

Zodra de auto waar Seagraves zo haastig in was gestapt uit het zicht van de club was, werden de knipperlichten en de sirene uitgezet en reden ze de andere kant uit. De man naast Seagraves keek hem geen enkele keer aan terwijl hij op de achterbank ging zitten en zijn politie-uniform uittrok. Daaronder droeg hij een strak joggingpak. Hij had al zwarte sportschoenen aan. Op de vloer van de auto lag een zes maanden oude zwarte labrador met een muilkorf om. De auto schoot een zijstraatje in, sloeg bij de eerstvolgende kruising linksaf en stopte naast een park, dat zo laat op de avond volkomen verlaten was. Het achterportier ging open, Seagraves stapte uit en de auto reed snel weg.

Seagraves hield de hondenriem stevig vast terwijl hij en zijn 'huisdier' samen hun 'dagelijkse' avondrondje deden. Toen ze rechts afsloegen, kwamen er vier politiewagens met hoge snelheid langs. Geen van de inzittenden keurde hen ook maar een blik waardig. Een minuut later, in een ander deel van de stad, was plotseling een harde klap te horen en kort daarna rezen de vlammen hoog op in het gehuurde en gelukkig verlaten huis van het slachtoffer. Aanvankelijk zou de ontploffing aan een gaslek worden geweten. Zodra de ontploffing eenmaal met de aanslag op Bob Bradley in verband was gebracht, zou de FBI op zoek gaan naar andere verklaringen, maar het zou grote moeite kosten die te vinden.

Nadat hij bijna een kilometer had gejogd, liet Seagraves zijn hond alleen achter en stapte in een gereedstaande auto. Nog geen uur later was hij weer thuis. Intussen zou de Amerikaanse regering een andere voorzitter van het Huis van Afgevaardigden moeten zien te vinden om de onlangs overleden Bob Bradley te vervangen. Dat zal niet zo moeilijk zijn, dacht Seagraves peinzend terwijl hij de volgende ochtend naar zijn werk reed. Hij had het nieuws die ochtend in de krant gelezen. Per slot van rekening krioelt het in deze stad van de politici. Hij reed de beveiligde inrit op en liet de bewaker zijn pasje zien. De man kende hem goed en gaf met een armgebaar te kennen dat hij door kon rijden.

Met lange passen liep hij het uitgestrekte gebouwencomplex in Langley, Virginia binnen en nadat hij nog een paar wachthokjes was gepasseerd, bereikte hij zijn kleine, anonieme kamertje. Hij maakte tegenwoordig deel uit van het middenkader en hield zich hoofdzakelijk bezig met de coördinatie tussen zijn organisatie en al die incompetente stommelingen op Capitol Hill die er op de een of andere manier in waren geslaagd om zich te laten kiezen. Het was heel wat minder belastend dan het werk dat hij hier vroeger had gedaan, en dat was een beloning voor de wijze waarop hij zich in het verleden verdienstelijk had gemaakt. Anders dan enkele tientallen jaren geleden liet de CIA zijn 'speciale' werknemers in het veld tegenwoordig terugkeren uit actieve dienst als ze de leeftijd hadden bereikt waarop hun reflexen en enthousiasme wat minder werden.

Terwijl Seagraves een paar saaie documenten doorbladerde, drong het tot hem door hoezeer hij het moorden had gemist. Hij nam aan dat mensen die ooit beroepsmoordenaar waren geweest, die bloeddorst nooit helemaal van zich af konden schudden. Gisteravond was het hem in elk geval weer gelukt om iets van zijn oude, roemruchte verleden wakker te roepen.

Dat was één probleem minder. Hij zou waarschijnlijk al snel voor een ander komen te staan, maar Roger Seagraves was een creatieve troubleshooter. Dat lag gewoon in zijn aard.

•2•

Oude bakstenen schoorstenen braakten grote zwarte rookwolken uit in een donkere, toch al bewolkte hemel. Waarschijnlijk bevatten ze voldoende kankerverwekkende stoffen om een of twee nietsvermoedende generaties om zeep te helpen. In een steegje van deze industriestad, die ten gevolge van de extreem lage lonen in nog veel erger vervuilde steden in China langzaam stervende was, had zich een kleine menigte gevormd rondom één man. Het was geen plaats delict waar zojuist een lijk gevonden was, noch was de man een straat-Shakespeare die zijn acteertalenten wilde oefenen of een predikant met grote longen die Jezus en de verlossing aan het uitventen was in ruil voor een bescheiden gift voor het goede doel. In het vak stond deze man bekend als een 'deler' en hij deed zijn best om de menigte van haar geld af te helpen bij een gokspelletje dat *monte* heette.

De 'lokvogels' die de deler bijstonden, waren goed op hun taak berekend. Zo nu en dan wonnen ze iets om de slachtoffers de moed niet te laten verliezen. De 'back-up' was een beetje sloom. Dat maakte de vrouw die hen vanaf de overkant van de straat in de gaten hield in elk geval op uit zijn lichaamstaal en de lusteloze blik in zijn ogen. De 'zware jongen' die ook deel uitmaakte van het team, kende ze niet, maar hij leek haar niet erg gevaarlijk, alleen maar vlezig en traag. De twee 'binnenhalers' waren jong en energiek. Zoals al bleek uit de naam van hun functie was het hun taak om voor een gestage stroom onschuldige slachtoffers te zorgen die wilden meedoen aan een kaartspelletje waarbij winnen volstrekt uitgesloten was.

Ze ging wat dichterbij staan, en keek toe terwijl de enthousiaste menigte beurtelings klapte of kreunde als er iemand won of verloor. Ze was haar carrière begonnen als lokvogel voor een van de beste delers van het land. Die vent kon in bijna elke stad in de Verenigde Staten een spelletje beginnen en een uur later weglopen met minstens tweeduizend dollar op zak, zonder dat zijn slachtoffers het idee hadden dat ze meer dan alleen maar pech hadden gehad. Deze deler was uitstekend, en daar waren goede redenen voor, want hij was opgeleid door dezelfde man als zij. Haar deskundige blik onthulde dat hij de 'dubbelkaart, vrouw-vóór'-techniek gebruikte waarbij de vrouw op het moment dat die moest worden gedeeld, werd vervangen door de achterste kaart van de stapel. En de vrouw was de kaart waar het bij dit spelletje allemaal om draaide.

Het doel van *monte* met drie kaarten was, net als bij balletje-balletje waarvan het was afgeleid, om de vrouw te kiezen uit drie kaarten die blind op tafel lagen, nadat de deler ze eerst met oogverblindende snelheid een aantal keren om en om had geschoven. Dat was natuurlijk niet mogelijk, want de vrouw lag op dat moment helemaal niet meer op tafel. Maar één seconde voordat werd onthuld welke van de drie kaarten de vrouw was, verwisselde de deler een van de kaarten met de vrouw en liet het groepje spelers zien waar die schijnbaar al die tijd al had gelegen. Met deze eenvoudige 'korte truc' was al zolang als er speelkaarten bestonden geld ontfutseld aan iedereen, van edelman tot eenvoudig soldaat en alles daartussenin.

De vrouw ging stilletjes achter een vuilcontainer staan, maakte oogcontact met iemand in de menigte en zette een grote zonnebril op. Een ogenblik later werd de 'bewaker' afgeleid door een leuk meisje met een kort rokje aan dat ook een gokje wilde wagen. Ze had zich recht voor hem gebukt om wat op de grond gevallen kleingeld op te rapen, zodat hij goed zicht kreeg op haar stevige billen en een weinig verhullende rode string. De 'bewaker' dacht ongetwijfeld dat hij mazzel had. Maar net als het kaartspel dat ze aan het spelen waren, had dit niets met geluk te maken. De vrouw had het meisje van tevoren betaald om zich even te bukken zodra ze haar zonnebril opzette. Die eenvoudige afleidingstechniek had bij mannen al gewerkt sinds vrouwen kleren waren gaan dragen.

Vier snelle stappen en de vrouw stond midden in de menigte. Ze bewoog zich met zoveel lef en energie dat de mensen onmiddellijk voor haar opzij gingen en de 'bewaker' alleen nog maar verbluft kon toekijken.

'Oké!' blafte ze terwijl ze haar pasje omhoog hield. 'Laat je legitimatie maar eens zien.' En ze wees met een lange vinger naar de deler, een korte, nogal dikke man van middelbare leeftijd met een klein zwart baardje, felgroene ogen en de vingervlugste handen in het hele land. Terwijl hij langzaam zijn hand naar zijn binnenzak bracht en zijn portefeuille tevoorschijn haalde, nam hij haar aandachtig op van onder zijn honkbalpetje.

'Oké, mensen, het feest is voorbij,' zei ze en ze trok haar jasje open, zodat iedereen de zilveren badge kon zien die aan haar riem was bevestigd. Een groot deel van de menigte deed voorzichtig een paar stappen naar achteren. De indringster was halverwege de dertig, lang, met brede schouders en fraai gewelfde heupen, en ze ging gekleed in een zwarte spijkerbroek, een groene coltrui en een kort leren jasje. Terwijl ze sprak, begon een lange spier in haar nek te kloppen. Vlak onder haar rechteroog zat een klein, dofrood litteken in de vorm van een vishaakje, dat door de zonnebril niet te zien was. 'Het feest is voorbij, zei ik. Pak je geld en dan wegwezen!' Deze keer klonk haar stem een volle octaaf lager. Ze had al opgemerkt dat het geld op het tafeltje was verdwenen zodra ze haar mond opendeed. En ze wist precies waar dat naartoe gegaan was. De deler was inderdaad goed. Hij had onmiddellijk gereageerd en zich meester gemaakt van het enige wat er werkelijk toe deed: het geld. De deelnemers gingen ervandoor zonder zich om de verdwenen bankbiljetten te bekommeren.

Aarzelend deed de dikke jongen een stap haar kant uit, maar hij bleef staan toen de indringster hem scherp aankeek.

'Laat het maar uit je hoofd, vriend. In de bak zijn ze dol op dikkerdjes.' Ze liet haar blik wellustig over zijn zware lijf gaan. 'Dan krijgen ze meer waar voor hun geld.' Terwijl de jongen een stap naar achteren deed en de indruk probeerde te wekken dat hij hier helemaal niet bij hoorde, begon zijn onderlip te trillen.

Ze stapte naar hem toe. 'Hé, stoere bink, toen ik wegwezen zei, had ik het ook tegen jou.'

De zware jongen keek snel even naar de andere man, die zei: 'Smeer hem maar. Ik zoek je later wel op.'

Nadat de man was weggevlucht, controleerde ze de legitimatie van de deler en gaf die toen met een brede grijns terug. Daarna beval ze hem met zijn gezicht naar de muur te gaan staan terwijl ze hem fouilleerde. Ze pakte een kaart van de tafel en draaide die om, zodat ze de zwarte koningin kon zien. 'Zo te zien heb ik gewonnen.'

De deler keek met een strak gezicht naar de kaart, en liet zich niet van de wijs brengen. 'Sinds wanneer maakt de FBI zich druk om een onschuldig kansspelletje?'

Ze legde de kaart weer op tafel. 'Het is maar goed dat die mensen niet wisten hoe de kansen bij dit spelletje werkelijk liggen. Misschien moet ik ze dat maar gaan vertellen. Er stonden een paar grote kerels tussen en die zouden misschien best eens terug willen komen om je in elkaar te slaan.'

Hij keek naar de zwarte koningin. 'Zoals je al zei: jij hebt gewonnen. Zeg maar hoeveel je wilt hebben.' Hij haalde een rol bankbiljetten uit zijn gordel.

Als reactie haalde ze haar legitimatie tevoorschijn, trok de badge van haar riem en legde die allebei op tafel. Hij keek snel even omlaag.

'Ga je gang,' zei ze achteloos. 'Ik heb geen geheimen.'

Hij pakte ze op. De legitimatie legitimeerde haar niet als politievrouw. In het plastic hoesje zat een lidmaatschapskaart van de Costo Warehouse Club. De badge was van blik en het gestanste embleem was een Duits biermerk.

Zijn ogen werden groot en rond toen ze haar zonnebril afzette en hij haar onmiddellijk herkende. 'Annabelle?'

Annabelle Conroy zei: 'Leo, waarom sta jij hier in dit aftandse klote-stadje monte te spelen met een stelletje sukkels?' Leo Richter haalde zijn schouders op en wierp haar een brede grijns toe. 'Het zijn zware tijden. En de jongens vallen best mee. Ze hebben nog niet veel ervaring, maar ze leren snel. En met monte hebben wij toch zeker altijd geld verdiend?' Hij zwaaide met de stapel bankbiljetten voordat hij die weer in zijn geldgordel duwde. 'Het is een beetje riskant om te doen of je van de politie bent,' zei hij verwijtend.

'Ik heb nooit beweerd dat ik van de politie ben. Dat denken die mensen alleen maar. Dat is de reden dat wij hier ons beroep van kunnen maken, Leo. Als je maar lef genoeg hebt, gaan de mensen er gewoon van uit dat het wel waar zal zijn wat je zegt. Maar nu we het er toch over hebben, sinds wanneer probeer jij de politie om te kopen?'

'Naar mijn ervaring werkt dat vaak heel goed,' zei Leo. Hij viste een pakje sigaretten uit het borstzakje van zijn overhemd en bood haar er een aan, maar ze hoefde niet.

'Hoeveel verdien je hiermee?' vroeg ze zakelijk.

Leo nam haar argwanend op terwijl hij zijn Winston aanstak, de rook in zijn longen zoog en die toen door zijn neusgaten weer naar buiten liet kringelen. De rookwolkjes leken sprekend op de kwalijke dampen uit de hoog boven hen oprijzende schoorstenen. 'De koek moet al over meer dan genoeg mensen verdeeld worden. Ik heb werknemers die van me afhankelijk zijn.'

'Werknemers? Je gaat me toch niet wijsmaken dat je premies afdraagt?' Voordat hij daarop kon reageren, voegde ze eraantoe: 'Monte staat bij mij niet op de radar, Leo. Hoeveel verdien je? En dat vraag ik je niet zomaar.' Ze sloeg haar armen over elkaar en liet zich met haar rug tegen de muur zakken.

Hij haalde zijn schouders op. 'Meestal doen we vijf plekken per keer. Dat is ongeveer zes uur werk. Op een goede dag levert dat drie- of vier-duizend dollar op. Er lopen hier een hoop mensen rond die lid zijn van een vakbond en die krijgen heel wat beter betaald dan de andere werk-nemers. Die kerels zoeken gewoon iets om hun geld aan uit te geven. Maar binnenkort trekken we verder. Er komt een nieuwe ontslagronde aan en we willen niet dat onze gezichten hier te bekend worden. Dat hoef ik jou niet uit te leggen. Ik krijg zestig procent, maar de onkosten zijn hoog tegenwoordig. Ik heb ongeveer dertigduizend op de bank en ik hoop dat voor de winter te verdubbelen. Daar kan ik wel een tijdje op teren.'

'Maar als ik jou een beetje ken, zal dat niet zo heel lang zijn.' Annabelle

Conroy pakte haar bierbadge en 'identiteitskaart' op. 'Heb je belangstelling voor het grotere geld?'

'De vorige keer dat je me dat vroeg, werd er op me geschoten.'

'Er werd op óns geschoten omdat jij te hebberig werd.'

Geen van beiden glimlachte nu nog.

'Wat ben je van plan?' vroeg Leo.

'Dat vertel ik je na een paar korte trucs. Ik heb wat geld nodig voor de lange.'

'Een lange truc! Wie doet dat tegenwoordig nou nog?'

Ze hield haar hoofd een beetje scheef en keek hem strak aan. In haar laarzen met hoge hakken was ze een meter zevenenzeventig lang. 'Ik. Ik ben er nooit mee opgehouden eigenlijk.'

Nu pas werd hij zich bewust van haar lange, rode haar. 'Was je haar de vorige keer niet bruin?'

'Mijn haar heeft elke kleur die het moet hebben.'

Langzaam begon hij te glimlachen. 'Dezelfde ouwe Annabelle.'

De blik in haar ogen werd iets harder. 'Nee, niet dezelfde ouwe Annabelle. Ik ben beter geworden. Doe je mee of niet?'

'Hoe hoog is het risico?'

'Hoog, maar het gaat ook veel opleveren.'

Niet ver van hen vandaan begon een autoalarm plotseling een oorverdovend kabaal te maken. Geen van beiden vertrok ook maar een spier. Oplichters van hun niveau verloren nooit hun zelfbeheersing; deden ze dat wel, dan eindigden ze al snel in de gevangenis of op het kerkhof.

Een tijdje later knipperde Leo even met zijn ogen. 'Oké, ik doe mee. Wat gaan we doen?'

'Nu gaan we een paar andere mensen binnenhalen.'

'Wordt dit een *all-star*?' Zijn ogen begonnen te glimmen bij het vooruitzicht.

'Een lange truc verdient alleen het allerbeste.' Ze pakte de zwarte koningin van het tafeltje. 'Ik heb de vrouw getrokken uit dat magische spel kaarten van je, en ik incasseer mijn winst vanavond wel in de vorm van een etentje.'

'Ik ben bang dat ze hier in de buurt niet veel goede restaurants hebben.'

'Niet hier. Over drie uur zitten we in het vliegtuig naar Los Angeles.'

'Los Angeles! Over drie uur! Ik heb mijn spullen nog niet eens gepakt. En ik heb geen ticket.'

'Het zit in je linkerjaszak. Ik heb het erin gestopt toen ik je fouilleerde.'

Ze keek naar zijn buik en trok haar wenkbrauwen op. 'Je begint dik te worden, Leo.'

Ze draaide zich om en liep met grote stappen weg, terwijl Leo in zijn jaszak voelde en daar een vliegticket vond. Hij pakte zijn speelkaarten en rende achter haar aan, zonder het kaarttafeltje mee te nemen.

Het monte kon wel even wachten. Hij hoorde de lokroep van de lange truc.

•3•

Terwijl ze die avond in Los Angeles zaten te eten, onthulde Annabelle wat meer over haar plan. Zo vertelde ze welke twee spelers ze ook nog wilde binnenhalen.

'Dat klinkt goed, maar hoe zit het met de lange truc? Daar heb je nog niets over verteld.'

'Stapje voor stapje,' zei ze terwijl ze met haar vinger over de rand van haar wijnglas streek en zonder erbij na te denken haar blik de chique eetzaal rond liet gaan om te kijken of ze ergens een mogelijk slachtoffer zag.

Even diep ademhalen en een sukkel zien te vinden. Ze veegde haar rode haar uit haar gezicht en maakte even oogcontact met een man drie tafeltjes verderop. Die halvegare had al een uur naar de in een zwart jurkje gehulde Annabelle zitten grijnzen en knipogen, terwijl de diep vernederde vrouw met wie hij uit was, zat te koken van woede. Nu likte hij langzaam zijn lippen af en gaf Annabelle een knipoog.

Ja, ja, snelle jongen. Jij bent in de verste verte niet tegen mij opgewassen. Leo onderbrak haar gedachten. 'Hoor eens, Annabelle, ik zal je heus niet naaien. Ik ben helemaal hiernaartoe gekomen...'

'Op mijn kosten.'

'We zijn partners, dus mij kun je het vertellen. Het blijft onder ons.'

Ze keek hem peinzend aan en dronk haar glas leeg. 'Leo, doe nou maar geen moeite. Zo goed lieg je niet.'

Een ober kwam naar haar toe en overhandigde haar een kaartje. 'Van de heer aan het tafeltje daar,' zei hij, en hij knikte naar de man die zo wellustig naar haar zat te grijnzen.

Annabelle nam het kaartje aan. Er stond op dat de man 'talent scout' was, en hij was zo attent geweest om op het kaartje te schrijven welke seksuele handeling hij met haar hulp wilde verrichten.

Oké, meneer de talent scout. Je hebt erom gevraagd.

Toen ze naar buiten liep, bleef ze staan bij een tafeltje met vijf stevige mannen in krijtstreeppak. Ze zei iets waar alle mannen om moesten lachen. Ze gaf een van hen een klopje op zijn hoofd en een ander, een man van een jaar of veertig met grijzende slapen en brede schouders, kreeg een kusje op zijn wang. Ze zei nog iets, en ze begonnen allemaal opnieuw te lachen. Ze ging bij hen aan tafel zitten en zat een paar minuten met hen te praten. Leo keek haar nieuwsgierig aan toen ze opstond en langs hem heen naar de uitgang liep.

22

Toen ze langs het tafeltje van de talent scout kwam, zei hij: 'Hé, baby, bel me maar. Jij bent zo heet dat ik helemaal in brand sta!'

Annabelle griste een glas water van het dienblad van een langslopende ober, zei 'Goh, wat *cool*,' en goot het glas leeg in zijn schoot. Hij sprong op.

'Verdomme! Dat zet ik je betaald, gestoord takkewijf dat je bent!'

De vrouw bij hem aan tafel sloeg haar hand voor haar mond om haar lachen te bedwingen.

Voordat de man kans zag om Annabelle vast te grijpen, greep ze hem bij de pols. 'Zie je die kerels daar?'

Ze knikte naar de vijf mannen in pakken die nu vijandig naar de man zaten te kijken. Een van hen liet zijn knokkels kraken. Een andere stak zijn hand in zijn binnenzak en hield die daar.

'Je zit al de hele avond naar me te kijken,' zei Annabelle zacht. 'Ik weet zeker dat je me met die jongens daar hebt zien praten. Dat zijn de Moscarelli's. De man aan het hoofd van de tafel is mijn ex, Joey jr. En hoewel ik officieel geen deel meer uitmaak van de familie, raak je die eigenlijk nooit meer helemaal kwijt.'

'De Moscarelli's?' zei de man uitdagend. 'En wie mogen dat dan wel zijn?'

'Ze waren de op twee na grootste georganiseerde misdaadfamilie in Vegas, voordat de FBI hen en alle andere anderen eruit schopte. Nu doen ze weer waar ze goed in zijn: ze maken de dienst uit in de vakbond van alle vuilnismannen in New York en Newark.' Ze kneep even in zijn arm. 'Dus als die natte broek van jou problemen oplevert, dan weet Joey dat heus wel te regelen.'

'Denk je nou echt dat ik dat geloof?' zei de man nijdig.

'Nou, als je het niet gelooft, ga maar eens met hem praten.'

De man keek nog eens naar het tafeltje. Joey junior hield een vleesmes in zijn grote hand, terwijl een van de andere mannen probeerde hem in zijn stoel te houden.

Annabelle klemde haar hand nog wat steviger om zijn arm. 'Wil je dat ik Joey op je afstuur met een paar van zijn vriendjes? Maak je maar niet druk. Hij is voorwaardelijk vrijgelaten, dus hij kan je niet totaal in elkaar rammen zonder problemen te krijgen met de FBI.'

'Nee!' zei de man geschrokken terwijl hij met moeite zijn ogen van de moordlustige Joey junior en diens vleesmes afwendde. Zachtjes voegde hij eraantoe: 'Het stelt niet veel voor. Het is alleen maar een beetje water.' Hij ging weer zitten en begon met een servetje zijn doorweekte kruis droog te deppen.

Nu richtte Annabelle zich tot de vrouw met wie hij uit was. Die deed haar best om niet te giechelen, maar zonder succes. 'Vind je dat zo grappig, schat? Dit is nou typisch zo'n geval waarbij we allemaal óm jullie lachen en niet mét jullie. Waarom probeer je niet een beetje zelfrespect te krijgen, anders blijf je wakker worden naast dit soort klojo's, en voor je het weet ben je zo oud dat niemand meer iets van je moet hebben.'

De vrouw hield abrupt op met lachen.

Toen ze het restaurant uit liepen, zei Leo: 'Wauw, en ik al die tijd maar boekjes lezen over assertiviteit, terwijl ik alleen maar met jou had hoeven meelopen.'

'Hou op, Leo.'

'Oké, oké, maar de Moscarelli's? Kom nou! Wie waren die mensen echt?'

'Vijf accountants uit Cincinnati die waarschijnlijk hopen vanavond een hoertje op te pikken.'

'Je mag van geluk spreken dat het zulke harde jongens leken.'

'Dat was geen geluk. Ik heb ze verteld dat ik samen met een vriend van me in het openbaar een filmscène aan het instuderen was. Ik heb ze wijsgemaakt dat dat in Los Angeles heel gewoon is en gevraagd of ze even wilden helpen. En omdat ze sprekend op een stel maffiosi leken, konden ze mooi voor de juiste sfeer zorgen. Als ze goed hun best deden, zouden ze zelfs een rolletje in de film kunnen krijgen. Dit was waarschijnlijk de opwindendste avond die ze ooit hebben gehad.'

'Ja, maar hoe wist je dat die lul je zou aanspreken terwijl je naar de uitgang liep?'

'O, dat weet ik niet, Leo, misschien door die paal in zijn broek. Of dacht je dat ik dat water zomaar in zijn kruis heb gegooid?'

De volgende dag reden Annabelle en Leo in een gehuurde donkerblauwe Lincoln over Wiltshire Boulevard en Beverly Hills. Leo tuurde aandachtig naar de langsglijdende winkels. 'Hoe heb je hem gevonden?'

'Via de gebruikelijke kanalen. Hij is jong en heeft niet veel straatervaring. Ik ben hier vanwege zijn specialiteit.'

Annabelle draaide een parkeervak in en wees naar een winkelpui een eindje verderop. 'Oké, daar gaat die gadgetjongen het winkelpubliek te grazen nemen.'

'Wat is het voor iemand?'

'Hij is heel erg metroseksueel.'

Leo keek haar verbaasd aan. 'Metroseksueel? Wat is dat nou weer? Een nieuw soort homofreak?'

'Je moet je echt eens wat meer onder de mensen wagen, Leo, en wat meer politieke correctheid kan ook geen kwaad.'

Een minuut later liep Annabelle voor Leo uit een dure boetiek binnen waar ze werden begroet door een lange, slanke, aantrekkelijke jongeman in een chique zwart pak. Zijn blonde haar was strak achterover gekamd en hij had een modieuze stoppelbaard.

'Sta je hier vandaag helemaal alleen?' vroeg ze terwijl ze haar blik over de paar andere klanten liet gaan. Ze waren goed gekleed en moesten ook wel in goeden doen zijn, want alle schoenen hier kostten minstens duizend dollar per paar. Maar daarvoor kreeg de gelukkige bezitster dan ook het recht om op tien centimeter hoge naaldhakken rond te strompelen totdat haar achillespezen eraan bezweken.

Hij knikte. 'Maar dat vind ik wel fijn, hoor. Ik ben heel dienstverlenend ingesteld.'

'Dat geloof ik graag,' zei Annabelle binnensmonds.

Ze wachtte tot de andere klanten de winkel uit waren en hing toen het bordje met GESLOTEN op de voordeur. Leo liep met een damesbloesje naar de kassa terwijl Annabelle ronddrentelde in het deel van de winkel daarachter. Leo overhandigde de winkelbediende zijn creditcard, maar de man liet die uit zijn hand vallen en bukte zich om hem op te rapen. Toen hij weer rechtop ging staan, merkte hij dat Annabelle vlak achter hem stond.

'Mooi ding heb je daar,' zei ze met een blik op het machientje waar de winkelbediende net Leo's creditcard doorheen had gehaald.

'Mevrouw, u mag niet achter de kassa komen,' zei de man fronsend.

Annabelle negeerde dat. 'Heb je het zelf gemaakt?'

'Het is een fraudebestrijdingsapparaat,' zei de winkelbediende streng. 'Het controleert de in de kaart aangebrachte geheime codes en bevestigt dat de creditcard geldig is. De afgelopen tijd hebben hier een hoop mensen afgerekend met gestolen creditcards en daarom heeft de eigenaar ons opdracht gegeven dit ding te gebruiken. Ik probeer het zo onopvallend mogelijk te doen, zodat niemand zich in verlegenheid gebracht voelt. Ik weet zeker dat u daar begrip voor hebt.'

'O, ik begrijp het volkomen, Tony.' Annabelle stapte om hem heen en trok het apparaatje van de toonbank. 'Het leest de naam, het rekeningnummer en de verificatiecode op de magneetstrip in, zodat jij de creditcard kunt vervalsen.'

'Maar het lijkt me waarschijnlijker dat je de codes verkoopt aan een bende vervalsers,' zei Leo. 'Op die manier hoef jij die metroseksuele handjes van je niet vuil te maken.'

Tony keek van de een naar de ander. 'Hoe weten jullie hoe ik heet? Zijn jullie van de politie?'

'O, nee, wij zijn iets veel beters.' Annabelle legde haar arm om zijn smalle schouders. 'Wij zijn net als jij.'

Twee uur later liepen Annabelle en Leo over de pier van Santa Monica. Het was een heldere dag met een strakblauwe hemel, en de zeewind voerde de golven heerlijk warme lucht met zich mee. Leo veegde zijn voorhoofd droog met zijn zakdoek, trok zijn jasje uit en hing het over zijn arm.

'Verdomme, ik was helemaal vergeten hoe mooi het hier kan zijn.'

'Prachtig weer en de grootste sukkels van de hele wereld,' zei Annabelle.

'Daarom zijn we hier. Want waar de grootste sukkels rondlopen...'

'... valt het meest te verdienen,' maakte Leo haar zin af.

Ze knikte. 'Oké, daar heb je hem. Freddy Driscoll, de kroonprins van het valse geld.'

Leo keek recht voor zich uit en tuurde met half dichtgeknepen ogen naar het kleine bordje boven de in het felle zonlicht gehulde kiosk. 'Designer Heaven.'

'Doe het precies zoals ik heb gezegd.'

'Hoe zou het anders kunnen?' mopperde Leo.

Ze stonden nu bij netjes uitgestalde spijkerbroeken, tasjes, horloges en andere accessoires. De oudere man bij de kiosk begroette hen beleefd. Hij was klein en zwaarlijvig en had een prettig gezicht; een paar plukken wit haar piekten onder zijn strooien hoedje uit.

'Zo zo,' zei Leo terwijl hij de koopwaar bekeek. 'Dat zijn geen slechte prijzen.'

De man straalde van trots. 'Ik heb minder kosten dan de dure winkels. Alleen maar zon, zand en oceaan.'

Ze kozen een paar artikelen uit en Annabelle overhandigde de man een biljet van honderd dollar.

Hij nam het van haar aan, zette een bril met dikke lenzen op, hield het biljet onder een bepaalde hoek voor zijn gezicht en gaf het toen snel weer terug. 'Het spijt me, mevrouw, maar dit is een vervalsing.'

'Daar hebt u gelijk in,' zei ze nonchalant. 'Het leek me wel redelijk om vervalsingen te betalen met een vervalsing.'

De man knipperde niet eens met zijn ogen, maar lachte haar welwillend toe.

Annabelle bekeek het biljet op dezelfde manier als hij zojuist had gedaan. 'Het probleem is dat zelfs de beste vervalser er niet in slaagt om het hologram van Benjamin Franklin zo te kopiëren dat je het ook onder deze hoek nog goed ziet. Daar heb je een drukpers van tweehonderd miljoen dollar voor nodig. Daarvan is er maar één in de hele Verenigde Staten, en daar komt geen vervalser zelfs maar bij in de buurt.'

'En dus pak je een potlood en maak je een mooie tekening van ouwe Benny,' zei Leo. 'Iedereen die slim genoeg is om even naar het hologram te kijken, denkt dan dat hij het hologram heeft gezien, ook al is het niet zo.'

'Maar u zag het verschil wel,' merkte Annabelle op. 'Omdat u een van de beste vervalsers bent geweest.' Ze hield een spijkerbroek omhoog. 'U moet uw leverancier eens zeggen dat hij de tijd moet nemen de merknaam in de ritssluiting te stansen, net als de echte fabrikanten.' Ze legde de spijkerbroek neer en pakte een handtasje. 'En de draagriem moet met dubbele stiksels bevestigd worden. Anders zie je direct dat het om een vervalsing gaat.'

Leo hield een horloge op dat te koop werd aangeboden. 'En echte Rolexen zijn niet geruisloos, maar tikken.'

De man zei: 'Ik vind het heel schokkend dat ik het slachtoffer ben geworden van een bende vervalsers. Een paar minuten geleden zag ik een eindje verderop een politieman lopen. Ik ga hem wel even halen. Blijft u hier wachten, alstublieft. Hij zal waarschijnlijk uw verklaring willen opnemen.'

Annabelle klemde haar lange en lenige vingers om zijn arm. 'Aan ons hoeft u die uitvluchten niet te verspillen,' zei ze. 'Laten we eens praten.'

'Waarover?' vroeg de man argwanend.

'Twee korte trucs en dan een lange,' zei Leo, en hij zag dat er een enthousiaste uitdrukking op het gezicht van de man verscheen.

•4•

Roger Seagraves keek naar de muizige man aan de andere kant van de vergadertafel en naar de armzalige tien losse haren die hij zorgvuldig over zijn kalende schedel had gekamd in de hoop zijn schilferige hoofdhuid aan het oog te onttrekken. De man had smalle schouders en benen, maar een dikke buik en dito billen. Hoewel hij pas in de veertig was, zou het hem waarschijnlijk niet lukken om meer dan een meter of twintig te joggen zonder erbij neer te vallen. Vermoedelijk zou het optillen van een volle boodschappentas hem al volledig uitputten. Hij was een schoolvoorbeeld van de lichamelijke aftakeling van het mannelijke deel van de mensheid in de eenentwintigste eeuw, dacht Seagraves, en dat ergerde hem, want hij had fitness altijd van groot belang gevonden. Hijzelf rende elke dag acht kilometer en was altijd weer terug nog voordat de zon helemaal boven de horizon was verschenen. Hij kon zich nog steeds met één hand opdrukken en met bankdrukken haalde hij twee keer zijn eigen gewicht. Onderwater kon hij vier minuten lang zijn adem inhouden, en soms trainde hij mee met het footballteam van de highschool niet ver van zijn huis in Fairfax County. Geen enkele man van in de veertig was in staat om die zeventien jaar oude jongens bij te houden, maar erg ver achterop raakte hij niet. In zijn vorige loopbaan had dat alles maar één doel gehad: in leven blijven.

Hij richtte zijn aandacht weer op de man tegenover hem. Elke keer dat hij dat ellendige schepsel zag, voelde hij de aanvechting hem met een kogel uit zijn lethargische lijden te verlossen. Maar geen enkel weldenkend mens zou de kip met de gouden eieren slachten, al was dit mannetje meer een muis met gouden keutels. Toch had Seagraves hem nodig.

De man heette Albert Trent, en in zijn armzalige lijf huisde een goed stel hersenen, dat moest Seagraves hem nageven. Een belangrijk onderdeel van het plan, misschien wel het belangrijkste onderdeel, was Trents idee geweest. Dat was dan ook de belangrijkste reden waarom Seagraves erin had toegestemd om met hem samen te werken.

Ze praatten een tijdje over de komende getuigenverklaringen die enkele vertegenwoordigers van de CIA zouden afleggen tegenover de permanente commissie voor de Inlichtingendiensten van het Huis van Afgevaardigden, waarvan het mannetje een vooraanstaand stafmedewerker was. Daarna behandelden ze belangrijke onderdelen van het inlichtingenwerk van de CIA en andere organisaties die deel uitmaakten van het enorme arsenaal aan geheime diensten dat de Verenigde Staten erop nahield. Al die clubs hielden je in de gaten vanuit de ruimte, via je telefoon, je fax en je e-mail, en soms keken ze gewoon mee over je schouder. Toen ze daarmee klaar waren, leunden ze achterover en dronken hun lauwe koffie op. Seagraves had nog nooit een bureaucraat ontmoet die behoorlijk koffie kon zetten. Misschien lag het aan het water hier.

'Het begint buiten behoorlijk hard te waaien,' zei Trent met zijn ogen strak op het briefingboek voor hem op tafel gericht. Hij streek zijn rode das glad over zijn dikke pens en wreef over zijn neus.

Seagraves keek even naar buiten. Nu was het tijd voor codewoorden. Je wist maar nooit of er iemand meeluisterde. Tegenwoordig kon je er niet meer op vertrouwen dat het niet zo was, en hier op Capitol Hill al helemaal niet. 'Er is noodweer op komst. Dat heb ik op het journaal gezien. Misschien dat het later op de dag nog gaat regenen, maar dat is niet zeker.'

'Ik heb gehoord dat het kan gaan onweren.'

Seagraves werd ineens een stuk opgewekter. Een verwijzing naar onweer trok altijd zijn aandacht. Bob Bradley, de voorzitter van het Huis van Afgevaardigden, was zo'n onweer geweest, maar nu lag hij ergens in Kansas onder de groene zoden, met een bos verwelkte bloemen erop.

Seagraves grinnikte. 'Je kent dat oude grapje over het weer toch wel? Iedereen praat erover, maar niemand doet er iets aan.'

Trent lachte ook. 'Het ziet er hier allemaal goed uit. Zoals altijd stellen we de medewerking van de CIA zeer op prijs.'

'Wist je dan niet dat die c voor coöperatief staat?'

'De verklaring van de DDO staat nog steeds voor vrijdag?' Brent doelde op de Deputy Director of Operations van de CIA.

'Ja, en achter gesloten deuren kunnen we heel openhartig zijn.'

Trent knikte. 'De nieuwe voorzitter van de commissie is iemand die zich aan de regels houdt. Ze hebben al bij stemming besloten tot een besloten zitting.'

'We zijn in oorlog met het terrorisme en daarom is alles nu anders. De vijanden van dit land zijn overal, en we dienen ons handelen daarop af te stemmen. We moeten hen uitschakelen voordat zij ons te grazen nemen.'

'Absoluut,' zei Trent instemmend. 'Het is een nieuwe wereld, en een heel nieuw soort strijd. En het is allemaal volstrekt legaal.'

'Dat spreekt vanzelf.' Seagraves onderdrukte een geeuw. Als er werkelijk iemand meeluisterde, dan hoopte hij dat diegene zou genieten van al deze vaderlandslievende flauwekul. Hij maakte zich al heel lang niet druk meer over zijn land, of welk ander land ook. Hij maakte zich alleen nog druk over zichzelf: de onafhankelijke staat Roger Seagraves. En hij beschikte over de vaardigheden, het lef en de toegang tot uiterst belang-

rijke zaken die hij nodig had om ook werkelijk iets te kunnen bereiken.
'Oké, als dat alles is dan ga ik maar weer. Het verkeer zal om deze tijd
wel helemaal vastzitten.'

'Wanneer niet?' Bij die woorden tikte Trent op het briefingboek.

Terwijl hij een dossiermap oppakte die Trent naar hem toe had geschoven, keek Seagraves snel even naar het boek dat hij de man had gegeven. De dossiermap bevatte een paar gedetailleerde verzoeken om informatie en opheldering over bepaalde surveillancetechnieken van de CIA. Het dikke briefingboek dat hij aan Trent had overgedragen, bevatte niets opwindenders dan de gebruikelijke doodsaaie en veel te ingewikkelde analyses waar zijn organisatie de commissie van toezicht altijd mee afscheepte. Het was het schoolvoorbeeld van hoe je met een miljoen woorden op een zo verwarrend mogelijke manier helemaal niets kon loslaten.

Als je tussen de spreekwoordelijke regels door las, zoals Seagraves wist dat Trent die avond nog zou doen, dan onthulde het briefingboek ook nog iets anders: de naam van drie zeer actieve Amerikaanse geheim agenten en hun huidige locaties overzee, allemaal in gecodeerde vorm. Het recht op deze namen en adressen was al verkocht aan een goed gefinancierde terreurorganisatie die binnenkort in drie landen in het Midden-Oosten bij deze mensen zou komen aankloppen om hun kop van hun romp te schieten. Bij wijze van tegenprestatie was per naam en adres inmiddels twee miljoen dollar telegrafisch overgeboekt naar een rekening die geen enkele Amerikaanse toezichthouder ooit onder de loep zou nemen. Het was nu aan Trent om de gestolen namen toe te spelen aan de volgende schakel in de keten.

Het ging Seagraves voor de wind. Naarmate het aantal potentiële vijanden van de Verenigde Staten toenam, verkocht hij steeds meer Amerikaanse geheimen aan moslimterroristen, Zuid-Amerikaanse communisten, Aziatische dictatoren en zelfs aan sommige leden van de EU.

'Veel leesplezier dan maar,' zei Trent. Hij had het over het dossier dat hij Seagraves net had gegeven. Dat was het dossier waarin de gecodeerde identiteit van het 'onweer' bekendgemaakt zou worden, samen met alle redenen waarom.

Die avond tuurde Seagraves even naar de naam en begon toen op zijn gebruikelijke methodische wijze de missie voor te bereiden. Deze keer was er iets subtielers vereist dan een geweer en een telescoopvizier. En op dit punt had Trent hem een waardevolle wetenswaardigheid over het doelwit toegespeeld die de hele zaak een stuk eenvoudiger zou maken. Seagraves wist precies wie hij hiervoor moest inschakelen.

•5•

Precies om halfzeven op een heldere, koele ochtend in Washington D.C. ging de voordeur van het twee verdiepingen tellende huis van Jonathan DeHaven open en stapte een lange, slanke man naar buiten. Hij was halverwege de vijftig, met zorgvuldig gekamd zilvergrijs haar, ging gekleed in een jasje van grijze tweed en een sportieve zwarte pantalon, en had een lichtblauwe stropdas om. DeHaven zoog de frisse buitenlucht diep in zijn longen en stond een paar seconden peinzend naar de rij prachtige oude herenhuizen in zijn straat te kijken.

Hij was bij lange na niet de meest vermogende inwoner van deze wijk, waar de gemiddelde prijs van de hoge, bakstenen huizen een paar miljoen dollar bedroeg. Gelukkig had hij dit huis geërfd van ouders die slim genoeg waren geweest om al op een vroeg tijdstip te investeren in uitgelezen onroerend goed in de omgeving van Washington D.C. Hoewel een groot deel van hun erfenis naar goede doelen was gegaan, hadden ze hem ook een behoorlijk bedrag nagelaten als aanvulling op zijn inkomen, en dat gebruikte hij om bepaalde grillen uit te leven.

Hoewel die meevaller DeHaven in staat had gesteld om zijn leven te leiden zonder de noodzaak om op welke manier dan ook geld te verdienen, ging dat niet op voor de andere inwoners van Goodfellow Street. Een van zijn buren was zelfs een 'handelaar in de dood', al nam DeHaven aan dat de politiek correcte term leverancier van het ministerie van Defensie was.

De man, Cornelius Behan – hij werd graag CB genoemd – woonde in een paleisachtig bouwsel dat twee samengetrokken herenhuizen omvatte, die samen goed waren voor een vloeroppervlak van veertienhonderd vierkante meter. DeHaven had geruchten gehoord dat hij daar in deze buurt, waar bijna alle huizen als historisch monument werden beschouwd, alleen maar in was geslaagd met behulp van een aantal goed getimede omkoopsommen. Dit samengevoegde bouwsel ging niet alleen prat op een vierpersoonslift, maar beschikte ook over van de hoofdwoning afgescheiden bediendenverblijven, met échte bedienden erin.

Behan bracht ook op de raarste uren van de dag, en de nacht, een heel assortiment beeldschone mooie vrouwen mee naar huis, al was hij wel zo fatsoenlijk dat alleen te doen als zijn vrouw de stad uit was. Gelukkig ging ze nogal vaak winkelen in Europa. DeHaven vertrouwde erop dat zijn vrouw zich aan de andere kant van de oceaan evenmin onbetuigd zou laten, en die gedachte riep een beeld bij hem op van de elegante en

31

aantrekkelijke dame in kwestie die naakt op een enorme tafel in Louis XVI-stijl lag, terwijl een jonge Franse minnaar de liefde met haar bedreef en op de achtergrond de *Bolero* te horen viel. Goed zo, meid, dacht hij.

Hij zette de pekelzonden van zijn buren van zich af en ging met kwieke tred op weg naar zijn werk. Jonathan DeHaven was de immens trotse directeur van de afdeling Zeldzame Boeken en Speciale Collecties van de Congresbibliotheek, die door velen tot de beste collecties zeldzame boeken ter wereld werd gerekend. En hoewel de Fransen, Britten en Italianen het daar niet mee eens zouden zijn, was DeHaven er zeker van dat de Amerikaanse collectie de allerbeste was.

Hij liep ongeveer vierhonderd meter langs een reeks bakstenen muren, met de afgemeten manier van lopen die hij van zijn moeder had geleerd. Zijn moeder had haar hele leven lang altijd veel gelopen en goed op haar lichaamshouding gelet. Tot op de dag voor haar dood was DeHaven er niet zeker van geweest dat zijn moeder, die bekendstond om haar heerszuchtige karakter, de begrafenis niet gewoon zou overslaan om rechtstreeks naar de hemel te lopen en luidkeels toegang te eisen, zodat zij daar het heft in handen kon nemen. Op een hoek stapte hij in een drukke stadsbus, waar hij een bankje deelde met een met steenstof overdekte jongeman die een gehavende koeltas tussen zijn benen had staan. Vijfentwintig minuten later stapte hij uit op een drukke kruising.

Hij stak de straat over naar een klein café waar hij een croissant en zijn eerste kop thee van die dag bestelde, en *The New York Times* las. De koppen waren zoals gebruikelijk uiterst deprimerend. Oorlogen, orkanen, een mogelijke grieppandemie, terrorisme – genoeg om weer gauw naar huis te gaan en ramen en deuren dicht te spijkeren. Er stond ook een artikel in over een onderzoek naar onregelmatigheden bij het toekennen van contracten door het ministerie van Defensie. Er waren beschuldigingen over omkoping van politici door wapenleveranciers. Goh, wie had dat nou gedacht? De voormalige voorzitter van het Huis van Afgevaardigden was al ten val gebracht door een omkopingsschandaal waarbij hij zijn invloed had aangewend in ruil voor geld, en zijn opvolger, Robert Bradley, was met grof geweld vermoord in de Federalist Club. Het misdrijf was nog steeds niet opgelost, al was de verantwoordelijkheid opgeëist door een tot dan toe onbekende binnenlandse terreurgroep die zich de 'Amerikanen tegen 1984' noemden – een verwijzing naar Orwells totalitaire nachtmerrie. Volgens de media zat het politieonderzoek muurvast.

Af en toe keek DeHaven even naar buiten, waar de kantoormedewerkers doelbewust over straat liepen, klaar om het tegen de hele wereld op te nemen, of in elk geval tegen een paar armzalige senatoren. Het was

echt een heel vreemd oord, dacht hij. Hier zag je toegewijde en heroï-
sche kruisridders over straat lopen, zij aan zij met smoezelige profiteurs
en een groot aantal idioten en intellectuelen, al hadden de eersten helaas
meer macht dan de laatsten. Dit was de enige stad in de Verenigde Staten die de oorlog kon verklaren, de inkomstenbelasting kon verhogen of
de sociale uitkeringen kon verlagen. De beslissingen die op deze paar
vierkante kilometer vol monumenten en bespottelijkheden werden
genomen, konden een massa mensen woedend of juist opgetogen
maken, en afhankelijk van wie op dat moment de macht had, gebeurde
nu eens het een en dan het ander. En de gevechten, mediacampagnes en
samenzweringen die hier werden bekokstoofd en uitgevoerd, zowel om
macht te verwerven als om macht te behouden, verbruikten alle energie
die al die intelligente en getalenteerde mensen maar konden opbrengen.
Het voortdurend veranderende, wervelende mozaïek bestond uit zoveel
koortsachtig bewegende deeltjes dat het voor een buitenstaander godsonmogelijk was om ook maar een flauw vermoeden te krijgen van wat
zich hier werkelijk afspeelde. Het was net een eindeloos durend kleuter-
speelkwartier, maar dan een waarin dodelijke spelletjes werden gespeeld.
Een paar minuten later sprong DeHaven energiek de brede trappen van
het van een reusachtige koepel voorziene Jefferson-gebouw op. Hij nam
de sleutels van de met een alarminstallatie beveiligde toegangsdeuren
van de bibliotheek in ontvangst van een beveiligingsmedewerker, zette
zijn handtekening op het daarvoor bestemde formulier en liep snel naar
de op de eerste verdieping gelegen Kamer LJ239. Hier was de leeszaal
Zeldzame Boeken gevestigd en de lange reeks kluizen waarin veel van de
papieren schatten van het land werden bewaard. Deze bibliofiele rijk-
dommen omvatten een origineel gedrukt exemplaar van de Onafhankelijkheidsverklaring, waar de oprichters van de Verenigde Staten in Philadelphia hard aan hadden gewerkt tijdens hun opstand tegen
Engeland. Wat zouden ze nu van Washington denken?
Hij maakte de grote, zware buitendeuren van de leeszaal open en duwde
ze tegen de binnenmuren, voordat hij de gecompliceerde procedure met
het toetsenpaneeltje uitvoerde die het mogelijk maakte de leeszaal binnen te gaan. DeHaven was hier altijd als eerste. Hoewel zijn dagelijkse
plichten hem meestal geen tijd lieten om in de leeszaal te gaan zitten,
had hij een symbiotische relatie met oude boeken die aan een leek niet
uit te leggen viel, maar die een bibliofiel volkomen duidelijk zou zijn.
De leeszaal was niet open in de weekeinden, wat DeHaven in staat stelde om op zijn fiets rond te rijden, zeldzame boeken aan te schaffen voor
zijn persoonlijke verzameling... en piano te spelen. Dat laatste had hij
van zijn vader geleerd, een strenge leraar wiens ambitie om concertpia-
nist te worden de kop was ingedrukt door de grimmige werkelijkheid

dat hij er net niet goed genoeg voor was. Helaas gold dat ook voor zijn zoon. Toch was DeHaven na de dood van zijn vader altijd met veel plezier blijven spelen. Hoewel hij zich soms had geërgerd aan hun strenge gedragsregels en levenswijze, had hij zijn ouders bijna altijd gehoorzaamd.

Eigenlijk was hij maar één keer echt tegen hun wensen ingegaan, maar dat was dan ook geen kleinigheid geweest. Hij was getrouwd met een vrouw die niet alleen meer dan twintig jaar jonger was, maar ook, zo had zijn moeder hem telkens weer ingewreven, afkomstig uit een heel ander milieu. Na een jaar had zij hem zover kunnen krijgen het huwelijk te ontbinden. Geen enkele moeder zou haar zoon mogen dwingen de vrouw te verlaten van wie hij hield, en al helemaal niet door met onterving te dreigen, maar zijn moeder had zelfs gedreigd dat ze haar zeldzame boeken zou verkopen, terwijl ze al had beloofd die aan hém na te laten. Ja, hij had weerstand moeten bieden en haar te verstaan moeten geven dat ze zich met haar eigen zaken moest bemoeien. Maar nu was het natuurlijk te laat, veel te laat. Had hij jaren geleden maar wat meer ruggengraat gehad!

Terwijl hij zijn jasje losknoopte en zijn das gladstreek, slaakte DeHaven een weemoedige zucht. Het waren de gelukkigste twaalf maanden van zijn leven geweest. Hij had nooit eerder iemand ontmoet als zij, en hij was er zeker van dat hij nooit meer zo iemand zou tegenkomen. En toch had hij haar op last van mijn moeder zomaar weggestuurd. Daarna had hij de vrouw nog jarenlang geschreven en op alle mogelijke manieren zijn excuses aangeboden. Hij had haar geld gestuurd, en juwelen en exotische voorwerpen die hij had meegenomen van zijn wereldreizen maar hij had haar nooit gevraagd om terug te komen. Nee, dat had hij eigenlijk nooit gevraagd. Ze had een paar keer teruggeschreven, maar daarna waren zijn brieven en pakjes ongeopend teruggekomen. Na de dood van zijn moeder had hij overwogen haar te gaan zoeken, maar uiteindelijk besloten dat het daar te laat voor was. Hij was haar niet meer waard.

Hij haalde diep adem, liet de sleutels in zijn zak glijden en keek de leeszaal rond. De op de Georgiaanse pracht van Independence Hall geïnspireerde inrichting had onmiddellijk een kalmerende uitwerking op hem. Hij was vooral gesteld op de koperen leeslampjes. Hij liet zijn hand liefkozend over een lampje glijden, en het gevoel van mislukking bij de gedachte dat hij de enige vrouw had verstoten die hem ooit het volmaakte geluk had geschonken, begon langzaam weg te trekken.

DeHaven liep de zaal door en haalde zijn beveiligingspasje tevoorschijn. Hij zwaaide ermee naar een computerscanner en knikte even naar de aan de muur bevestigde bewakingscamera. Zijn komst hier was een dagelijks ritueel; het hielp hem zijn batterijen weer op te laden en sterkte hem in de gedachte dat boeken het enige waren waar het in het leven om draaide.

Hij bracht een tijdje door op de heilige grond van de Jefferson-zaal, en bladerde daar in een exemplaar van het werk van Tacitus, van wie de derde Amerikaanse president een groot bewonderaar was geweest. Daarna gebruikte hij zijn sleutels om de Rosenwald J. Lessing-kluis binnen te gaan, waar de incunabelen en codices die door Lessing, de vroegere directeur van het grote postorderbedrijf Sears Roebuck, aan de Congresbibliotheek waren geschonken, zij aan zij de planken vulden in een ruimte die tegen hoge kosten van klimaatbeheersing was voorzien. Hoewel de Congresbibliotheek over een zeer beperkt budget beschikte, kon een constante temperatuur van 15,5 graden met een relatieve luchtvochtigheid van 68 procent ervoor zorgen dat een zeldzaam boek het een eeuw langer uithield dan anders het geval zou zijn.

Voor DeHaven waren deze extra kosten ten laste van een federale overheid die altijd veel meer geld over had gehad voor oorlogszuchtige doeleinden dan voor vreedzame, zonder meer de moeite waard. Voor een fractie van de kosten van één geleide raket kon hij op de open markt alle boeken aanschaffen die de Congresbibliotheek nodig had om zijn collectie zeldzame boeken te voltooien. Politici meenden dat raketten het land veilig hielden, terwijl het in werkelijkheid boeken waren die voor veiligheid zorgden, en wel om een eenvoudige reden. Onwetendheid leidt tot oorlogen en mensen die veel lezen zijn zelden onwetend. Misschien was het een wat simplistische filosofie, maar hij hield zich eraan.

Nadat hij een paar boeken had bekeken die net terug waren van de afdeling Conservatie, liep hij de trap op naar de kluizen boven de leeszaal. Hier werd de collectie vroeg-Amerikaanse medische handboeken bewaard. En op de tussenverdieping vlak boven hem was een uitgebreide collectie kinderboeken ondergebracht. Hij bleef even staan om een liefkozend klopje te geven op een klein borstbeeld dat hier al zo lang als hij zich kon herinneren op een klein tafeltje had gestaan.

Een ogenblik later liet Jonathan DeHaven zich in een stoel zakken en begon te sterven. Het was geen prettige of pijnloze dood, zo bleek uit zijn stuiptrekkingen en geluidloze kreten terwijl het leven langzaam uit hem werd gezogen. Toen het voorbij was, nauwelijks dertig seconden later, lag hij languit op de vloer, zes meter van de plek waar zijn sterven was begonnen. Hij leek naar een verhalenbundel te staren met een omslagtekening van meisjes met zonnehoeden op en lange jurken aan.

Hij stierf zonder te weten wat hem had gedood. Zijn lichaam had hem niet in de steek gelaten; hij was kerngezond. Niemand was hem te lijf gegaan met een stomp voorwerp; zijn lippen waren niet beroerd door welk vergif dan ook; behalve hij was er niemand. En toch was Jonathan DeHaven dood.

In het huis van Roger Seagraves, een kilometer of veertig daarvandaan, begon de telefoon te rinkelen. De vaste weersvoorspelling: helder en zonnig. Seagraves at zijn ontbijt, pakte zijn koffertje en ging naar zijn werk. Hij vond het heerlijk als de dag met iets positiefs begon.

6

Caleb Shaw kwam de leeszaal van de afdeling Zeldzame Boeken binnen, liep naar zijn tegen de achterwand geplaatste bureau, en legde daar zijn rugzak en fietshelm neer. Hij maakte de knijper van zijn enkel los en liet zich toen in zijn stoel zakken. Hij had die ochtend veel te doen. De vorige dag had een vooraanstaande Amerikaanse geleerde meer dan zeshonderd boeken aangevraagd om een ingewikkelde bibliografie te kunnen samenstellen, en als researchspecialist was het Calebs taak die bij elkaar te zoeken. Hij had de titels al opgezocht in de catalogus, maar nu moest hij ze allemaal van de planken plukken, een zwaar en moeizaam karwei. Hij streek over zijn ongekamde grijze haar en maakte zijn broekriem een gaatje losser. Caleb was tenger gebouwd, maar de afgelopen tijd was hij dikker geworden en daar voelde hij zich niet prettig bij. Hij hoopte dat naar zijn werk fietsen het probleem zou oplossen, want hij was zo gehecht aan zijn wijn en zware, calorierijke maaltijden dat hij niet aan een dieet moest denken. Bovendien had hij sinds zijn eindexamen middelbare school nooit meer een voet in een gymzaal gezet.

Hij liep naar de ingang van de kluis, legde zijn magneetkaartje op de scanner en trok de deur open. Het verbaasde hem dat hij Jonathan DeHaven nog niet had gezien toen hij binnenkwam. Die was er altijd als eerste, en de deur van de leeszaal was niet op slot geweest. De directeur zou wel op zijn kamer zijn, of anders in de kluizen.

'Jonathan?' riep hij, maar er kwam geen antwoord. Hij keek even naar de lijst in zijn hand. Deze klus zou hem minstens een hele dag gaan kosten. Hij trok een boekenwagentje weg van de muur en begon systematisch alle kluizen af te werken. Toen hij een halfuur later terugkwam om een nieuwe lijst te halen, liep een vrouwelijke collega de leeszaal in.

Hij praatte even met haar en ging toen de kluis weer in. Het was er nogal koud en hij herinnerde zich dat hij zijn trui gisteren in de kluis op de vierde verdieping had achtergelaten. Hij was net van plan om de lift naar boven te nemen toen hij zich van zijn gestaag zwellende buik bewust werd en besloot deze keer de trap te nemen. Hij kwam langs de medische collectie, liep nog een trap op en bereikte de tussenverdieping. Met lange passen liep hij over het middenpad naar de plek waar hij zijn trui had laten liggen.

Toen hij het lijk van Jonathan DeHaven op de vloer zag liggen, hapte Caleb Shaw naar adem, maakte een benauwd geluid en zakte toen in elkaar.

De lange, pezige man kwam het eenvoudige arbeidershuisje uit en liep het kleine kerkhof op waar hij als klusjesman werkte. Er kwam heel wat bij kijken om de huizen van de doden op orde te houden. Wrang genoeg lag hij zelf 'officieel' in een graf op de nationale begraafplaats Arlington. Het merendeel van zijn voormalige collega's bij de overheid zou raar opkijken als ze te horen kregen dat hij nog in leven was. Eigenlijk verbaasde het hemzelf ook dat hij niet dood was. De organisatie waarvoor hij had gewerkt, had haar uiterste best gedaan hem te vermoorden toen hij niet bereid bleek nog langer te doden in dienst van de overheid.

Vanuit zijn ooghoek zag hij het dier bewegen en hij keek snel om zich heen om zich ervan te vergewissen dat in de nabijgelegen flat niemand naar hem stond te kijken. Toen trok hij in een vloeiende beweging het mes uit de schede aan zijn riem en draaide zich om. Hij sloop naar voren, mikte en liet het mes wegschieten. Hij keek toe terwijl de met het mes door zijn kop aan de grond vastgenagelde slang verwoed lag te kronkelen. Het was een koperkopslang. Het rotbeest hield zich meestal schuil in het gras en had hem de afgelopen week al twee keer bijna gebeten. Toen het dier dood was, trok hij het mes uit de grond, veegde het schoon en gooide de slang in een vuilnisbak.

Hoewel hij niet vaak van zijn oude vaardigheden gebruik maakte, kwamen ze soms goed van pas. Gelukkig was het al een hele tijd geleden dat hij in een hinderlaag had liggen wachten tot een doelwit binnen zijn schootsveld kwam. Maar toch was ook zijn huidige leven sterk beïnvloed door zijn verleden, te beginnen met zijn naam.

Zijn eigen naam, John Carr, had hij in meer dan dertig jaar niet gebruikt. Nu stond hij bekend als Oliver Stone. Deels had hij zijn naam veranderd om te voorkomen dat zijn vroegere werkgever hem op het spoor zou komen, en deels ook als een uitdagend gebaar tegenover een regering die volgens hem niet eerlijk was tegenover haar burgers. Tientallen jaren had hij een kleine tent in Lafayette Park gehad, tegenover het Witte Huis, waar hij een van de weinige 'toegelaten demonstranten' was. Op het bord naast Stones tent stond simpelweg: IK WIL DE WAARHEID WETEN. Om dat doel te bereiken had hij leiding gegeven aan de kleine, informele organisatie die hij de Camel Club noemde en die zich ten doel stelde de Amerikaanse regering verantwoording te laten afleggen aan haar burgers. En zo nu en dan had hij zich ook beziggehouden met een paar samenzweringstheorieën.

De andere leden van de club, Milton Farb, Rueben Rhodes en Caleb Shaw, hadden geen macht en invloed, maar ze hielden wel hun oren en ogen open. Het was opmerkelijk hoeveel je kon bereiken als je voortdurend goed om je heen keek en vervolgens met moed en vindingrijkheid handelde naar wat je gezien had.

Hij tuurde naar de hemel en zag dat het later op de dag waarschijnlijk zou gaan regenen. Zijn kortgeknipte witte haar waaide op in de wind van een naderend onweer. Vroeger had het tot op zijn schouders gereikt en had hij ook een dikke, haveloze baard tot op zijn borst. Tegenwoordig had hij nooit meer dan een stoppelbaard van een paar dagen oud voordat hij zich schoor. Zowel van zijn lange haren als van zijn baard had hij afstand moeten doen om het vorige avontuur van de Camel Club te kunnen overleven.

Stone gooide wat onkruid in een vuilnisbak en was toen een tijdje bezig een oude grafzerk rechtop te zetten die de laatste rustplaats aangaf van een vooraanstaande dominee van Afrikaanse afkomst die om het leven was gekomen tijdens zijn strijd voor de vrijheid. Raar, dacht Stone, dat je voor je vrijheid moest vechten in het vrijste land ter wereld. Het Mount Zion-kerkhof was een belangrijke halte van de Ondergrondse Spoorweg geweest – die lange reeks onderduikadressen waarlangs ontsnapte slaven tijdens de Amerikaanse Burgeroorlog uit het zuiden naar het vrije noorden werden gesmokkeld. Terwijl hij zijn blik over het kerkhof liet dwalen, kon hij zich alleen maar verwonderen over de vele opmerkelijke persoonlijkheden die hier onder de groene zoden lagen.

Onder het werk luisterde hij naar het nieuws op de draagbare radio die naast hem op de grond stond. De nieuwslezer had het over vier verbindingsmedewerkers van het ministerie van Buitenlandse Zaken in Irak, India en Pakistan, die tijdens afzonderlijke incidenten om het leven waren gekomen.

Verbindingsmedewerkers van het ministerie van Buitenlandse Zaken? Stone wist wat dat betekende: Amerikaanse geheime agenten waren hun dekmantel kwijtgeraakt en vermoord. In officiële verklaringen werden dergelijke feiten altijd verhuld, maar Stone ging er prat op dat hij de huidige wereldpolitiek goed bijhield. Een deel van het salaris dat de kerk hem betaalde, besteedde hij aan drie kranten. Hij knipte er veel artikelen uit en plakte die in zijn dagboeken. Tegelijkertijd benutte hij zijn brede ervaring om door de officiële verklaringen heen de waarheid te ontcijferen.

Zijn gedachtegang werd onderbroken toen zijn mobieltje begon te piepen. Hij nam op, luisterde even maar stelde geen vragen. Toen liep hij haastig weg. Zijn vriend en medelid van de Camel Club, Caleb Shaw, lag in het ziekenhuis, en een andere werknemer van de Congresbibliotheek was dood. In zijn haast vergat hij het hek achter zich op slot te doen.

De doden zouden ongetwijfeld begrijpen dat de levenden voorgingen.

7

Caleb Shaw lag in een ziekenhuisbed met de andere leden van de Camel Club om hem heen. Rueben Rhodes was bijna zestig jaar, meer dan 1 meter 90 lang en had de bouw van een Amerikaanse footballspeler. Hij had zwart kroezend haar tot op zijn schouders, een duistere blik in zijn ogen en een slordige baard, wat hem weleens het uiterlijk gaf van een volslagen krankzinnige, die hij af en toe trouwens ook was.

De magere Milton Farb was 1 meter 75 lang, had vrij lang haar en een rimpelloos engelengezichtje dat hem veel jonger deed lijken dan hij werkelijk was.

Rueben was een veel gedecoreerde Vietnam-veteraan, een voormalig medewerker van de militaire inlichtingendienst die tegenwoordig in de haven werkte, nadat zijn militaire loopbaan uit de rails was gelopen door drank, pillen en woede-uitbarstingen over de oorlog. Van de drank en de pillen was hij afgekomen met de hulp van Oliver Stone, die hem op de nationale begraafplaats Arlington had gevonden, waar hij volkomen stoned onder een esdoorn had gelegen.

Milton was een wonderkind geweest dat over vrijwel onbeperkte verstandelijke vermogens beschikte. Zijn ouders waren kermisklanten en hadden de bijzondere vermogens van hun zoon benut door hem als attractie te gebruiken. Toch was hij erin geslaagd om te gaan studeren en had hij een baan weten te krijgen bij de National Institutes of Health. Omdat hij niet alleen aan een obsessief-compulsieve stoornis leed, maar ook aan een reeks andere destructieve psychische kwalen, was hij uiteindelijk ingestort. Hij zat totaal aan de grond en was er geestelijk zo slecht aan toe dat hij moest worden opgenomen.

Opnieuw was het Oliver Stone die hem had gered. Hij werkte toen als verpleger in het psychiatrisch ziekenhuis waar Milton was opgenomen. Toen hij merkte dat Milton over bijzondere vermogens beschikte, waaronder een fotografisch geheugen, wist hij een zwaar onder de medicijnen zittende Milton in de populaire televisiequiz *Jeopardy* te krijgen, waar hij alle andere deelnemers versloeg en een klein fortuin verdiende. Na jaren van intensieve psychotherapie en medicatie kon hij ten slotte een normaal leven leiden. Tegenwoordig had hij een lucratieve praktijk als freelance webdesigner.

Met zijn armen over elkaar geslagen stond de 1 meter 85 lange Oliver Stone tegen een muur geleund en keek naar zijn vriend in het ziekenhuisbed.

Caleb had zowel een doctoraat in politieke wetenschappen als in achttiende-eeuwse Engelse literatuur, en werkte al meer dan tien jaar in de leeszaal van de afdeling Zeldzame Boeken van de Congresbibliotheek. Hij was niet getrouwd, had geen kinderen en naast zijn vrienden was de bibliotheek de grote passie van zijn leven. Met de ene hand streek hij nu zijn laken glad en met de andere wreef hij over zijn slaap.

Een ogenblik later kwam Alex Ford de kamer binnen om te zien hoe het met Caleb ging. Ford was een zeer ervaren agent van de Secret Service die in het recente verleden van de Camel Club een belangrijke en heldhaftige rol had gespeeld en daarom tot erelid was benoemd.

Ford bleef een halfuur en was opgelucht dat het goed met Caleb ging.

'Pas goed op jezelf, Caleb,' zei hij. 'En bel me als je iets nodig hebt.'

'Hoe gaat het bij het WFO?' vroeg Stone. De afkorting WFO stond voor Washington Field Office.

'Veel te druk. Alle criminelen maken overuren.'

'Ik hoop dat je er weer een beetje bovenop bent na al dat gedoe dat je met ons hebt meegemaakt.'

'De mogelijke ondergang van de hele wereld is volgens mij toch wel wat meer dan wat "gedoe". En ik denk niet dat ik er ooit weer helemaal bovenop zal komen.'

Toen Ford weg was, richtte Caleb zich weer tot de anderen. 'Het was echt afschuwelijk,' zei hij. 'Hij lag daar maar op de vloer.'

'En toen ben je van je stokje gegaan?' vroeg Stone.

'Dat moet wel. Ik herinner me nog dat ik de hoek om liep om mijn trui te zoeken, en toen zag ik Jonathan liggen. Ik struikelde bijna over hem. Ik zag zijn ogen, en ineens kon ik niet meer denken. Ik kreeg het verschrikkelijk benauwd. En toen ben ik buiten westen geraakt.'

Rueben legde een hand op Calebs schouder. 'De meeste mensen zouden onderuit zijn gegaan.'

Milton merkte op: 'Volgens de National Psychiatric Foundation is het vinden van een lijk het op één na meest traumatische wat een mens kan overkomen.'

Rueben trok zijn wenkbrauwen op. 'Wat mag het meest traumatische dan wel zijn? Je vrouw in bed aantreffen met een aap die met een spuitbus bedorven slagroom om zich heen spuit?'

'Heb je DeHaven goed gekend?' vroeg Stone.

'Ja, het is echt heel tragisch. Hij was in prima conditie. Hij had net een complete check-up gehad bij het Johns Hopkins. Maar ik neem aan dat iedereen zomaar een hartaanval kan krijgen.'

'Denk je dat het een hartaanval is geweest?' vroeg Stone.

Caleb keek hem verward aan. 'Wat zou het anders geweest moeten zijn? Een beroerte?'

'Statistisch gezien is een hartaanval het waarschijnlijkst,' zei Milton. 'Dat is de meest voorkomende oorzaak van plotseling overlijden. We kunnen allemaal elk ogenblik dood neervallen.'

'Verdomme, Milton,' zei Rueben. 'Kan het even wat vrolijker?'

'Totdat de lijkschouwing is geweest kunnen we alleen maar speculeren,' merkte Stone op. 'Heb je niemand anders in de kluis gezien?'

Caleb keek hem strak aan. 'Nee.'

'Je bent behoorlijk snel buiten westen geraakt, dus misschien heb je iemand over het hoofd gezien op de derde verdieping?'

'Oliver, je kunt de kluis niet binnen zonder pasje. En naast de hoofdingang hangt een camera.'

Stone keek peinzend voor zich uit. 'Eerst wordt de voorzitter van het Huis van Afgevaardigden vermoord en nu overlijdt de directeur van de afdeling Zeldzame Boeken onder raadselachtige omstandigheden.'

Rueben keek hem argwanend aan. 'Het lijkt me sterk dat terroristen het tegenwoordig op boekverzamelaars gemunt hebben, dus maak hier nou niet wéér een grote samenzwering van waarbij het lot van de hele wereld op het spel staat. Eén dreigende apocalyps per maand is wel voldoende, vind ik.'

Stones ogen begonnen te schitteren. 'We schorten het onderwerp op tot we meer weten.'

'Ik kan je wel naar huis brengen, Caleb,' zei Rueben. 'Ik ben met de motor.'

Rueben was trots op zijn volledig gerestaureerde Indian-motorfiets uit 1928 met het uiterst zeldzame linkerzijspan.

'Volgens mij ben ik daar niet tegen opgewassen, Rueben,' zei Caleb. Na een korte stilte voegde hij eraantoe: 'Eerlijk gezegd ben ik als de dood voor dat gevaarte.'

Er kwam een verpleegster de kamer binnen. Ze keek op de kaart met medische informatie en stak een thermometer in Calebs linkeroor.

'Kan ik snel weer naar huis?' vroeg hij.

Ze trok de thermometer uit zijn oor en keek ernaar. 'Uw temperatuur gaat langzaam omhoog en is nu weer bijna normaal. En ja, volgens mij is de dokter uw ontslagbrief al aan het opstellen.'

Terwijl de voorbereidingen voor Calebs medisch ontslag werden getroffen nam Stone Rueben even apart.

'Laten we Caleb voorlopig maar een beetje in de gaten houden.'

'Hoezo? Denk je dat er toch iets met hem aan de hand is?'

'Ik wil niet dat hem iets overkomt.'

'Die man heeft een hartaanval gehad, Oliver. Dat gebeurt zo vaak.'

'Maar waarschijnlijk toch niet met mensen die net een uitgebreide check-up in het Johns Hopkins hebben ondergaan.'

'Oké, dan was het een beroerte. Of hij is gevallen en heeft zijn hoofd gestoten. Je hebt toch gehoord wat Caleb zei? DeHaven was daar helemaal alleen.'

'Voor zover Caleb weet was DeHaven daar helemaal alleen, maar daar kan hij nooit helemaal zeker van zijn.'

'En de beveiligingscamera dan?' zei Rueben. 'En zijn pasje?'

'Het is heel goed mogelijk dat Jonathan DeHaven alleen was toen hij stierf, maar dat bewijst nog niet dat het geen moord was.'

'Schei toch uit. Wie heeft er nou iets tegen een bibliothecaris?' vroeg Rueben.

'Iedereen heeft vijanden. Alleen moet je bij sommige mensen wat langer zoeken voordat je die gevonden hebt.'

•8•

'Hoe werkt het?' vroeg Leo Richter in zijn headset terwijl hij een paar nummers op het paneel intoetste. Hij zat in zijn auto die bij een *drive-through* pinautomaat in Beverly Hills stond. Tony Wolf, tot voor kort crimineel winkelbediende, zat in een bestelbusje aan de overkant van de straat en tuurde aandachtig naar het beeldscherm dat hij voor zich had. 'Heel goed. Ik heb een perfect beeld van je vingers die de pincode intoetsen, en ook een goed shot van de kaart die in de gleuf wordt geduwd. Met de zoom en de *freeze-frame* kan ik alles wat erop staat heel goed lezen.'

De vorige avond hadden ze de metalen doos met bankbrochures die aan de zijkant van de pinautomaat was bevestigd, vervangen door een metalen doos die Tony zelf had gemaakt. Een paar dagen eerder had hij een soortgelijke doos weggehaald bij een andere pinautomaat en in de garage van het huis dat Annabelle voor hen had gehuurd een nauwkeurige kopie in elkaar gezet. In de namaakdoos had hij een videocamera geïnstalleerd die op het toetsenpaneel en de invoergleuf van de pinautomaat gericht stond, en die de beelden via een draadloze verbinding doorseinde. Het bereik van het zendertje was maar tweehonderd meter, maar voor de ontvanger in het bestelbusje was dat ruim voldoende.

Als back-up hadden ze ook een scanner over de invoergleuf van de pinautomaat heen gebouwd. Het was zo'n perfecte replica dat zelfs Annabelle er niets op aan te merken had. Dit apparaatje legde alle cijfers op de pinpassen vast, inclusief de verificatiecodes op de magneetstrip, en seinde die door naar een ontvanger in het bestelwagentje.

Annabelle zat naast Tony. Tegenover haar zat Freddy Driscoll, die totdat hij Annabelle en Leo tegen het lijf was gelopen valse Rolex-horloges en Gucci-tassen had verkocht op de boulevard van Santa Monica. Freddy bewaakte een andere videocamera, die door de zwaar getinte zijruit van de bestelwagen naar buiten was gericht.

'Ik heb een goed beeld van de auto's,' meldde hij. 'En van de nummerborden.'

'Oké, Leo,' zei Annabelle in haar headset. 'Maak de weg dan maar vrij voor het echte geld.'

'Weet je,' zei Tony. 'Eigenlijk hoeven we helemaal geen camera op de pinautomaat te richten, want we hebben de kaartlezer al. Dit is dubbelop.'

'Het signaal van de kaartlezer komt soms niet goed door,' zei Annabelle zonder haar blik van het beeldscherm recht voor haar af te wenden. 'En je hoeft maar één cijfer te missen en er valt met de hele kaart niets te beginnen. We doen dit maar één keer. We kunnen ons geen fouten veroorloven.'

Twee dagen lang zaten ze in het bestelbusje terwijl de camera naast de pinautomaat en de kaartlezer op de invoergleuf alle gegevens van een groot aantal pinpassen en creditcards vastlegden. Annabelle koppelde al deze gegevens systematisch aan de nummerborden van de auto's die bij de pinautomaat stopten, en zette alle resultaten in een spreadsheet op haar laptop. Tegelijkertijd gaf ze ook prioriteiten aan. 'Bugatti Veyrons, Saleems, Pagini's, Koenigseggs, Maybachs, Porsche Carrera GT's en Mercedes SLR McLarens krijgen vijf sterren. De Bugatti's doen een en een kwart miljoen dollar en de andere tussen de vier- en zevenhonderdduizend. Rolls Royces, Bentleys en Aston Martins krijgen vier sterren. Jaguars, gewone Mercedessen en BMW's krijgen er drie.'

'En hoe zit het met Saturns, Kia's en Yugo's?' zei Leo, die leuk wilde zijn.

Na die twee dagen kwamen ze weer bij elkaar in de huurwoning.

'We gaan meer voor kwaliteit dan voor kwantiteit,' zei Annabelle. 'Dertig kaarten. Meer is niet nodig.'

'Alleen hier in Los Angeles zie je twee Bugatti Veyrons bij dezelfde pinautomaat stoppen,' merkte Tony op. 'Duizend pk, een topsnelheid van bijna 400 km, en dat met deze benzineprijzen! Hoe komen die lui aan al dat geld?'

'Net zoals wij. Ze stelen het van anderen,' zei Leo. 'Het enige verschil is dat wat zij doen om de een of andere reden wel wettelijk is toegestaan.'

'*I fought the law and the law won*,' zong Tony zachtjes. Hij keek Annabelle en Leo strak aan. 'Hebben jullie weleens gezeten?'

'Wat een grapjurk, hè?' zei Leo, die een pak kaarten zat te schudden.

'Hé, waarom hebben jullie dat nummerbord ook opgenomen?' vroeg Tony.

'Je weet nooit hoe zoiets nog eens van pas komt,' zei Annabelle vaag.

Ze keek even naar Freddy, die druk in de weer was met apparatuur die hij op een grote tafel in de kamer ernaast had geïnstalleerd. Er waren ook thermische printers en een stapel blanco creditcards.

'Heb je alles wat je nodig hebt?' vroeg ze.

Hij knikte en streek door zijn vlasblonde haar terwijl hij voldaan naar zijn uitrusting keek. 'Annabelle, je pakt dit echt heel goed aan.'

Drie dagen later hadden ze dertig valse creditcards, compleet met gekleurde afbeeldingen, magneetstrip met verificatiecode op de achterkant, en naam en rekeningnummer van het slachtoffer ingestanst in het plastic. Het laatste fijne kneepje was het hologram, een beveiligingsmaatregel die al sinds het begin van de jaren tachtig bij banken in gebruik was. De enige manier waarop te zien was dat het hier om een vervalsing ging, was dat de echte hologrammen in het plastic van de kaart waren aangebracht, en de valse hologrammen op het oppervlak daarvan, maar een pinautomaat zou dat verschil niet opmerken.

'Alle creditcardnummers die je maar wilt kun je kopen op internet,' zei Tony. 'Zo pakken de echte professionals het aan.'

'En neem nou maar van mij aan,' zei Annabelle, 'dat je wel heel veel geluk moet hebben als een van die snelle creditcardnummers van de eigenaar van een Bugatti is.'

Leo hield op met kaarten schudden, stak een sigaret op en zei tegen Tony: 'Dat heb je waarschijnlijk ooit eens van een professional gehoord die geen behoefte had aan een concurrent. Kies je slachtoffers met zorg. Dat is de allereerste les die iedere oplichter leert.'

'Verdomme!' zei Tony. 'Ben ik echt zo stom geweest?'

'Inderdaad,' zei Annabelle. 'Oké, dit is het plan.' Ze ging op een stoelleuning zitten. 'Met valse identiteitsbewijzen heb ik voor ons allemaal een auto gehuurd. Jullie drieën nemen acht kaarten, en ik neem er zes, dat maakt in totaal dertig. Iedereen rijdt veertig pinautomaten hier in de stad af en bij elke automaat gebruiken jullie twee verschillende kaarten, zodat jullie alle kaarten op het eind precies tien keer gebruikt hebben. Ik heb een lijst van alle pinautomaten. En ik heb ze ingetekend op een plattegrond. Het zijn allemaal *drive through*-automaten en ze liggen vlak bij elkaar. Vanwege de camerabewaking gaan we in vermomming. Ik heb er voor iedereen een meegebracht.'

'Maar er zijn opnamelimieten,' zei Freddy. 'Om de rekeninghouders te beschermen tegen diefstal.'

'Met de doelwitten die wij nu hebben,' zei Annabelle, 'kunnen we er zeker van zijn dat ze hoge opnamelimieten hebben. Mensen die rondrijden in een auto van zevenhonderdduizend dollar zetten geen bestedingslimiet van driehonderd dollar op hun pinpas of creditcard. Van mijn contacten in de bankwereld heb ik gehoord dat ze meestal een limiet van vijfentwintighonderd dollar kiezen. Maar los daarvan geven de valse creditcards ons toegang tot alle rekeningen van het doelwit: al zijn betalingsrekeningen en al zijn spaar- en beleggingsrekeningen. Als we een deposito overboeken van zijn spaarrekening naar zijn betaalrekening, en dat deposito is groter dan de cashgeldopname, dan ziet de pinautomaat alleen het positieve saldo van die twee transacties en gaat hij dus boven de opnamelimiet uit, wat die ook mag zijn.'

'Dus als we vijfduizend dollar overboeken van zijn spaarrekening naar zijn betaalrekening en daar vierduizend dollar van opnemen, dan wordt dat niet geregistreerd als een netto-opname van de betaalrekening,' zei Leo.

'Precies.'

'Weet je dat wel zeker?' vroeg Tony.

'Ik heb het vorige maand een keer geprobeerd bij tien grote banken en het heeft elke keer gewerkt. Het is een bug in de software waar ze hun aandacht nog niet op gericht hebben. Nou, totdat ze eraantoe komen, is het voor ons kassa.'

Leo glimlachte en begon zijn kaarten weer te schudden. 'Reken maar dat ze daar na deze stunt snel iets aan doen.'

'Waarom niet acht transacties bij elke pinautomaat?' stelde Tony voor. 'Op die manier hoeven we niet zoveel automaten af te rijden.'

'Omdat het misschien een beetje rare indruk maakt als je acht kaarten achter elkaar in de gleuf duwt terwijl er mensen achter je staan te wachten,' zei Annabelle ongeduldig. 'Met twee kaarten lijkt het gewoon of er even iets misging en je de kaart er nog een keer in duwt.'

'Ach, die criminele jeugd van tegenwoordig toch,' mompelde Leo. 'Zo losgeslagen, en zo argeloos.'

Ze gaf hun alle drie een notitieboekje. 'Hier staan de pincodes van alle kaarten in, en de exacte bedragen die je bij elke pinautomaat overboekt naar een betaalrekening en dan opneemt. Als we klaar zijn, worden de lijsten verbrand.' Ze stond op, liep naar een gangkast en gooide ze allemaal een plunjezak toe. 'Ik heb jullie tien minuten per automaat gegeven. We houden voortdurend contact met elkaar. Als je ergens iets eigenaardigs opmerkt, dan sla je die bank over en rij je naar de volgende.'

Freddy keek naar de bedragen die in zijn boekje stonden. 'Maar wat als de mensen niet voldoende op hun rekening hebben staan om dit allemaal op te nemen?' vroeg hij. 'Ik bedoel, zelfs rijke mensen zitten weleens krap.'

'Ze hebben allemaal genoeg. Dat heb ik al gecontroleerd,' zei Annabelle.

'Hoe dan?' vroeg Tony.

'Ik heb de bank gebeld, gezegd dat ik leverancier was van de rekeninghouder en gevraagd of ze genoeg op hun betaalrekening hadden staan om mij de vijftigduizend te betalen die ze me nog schuldig waren.'

'En dat hebben ze je zomaar verteld?' vroeg Tony.

'Dat vertellen ze altijd, jongen,' zei Leo. 'Als je maar weet hoe je het moet brengen.'

Annabelle zei: 'De afgelopen twee dagen ben ik bij alle doelwitten op huisbezoek geweest. En volgens mij hadden ze stuk voor stuk minstens vijf miljoen. Bij één van die landhuizen stonden zelfs twéé Saleems voor de deur. Dat geld hebben ze heus wel.'

'Ben je bij ze thuis geweest?' vroeg Tony.

'Zoals ze al eerder heeft gezegd: het is altijd handig om iemands kenteken te noteren,' zei Leo.

'In totaal halen we ongeveer negen ton binnen. Dat is gemiddeld dertig-duizend per creditcard,' ging Annabelle verder. 'De banken die we nemen, maken allemaal om twaalf uur 's middags het saldo van hun pinautomaten op, en vóór die tijd zijn we allang klaar.' Ze keek even naar Tony. 'En voor het geval één van ons plotseling denkt dat hij er nu wel vandoor kan gaan: de volgende korte truc gaat ons twee keer zoveel opleveren als deze.'

'Hé,' zei Tony beledigd, en hij streek met zijn hand door zijn haar. 'Dit is toch zeker léúk?'

'Alleen als je niet gepakt wordt,' zei Annabelle.

'Ben jij dan weleens gepakt?'

'Lees je aantekenboekje nou maar door,' zei Annabelle. 'Dan maak je straks geen fouten.'

'Het zijn gewoon wat pincodes. Dat gaat heus wel goed.'

'Het was geen verzoek,' zei ze stijfjes, en ze liep de kamer uit.

'Je hebt het gehoord, jongen,' zei Leo met een brede grijns.

Tony mompelde iets en liep boos de kamer uit.

'Ze laat zich echt niet in de kaart kijken, hè?' zei Freddy.

'Zou jij willen samenwerken met een oplichter die zich wel in de kaart laat kijken?' zei Leo.

'Wie is ze?'

'Annabelle,' zei Leo.

'Dat weet ik ook wel. Maar wat is haar achternaam? Het verbaast me dat ik haar nooit eerder tegen het lijf ben gelopen. Het wereldje van de trucs is niet zo heel groot.'

'Als ze had gewild dat jij dat wist, dan had ze het je zelf wel verteld.'

'Kom op, Leo,' zei Freddy. 'Je kent ons allemaal. Ik heb zelf gezeten. Ik praat heus mijn mond niet voorbij.'

Leo dacht even na, en zei toen: 'Oké, maar je moet zweren dat je dit meeneemt in je graf. En als je haar vertelt dat je het van mij hebt, dan ontken ik het en maak ik je af. En dat meen ik.' Hij zweeg totdat Freddy had beloofd dat hij er nooit iets over zou zeggen.

'Ze heet Annabelle Conroy.'

'Paddy Conroy,' zei Freddy meteen. 'Daar heb ik wél van gehoord. Zijn ze familie van elkaar?'

Leo knikte en zei zachtjes: 'Ze is zijn dochter. Maar dat is een goed bewaard geheim. De meeste mensen weten niet eens dat Paddy een dochter had. Zo nu en dan stelde hij Annabelle voor als zijn vrouw. Nogal eigenaardig eigenlijk, maar zo was Paddy nou eenmaal.'

'Ik heb nooit het genoegen gehad met hem samen te werken,' zei Fred-dy.

'Nou, ik wel. Paddy Conroy was niet alleen een van de grootste oplich-

48

ters van zijn generatie, maar ook een van de grootste klootzakken.' Leo keek even om zich heen en zei op nog zachtere toon: 'Heb je dat litteken onder haar rechteroog gezien? Dat heeft ze aan haar ouweheer te danken toen ze aan de roulettetafel in Vegas per ongeluk een aansprakelijkheids-truc verknalde. Dat kostte hem drieduizend dollar en daarvoor heeft hij haar een flink pak slaag gegeven. Ze was toen pas vijftien, maar ze zag eruit als eenentwintig. En het is niet de enige keer dat hij haar zo mis-handeld heeft, neem dat maar van mij aan.'

'Verdomme,' zei Freddy. 'Zijn eigen dochter?'

Leo knikte. 'Annabelle praat er nooit over. Ik heb het van iemand anders gehoord.'

'Dus in die tijd werkte je met hen samen?'

'O, ja, met Paddy en zijn vrouw, Tammy. Ze hadden een paar goeie trucs lopen toen. Paddy heeft me monte met drie kaarten geleerd. Maar Annabelle is veel beter dan haar vader ooit geweest is.'

'Hoe komt dat?' vroeg Freddy.

'Omdat zij een eigenschap heeft die Paddy miste. Eerlijkheid. Dat heeft ze van haar moeder. Tammy Conroy was echt goudeerlijk, voor zover je dat van een oplichtster kunt zeggen, natuurlijk.'

'Eerlijkheid zou je inderdaad niet verwachten van mensen als wij.'

'Paddy leidde zijn teams altijd door middel van angst. Zijn dochter doet het door middel van voorbereiding en competentie. En ze zal je nooit, nóóit naaien. Als ik probeer uit te rekenen hoe vaak Paddy er met de poet vandoor is gegaan, dan raak ik gewoon de tel kwijt. Daarom werk-te hij op het laatst altijd alleen. Niemand wilde meer iets met hem te maken hebben. Godsamme, zelfs Tammy heeft hem uiteindelijk gedumpt, geloof ik.'

Freddy stond een tijdje zwijgend voor zich uit te kijken. Kennelijk liet hij dit alles even tot zich doordringen. 'Nog nieuws over de lange truc?'

Leo schudde van nee. 'Het is haar truc. Ik ben alleen maar een werkne-mer.'

Terwijl Freddy en Leo naar de keuken liepen om een kop koffie te halen, stak Tony even zijn hoofd om de deur. Hij had zijn notitieboekje in de kamer laten liggen en was net op tijd teruggekomen om het hele gesprek te kunnen afluisteren. Hij glimlachte. Tony vond het altijd heerlijk om dingen te weten waarvan andere mensen dachten dat hij ze niet wist.

De truc leverde 910.000 dollar op omdat Tony bij een van de pinauto-maten hebberig was geworden.

'Je denkt toch niet dat die arme sukkel zijn Pagani moet inruilen?' zei hij zuur.

'Doe dat niet nog een keer,' zei Annabelle streng terwijl ze in een nieuw huurhuis acht kilometer van het vorige zaten te ontbijten. Het vorige huis was grondig schoongemaakt voor het geval de politie zou langsko-men. Alle huurauto's die ze hadden gebruikt om geld van die dertig rekeningen te stelen, waren weer ingeleverd bij Hertz. De vermommin-gen die ze hadden gedragen, waren achtergelaten in vuilniscontainers op verschillende plekken in de stad. Het geld bevond zich in vier verschil-lende, door Annabelle gehuurde bankkluisjes. De videobanden en com-puterbestanden waren gewist en de notitieboekjes vernietigd.

'Wat maakt tienduizend dollar extra nou uit?' zei Tony. 'Christus, we hadden er nog veel meer uit kunnen halen.'

Annabelle duwde haar gestrekte vinger tegen zijn borst. 'Het gaat niet om het geld. Als ik een plan opstel, dan heb jij je daaraan te houden. Anders ben je niet te vertrouwen, en als je niet te vertrouwen bent, pas je niet in mijn team. Zorg dat ik er geen spijt van krijg dat ik jou heb uit-gekozen, Tony.' Ze keek de jongeman net zolang aan totdat hij zijn ogen neersloeg, en richtte zich toen tot de anderen.

'Oké, laten we de tweede korte truc nog eens doornemen.' Ze keek weer naar Tony. 'En deze keer gaat het om een truc waarbij we de mensen onder ogen komen. Als je je niet aan je instructies houdt en het doelwit niet precies goed aanpakt, dan draai je de bak in, want er is hier geen enkele foutmarge.'

Tony leunde achterover en keek plotseling heel wat minder enthousiast.

'Weet je, Tony,' zei ze. 'Er gaat niets boven een doelwit recht in de ogen kijken. Zo krijg je zowel hoogte van hem als van jezelf.'

'Ik heb heus wel voldoende zelfvertrouwen, hoor.'

'Weet je dat zeker? Want als dat een probleem wordt, dan wil ik het nú weten.'

Hij keek de anderen zenuwachtig aan. 'Ik heb echt geen problemen, hoor.'

'Mooi. We gaan naar San Francisco.'

'Wat hebben we daar te zoeken?' vroeg Freddy.

'De postbode,' zei Annabelle.

De rit naar San Francisco duurde zes uur, en ze gingen in twee auto's. Leo en Annabelle in de ene, en Tony en Freddy in de andere. Ze huurden een gemeubileerd flatje voor bezoekende zakenlieden, met gedeeltelijk uitzicht op de Golden Gate. De eerste vier dagen hielden ze om de beurt een kantoorgebouw in een dure voorstad in de gaten en keken hoe de brievenbus werd geleegd. Doordeweeks puilde die meestal zo uit dat er stapels post naast werden gelegd. De wagen van de posterijen kwam tussen vijf uur en kwart over vijf.

Op de vijfde dag, precies om halfvijf, kwam de als postbode verklede Leo aanrijden in een vrachtwagen die Annabelle via een van haar contacten een uur ten zuiden van hier had weten te regelen. Haar contact was gespecialiseerd in alles, van pantserwagens tot ambulances, wat niet voor eerlijke doeleinden was bestemd. Vanuit een tegenover de brievenbus geparkeerde auto keek Annabelle toe hoe Leo in de vrachtwagen kwam aanrijden. Tony en Freddy stonden op wacht bij de ingang van het kantoorgebouw. Ze zouden Leo waarschuwen via zijn oortelefoontje als de echte postophaler te vroeg kwam. Leo zou alleen de naast de brievenbus opgestapelde post meenemen, omdat hij niet over een sleutel beschikte om de brievenbus zelf te openen. Hij had het slot natuurlijk makkelijk open kunnen krijgen, maar dat had Annabelle verboden omdat het onnodig was en gevaarlijk kon worden als iemand hem betrapte.

'Wat er op de grond ligt en wat er uit de brievenbus steekt, is ruim voldoende,' had ze gezegd.

Terwijl Leo de post in de vrachtwagen legde, klonk de stem van Annabelle uit zijn oortelefoontje.

'Er komt iemand op je afrennen. Waarschijnlijk is het een secretaresse die nog wat post komt brengen.'

'Oké,' zei Leo zachtjes. Hij draaide zich om naar de vrouw, die hem teleurgesteld aankeek.

'O,' zei ze. 'Waar is Charlie?'

Charlie, de vaste postbode, was lang en knap.

'Ik help hem even omdat er zoveel post is,' zei Leo beleefd. 'Daarom ben ik ook een beetje te vroeg.' Hij keek naar de dikke stapel post in haar handen en hield zijn postzak open. 'Gooi ze er maar in.'

'Dank u wel. De salarischeques moeten vandaag de deur uit.'

'O ja? Nou, dan zal ik er goed op letten.' Hij glimlachte en ging verder met het oprapen van de post, terwijl de vrouw terugliep naar haar kantoor.

Weer terug in de flat gingen ze snel door de post heen. Nadat ze die hadden verdeeld in bruikbaar en onbruikbaar gaf Annabelle Tony opdracht de onbruikbare brieven naar de brievenbus op de hoek te brengen en weer te posten. Freddy en zij begonnen de andere post aandachtig door te lezen.

Toen Tony terugkwam, zei hij: 'Jullie hebben ook een stapel salarisover-schrijvingen weggedaan. Waarom?'

'Salarischeques en cheques aan debiteuren hebben voor ons geen nut,' zei Freddy met het zelfvertrouwen van de deskundige die hij was. 'Daarvoor worden lasersloten gebruikt, waarmee de toner extra sterk aan het papier wordt gehecht, en beveiligde lettertypen, zodat de bedragen niet eenvoudig te veranderen zijn.'

'Dat heb ik altijd al een beetje raar gevonden,' zei Leo. 'Ze sturen die cheques per slot van rekening aan mensen die ze kennen.'

Freddy hield een cheque omhoog. 'Dit is wat we zoeken. Een terug-betalingcheque.'

'Maar die sturen ze aan wildvreemden,' zei Tony.

'Daarom is het ook zo raar, jong,' zei Leo. 'Cheques aan mensen die ze kennen, die voor hen werken of met wie ze zaken doen, worden streng beveiligd, maar cheques die bestemd zijn voor volslagen onbekenden gaan zonder speciale beveiliging de deur uit.'

'Ik heb dat kantoorgebouw uitgekozen,' voegde Annabelle eraantoe, 'omdat daar de regiokantoren van een aantal bedrijven uit de Fortune 500 gevestigd zijn. Zulke bedrijven versturen elke dag duizenden cheques en hun bankrekeningen staan bol van het geld.'

Vijf uur later had Freddy tachtig cheques verzameld. 'Deze hier zijn behoorlijk schoon. Geen watermerk, geen speciale merktekeningen of detectieboxen.' Hij liep met de cheques naar een kleine werkplek die hij in een hoekje van de flat had ingericht. Met hulp van de anderen plakte hij doorzichtig plakband over de regel waar de handtekening gezet moest worden, zowel op de voor- als de achterkant van elke cheque, legde ze daarna in een grote koekenpan en goot wat nagellak over het papier. De aceton in de nagellak zorgde ervoor dat alle inkt die geen drukinkt was, al heel snel oploste. Nadat het plakband eraf was getrokken hielden ze tachtig door de directeur of adjunct-directeur onderte-kende blanco cheques over.

'Iemand heeft een keer een valse cheque uitgeschreven op mijn rekening,' zei Leo.

'Wat heb je toen gedaan?' vroeg Tony.

'Ik heb die klootzak opgespoord. Het was een amateur, die het meer voor de lol deed dan omdat hij het geld nou zo nodig had, maar ik was er toch behoorlijk nijdig om, en dus heb ik hem een adreswijziging geflikt, zodat al zijn rekeningen naar een ander adres werden gestuurd en die kerel jarenlang problemen heeft gehad met allerlei schuldeisers.

Ik bedoel: dit gedoe moet je overlaten aan de professionals.' Hij haalde zijn schouders op. 'Godsamme, ik had hem echt helemaal te gronde kunnen richten. Ik had zijn identiteit kunnen aannemen, enzovoorts enzovoorts.'

'Waarom heb je dat dan niet gedaan?' vroeg Tony.

'Ik heb een geweten,' gromde Leo.

Freddy zei: 'Als de cheques gedroogd zijn, zet ik de routeringsnummers van de Federal Reserve er weer op.'

'Wat is dat nou weer!' riep Tony uit.

'Weet je wel zeker dat jij een oplichter bent?' vroeg Leo verbaasd.

'Ik werk met computers en internet!' riep Tony geërgerd. 'Niet met nagellak. Ik ben een oplichter uit de eenentwintigste eeuw. Ik werk zonder papier.'

'Nou, gefeliciteerd ermee,' zei Leo zuur.

Annabelle hield een van de cheques omhoog. 'Dit is het routeringsnummer,' zei ze, en ze wees naar de eerste twee cijfers van een lange reeks getallen onder op de cheque. 'Het routeringsnummer maakt de bank duidelijk dat de cheque is gedeponeerd in het verrekeningskantoor waarvoor de cheque is bestemd. Het routeringsnummer van New York is 02, het nummer van San Francisco is 12. Een bedrijf in New York dat cheques uitschrijft die zijn uitgegeven door een bank in New York zal in de meeste gevallen het New Yorkse routeringsnummer op zijn cheques hebben staan. Omdat we de cheques hier gaan verzilveren, zal Freddy ervoor zorgen dat alle cheques het routeringsnummer van New York krijgen. Op die manier duurt het langer voordat het bedrijf zijn cheque terugkrijgt en in de gaten heeft dat er iets niet klopt.

En wat nog belangrijker is, dit zijn allemaal grote bedrijven die hun te betalen rekeningen beheren met "zero cash"-methoden. Dus zelfs als er een valse cheque tussen zit, is er een goede kans dat ze een betrekkelijk onbelangrijke transactie pas opmerken als ze aan het eind van de maand hun afrekening krijgen. Vandaag is het de vijfde, dus dat betekent dat we nog bijna een maand de tijd hebben voordat ze in de gaten krijgen dat er iets mis is. Tegen die tijd zijn wij allang verdwenen.'

'Stel dat de bankbediende naar de cheque kijkt en ziet dat het routeringsnummer niet klopt?' vroeg Tony.

'Jij hebt zeker dat programma niet gezien, hè?' zei Leo. 'Je weet wel, dat televisieprogramma waarin een journalist een bank binnenloopt met een cheque waarop geschreven staat: NIET VERZILVEREN, RUND! DIT IS EEN VALSE CHEQUE. En wat denk je dat dat rund achter de balie doet: hij verzilvert hem.'

'Ik heb nog nooit gehoord dat een bankbediende een verkeerd nummer opmerkte,' voegde Annabelle eraantoe. 'Als je die mensen geen reden tot argwaan geeft, dan letten ze daar helemaal niet op.'

Toen de cheques waren gedroogd, scande Freddy ze in zijn laptop in. Zes uur later had hij tachtig stapeltjes op tafel liggen die in totaal 2,1 miljoen dollar waard waren.

Annabelle streek met haar vinger over de geperforeerde rand van een van de cheques. 'Nu komt het menselijke deel van de truc,' zei ze met een snelle blik op de anderen. 'Het verzilveren van de valse cheques.'

'Dat vind ik altijd het leukst,' zei Leo gretig, terwijl hij de laatste resten van een hamsandwich naar binnen werkte en die wegspoelde met een grote slok bier.

·10·

Ze hadden besloten dat Annabelle en Leo de eerste reeks cheques zouden verzilveren en dat Tony met Leo zou meelopen om te zien hoe het in zijn werk ging. Annabelle, Leo en Tony beschikten ieder over een complete set identiteitsbewijzen, die Freddy voor hen had gemaakt. Die identiteitsbewijzen pasten bij de individuele begunstigde of toonden aan dat de betreffende persoon in dienst was van het bedrijf dat als begunstigde op de cheque vermeld stond. Annabelle had Leo en Tony opdracht gegeven niet meer dan één set identiteitsbewijzen tegelijk mee te nemen, want als ze werden aangehouden, zou het met acht verschillende identiteiten op zak moeilijk worden om zich eruit te kletsen.

Een deel van de cheques was uitgeschreven aan privépersonen, maar geen ervan voor een hoger bedrag dan tienduizend dollar, omdat bedragen boven die grens bij de belastingdienst gemeld moesten worden. Vanwege die bovengrens zouden ze te veel persoonlijke cheques moeten innen om aan 2,1 miljoen dollar te komen, en daarom bestond de rest van de begunstigden uit bedrijven waarvoor Annabelle bij verschillende banken een rekening had geopend. Cheques voor meer dan tienduizend dollar die waren uitgeschreven op naam van bedrijven konden worden verzilverd zonder dat de belastingdienst daar belang in stelde. Het nadeel was echter dat geen enkele bank een bedrijfscheque verzilvert. Het volledige bedrag dient altijd op een rekening gestort te worden. Om die reden had Annabelle de afgelopen maanden regelmatig bedragen op de rekeningen gestort en weer opgenomen, zodat die eruitzagen alsof ze regelmatig gebruikt werden. Ze besefte maar al te goed dat banken het nogal op hun heupen krijgen als er plotseling een hoop geld op nieuwe rekeningen wordt gestort. Dat is een wel heel duidelijk teken van witwassen.

De afgelopen twee dagen was Tony door Annabelle en Leo overhoord over elke denkbare hindernis waarop hij zou kunnen stuiten als hij ging proberen de valse cheques te verzilveren. Om de beurt speelden ze de rol van bankbediende, manager, bewaker en andere klant. Tony leerde snel en na twee dagen verklaarden ze dat hij eerst nog een paar keer met Leo moest meelopen om te zien hoe die het aanpakte, en dat hij daarna gereed zou zijn om zelf de eerste stappen als verzilveraar te zetten.

De eerste tien keer ging alles zonder problemen. Bij de ene bank had Annabelle rood haar, bij de volgende was het blond en bij een derde bruin. Achter in de bestelwagen was een kleedkamer ingericht met een make-uptafeltje en een spiegel. Om de paar keer stapten Leo en zij het bestelbusje in om snel van uiterlijk te wisselen terwijl ze naar de volgende bank reden. In de ene bank had Annabelle een bril op, bij de volgende droeg ze een sjaal om haar hoofd, in een derde had ze een petje op en ging ze gekleed in een lange broek en een sweater. Met het juiste kapsel, de juiste make-up, de juiste kleren en soms hier en daar een kussentje kon ze haar uiterlijk en leeftijd ingrijpend veranderen. Ze droeg alleen maar platte schoenen omdat ze met haar lengte van 1 meter 72 minder opvallend was dan met hoge hakken en een lengte van 1 meter 80. En hoewel ze er nooit naar keek, was ze zich er voortdurend van bewust dat de beveiligingscamera op haar gericht stond.

Leo was onder andere een zakenman, een loopjongen, een gepensioneerde heer en een advocaat.

Annabelle had haar tekst goed ingestudeerd en speelde haar rol tegenover de bankbediendes zonder een spoor van angst. Ze stelde de bankbediende onmiddellijk op zijn of haar gemak, maakte een praatje over zijn of haar kapsel of kleding, of over hoe mooi San Francisco toch was, ook als het weer zo slecht was als nu.

Tegen de elfde bankbediende zei ze: 'Ik heb dit consultancy nu al vier jaar, en dit is het hoogste honorarium dat ik ooit heb ontvangen. Maar tjonge, wat heb ik daar hard voor gewerkt.'

'Het is inderdaad een fors bedrag,' zei de vrouw terwijl ze de transactie verwerkte. 'Gefeliciteerd.' De vrouw leek de cheque en Annabelles perfect nagebootste identiteitsbewijzen en bedrijfsdocumenten net iets te aandachtig te bekijken.

Annabelle merkte op dat de vrouw geen trouwring droeg, maar dat er een kring van lichtere huid om haar ringvinger zat. Waarschijnlijk had ze die tot voor kort dus wel gedragen.

'Mijn ex is ervandoor gegaan met een jongere vrouw, en hij heeft meteen ook maar even onze gemeenschappelijke rekening leeggehaald,' zei Annabelle verbitterd. 'Ik heb mijn hele bestaan weer van de grond af moeten opbouwen en dat is niet gemakkelijk geweest. Maar die voldoening gunde ik hem gewoon niet, snapt u? Ik neem alimentatie van hem aan omdat ik die verdiend heb, maar over mijn leven heeft hij niets te zeggen.'

Er verscheen een heel andere uitdrukking op het gezicht van de vrouw. 'Ik weet precies wat u bedoelt,' zei ze zachtjes terwijl ze de transactie afhandelde. 'Ik ben twaalf jaar getrouwd geweest en toen besloot mijn ex me in te ruilen voor een nieuw model.'

'Konden we ze maar een pil geven waardoor ze een beetje zindelijker werden, hè?'

'O, die van mij kan zo een pil van me krijgen,' zei de bankbediende. 'Een cyanidepil.'

Annabelle keek snel even naar de documenten op de balie en zei achteloos: 'Het duurt zeker wel een paar dagen voordat het geld op mijn rekening staat, hè? Ik heb nog wat dingen die ik nodig moet afbetalen. Ik wilde dat ik het hele bedrag zelf kon houden, maar met een beetje mazzel maak ik net tien procent winst.'

De bankbediende aarzelde. 'Nou, met een cheque voor zo'n hoog bedrag houden we het geld inderdaad meestal wel even vast.' Ze keek naar Annabelle, glimlachte en tuurde naar haar beeldscherm. 'Maar er staat een heleboel geld op de rekening waar dit geld vandaan moet komen, en er zijn nooit problemen geweest met uw bedrijfsrekening, dus ik zal ervoor zorgen dat het geld onmiddellijk beschikbaar komt.'

'Dat is geweldig. Dat stel ik echt zeer op prijs.'

'Wij vrouwen moeten elkaar steunen.'

'Inderdaad,' zei Annabelle. Ze draaide zich om en liep de deur uit met een bonnetje waarop te lezen stond dat haar 'bedrijf' zojuist veertigduizend dollar rijker was geworden.

Intussen werkte Leo zich in hoog tempo door zijn stapeltje cheques heen. Over het algemeen bracht hij niet meer dan tien minuten in een bank door, want hij wist dat snelheid bij dit soort dingen van levensbelang was. Om het ijs met de bankbediende te breken maakte hij meestal even een grapje ten koste van zichzelf.

'Had ik dat geld maar op mijn eigen rekening staan,' zei hij vermomd als loopjongen tegen een bankbediende. 'Dan kon ik tenminste ergens een hypotheek krijgen. Is er een bank in San Francisco die géén enorme aanbetaling vraagt als je een hypotheek voor een tweekamerflat probeert te krijgen?'

'Voor zover ik weet niet,' zei de bankbediende, die met hem te doen had.

'Ik bedoel,' ging Leo verder, 'op dit moment heb ik maar één kamer en ik slaap op een slaapbank.'

'Dan mag je nog van geluk spreken. De bank betaalt me zo weinig dat ik nog steeds bij mijn ouders woon.'

'Ja, maar ik ben dertig jaar ouder dan jij. Als het zo doorgaat ben ik degene die bij zijn ouders woont tegen de tijd dat jij hier directeur bent.'

De bankbediende lachte en overhandigde Leo een reçu voor achtendertigduizend dollar. 'Geef het niet allemaal in één keer uit.'

'Maak je geen zorgen,' zei Leo terwijl hij het velletje papier in zijn achterzak liet glijden en wegliep.

Aan het eind van de middag hadden ze zevenenzeventig van de tachtig cheques ingewisseld. Tony had er tien gedaan en met elke cheque groeide zijn zelfvertrouwen.

'Dit is een makkie,' verklaarde hij terwijl hij zich samen met Leo achter in het bestelbusje stond om te kleden. Aan de andere kant van een midden in de bus hangend laken was Annabelle zich ook aan het omkleden. 'Die idioten slikken alles wat je ze wijsmaakt. Ze bekijken die cheques niet eens. Ik weet niet waarom iemand nog de moeite neemt om banken te beroven.'

Annabelle stak haar hoofd over de rand van het laken. 'We hebben nog drie cheques. We nemen er ieder één.'

'En Tony, pas op je hoofd als je uitstapt,' zei Leo.

'Wat zeg je nou?'

'Ik bedoel dat je op dit ogenblik zo overmoedig bent dat je misschien niet eens de moeite neemt om te bukken.'

'Waarom doe jij toch altijd zo vervelend, Leo?'

'Hij doet zo vervelend tegen je, Tony, omdat het helemaal niet zo makkelijk is om vervalste cheques in te wisselen,' zei Annabelle.

'Nou, voor mij wel.'

'Dat komt omdat Annabelle jou in haar onbegrensde wijsheid de makkelijkste heeft gegeven.'

Tony draaide zich snel om en keek haar strak aan. 'Is dat zo?'

'Ja,' zei ze botweg.

'Ik kan heus wel voor mezelf zorgen,' zei Tony. 'Je hoeft me niet in bescherming te nemen, hoor.'

'Ik doe het ook niet voor jou,' zei Annabelle. 'Maar als jij wordt opgepakt, sleep je ons met je mee.' Ze keek hem even fel aan, maar ontspande zich toen weer. 'En bovendien heeft het geen zin om een getalenteerde oplichter zomaar in het diepe te gooien. Dat doet vaak meer kwaad dan goed.'

Ze dook weer weg achter het laken. Er viel wat licht door de getinte ruiten op het halfdoorzichtige laken, en terwijl ze haar kleren uittrok, stond Tony ademloos naar haar silhouet te kijken.

Leo gaf hem een por in zijn ribben en gromde: 'Een beetje beleefd blijven, jong.'

Tony draaide zich langzaam om. 'Potverdomme,' zei hij zachtjes.

'Wat? Heb je nog nooit eerder gezien hoe een mooie vrouw haar kleren uittrekt?'

'Nee... ik bedoel ja, dat heb ik echt wel eerder gezien.' Hij tuurde naar zijn handen.

'Wat is er dan?'

Tony keek op. 'Volgens mij heeft ze me zojuist een getalenteerde oplichter genoemd.'

•11•

Het was de laatste keer. Tony stond voor het loket. De bankbediende was een leuk meisje van Aziatische afkomst met lang haar tot op haar schouders, een gave huid en geprononceerde jukbeenderen. Tony was duidelijk geïntrigeerd en leunde over de balie.

'Woon je hier al lang?' vroeg hij.

'Een paar maanden. Ik ben hierheen gekomen vanuit Seattle.'

'Het weer is daar net zo beroerd als hier,' zei Tony.

'Ja,' zei het meisje terwijl ze glimlachend doorwerkte.

'Ik kom net uit Vegas,' zei Tony. 'Daar kun je pas lol hebben.'

'Ik ben er nooit geweest.'

'O, man, het is daar geweldig. Dat moet je echt eens doen. En zoals ze zeggen: alles wat er in Vegas gebeurt, blijft in Vegas.' Hij keek haar vol verwachting aan. 'Ik wil je er best eens een rondleiding geven.'

Ze keek hem misprijzend aan. 'Ik ken u niet eens.'

'Oké, we hoeven niet te beginnen met Vegas. We kunnen ook gewoon ergens gaan lunchen.'

'Hoe weet je dat ik geen vriendje heb?' vroeg ze uitdagend.

'Zo'n mooie meid als jij zal best een vriendje hebben. Maar dat wil alleen maar zeggen dat ik nog wat harder mijn best zal moeten doen om te zorgen dat je hem snel vergeet.'

Ze begon te blozen en tuurde strak naar de balie. Toen ze opkeek, glimlachte ze weer. Ze sloeg een paar toetsen aan op haar pc. 'Goed, mag ik je identiteitsbewijs zien?'

'Als je belooft ja te zeggen als ik je mee uit vraag.'

Ze nam het identiteitsbewijs van hem aan en liet haar vinger zachtjes langs de zijne strijken. Hij lachte haar opnieuw toe.

Ze keek snel even in het paspoort en er verscheen een verbaasde uitdrukking op haar gezicht. 'Je kwam toch net uit Vegas?'

'Inderdaad.'

'Maar in je paspoort staat Arizona.' Ze draaide de pas om zodat hij het zelf kon zien. 'En die foto lijkt helemaal niet op jou.'

O, shit! Hij had het verkeerde paspoort uit zijn zak gehaald. Hoewel Annabelle hem duidelijk had gezegd dat hij niet meer dan één set identiteitsbewijzen tegelijk bij zich mocht hebben, droeg hij ze koppig allemaal bij zich. Op de foto was hij blond, met een klein sikje en een klein metalen brilletje op.

'Ik woonde in Arizona, maar werkte in Vegas. Dat was goedkoper,' zei hij snel. 'En ik vind het leuk om regelmatig van stijl te veranderen. Een nieuwe haarkleur, nieuwe contactlenzen, je weet wel.'

Zodra hij met dat slappe excuus op de proppen was gekomen, wist hij dat alles verloren was.

Het meisje keek weer naar de cheque en werd nog argwanender. 'Dit is een cheque op een Californische bank en voor rekening van een Californisch bedrijf, maar het routeringsnummer is van New York. Hoezo?'

'Routeringsnummers? Daar heb ik geen verstand van,' zei Tony, en zijn stem begon te trillen. Aan het gezicht van het meisje was duidelijk te zien dat ze hem al als fraudeur beschouwde. Ze keek snel in de richting van de beveiligingsmedewerker en legde de cheque en Tony's valse pas voor zich op de balie. 'Ik moet even contact opnemen met de manager...' begon ze.

'Wat is hier aan de hand?' zei een scherpe, lage stem. 'Neem me niet kwalijk.' De vrouw duwde Tony uit de weg en ging recht voor de bankbediende staan. Ze was lang en nogal gezet, met blond haar dat aan de wortels veel donkerder van kleur was. Haar smalle designbrilletje hing aan een ketting om haar nek, en ze ging gekleed in een paarse bloes en een zwarte pantalon.

Zacht maar streng zei ze tegen de jonge vrouw achter de balie: 'Ik sta hier nu al tien minuten terwijl jullie elkaar staan op te vrijen. Is dat de service die je hier krijgt? Waarom gaan we niet even met de manager praten?'

Met grote ogen van schrik deed de baliemedewerkster een stap naar achteren. 'Het spijt me, mevrouw, ik was alleen maar...'

'Ik weet best wat jij aan het doen was,' viel de vrouw haar in de rede. 'Ik kon het horen, iedereen kon het horen. Jullie stonden te flirten en je liefdesleven te bespreken.'

Het meisje begon te blozen. 'O nee, mevrouw, dat is helemaal niet waar.'

De vrouw legde haar handen op de balie en boog zich eroverheen. 'Echt niet? Dus toen jij het over je vriendjes in Vegas had, en hij je vertelde hoe knap je wel niet bent, ging het om bankzaken? Doe je dat met al je klanten? Wil je mij soms vertellen met wie je allemaal naar bed gaat?'

'Mevrouw, alstublieft, ik...'

'Laat maar zitten. Ik ben het spuugzat.' De vrouw draaide zich om en liep boos de deur uit.

Tony was al verdwenen. Een paar seconden nadat de vrouw ineens op de balie was afgestapt, had Leo hem met zachte drang mee naar buiten getrokken.

Een minuut later kwam Annabelle bij hen achter in het bestelbusje zitten. 'Rijden maar, Freddy!' riep ze naar de bestuurder. Het busje reed onmiddellijk weg.

Ze rukte de blonde pruik van haar hoofd en stopte de bril in haar zak. Daarna deed ze haar jas uit en trok het kussen van haar middel. Ze gooide Tony's paspoort naar hem toe. Hij ving het met een beschaamd gezicht op en riep: 'O god, ze hebben de che...'

Hij zweeg abrupt toen Annabelle hem de opgevouwen cheque liet zien. 'Het spijt me, Annabelle. Het spijt me echt.'

Ze boog zich naar hem toe. 'Een goede raad, Tony. Probeer nooit je slachtoffer te versieren, en al helemaal niet als je je als iemand anders voordoet.'

'Goed dat we besloten om deze keer met je mee te lopen,' zei Leo.

'Waarom deden jullie dat eigenlijk?' vroeg Tony somber.

'Omdat je veel te zelfverzekerd het busje uit liep,' zei Annabelle. 'Te veel zelfvertrouwen wordt heel snel je ondergang. Dat is nog een grondregel van dit vak.'

'Ik kan nog even naar een andere bank gaan,' zei Tony. 'Om die cheque alsnog in te wisselen.'

'Nee,' zei ze. 'We hebben genoeg voor de lange truc. En het is het risico niet waard.'

Tony wilde er iets tegen inbrengen, maar liet zich toen onderuitzakken en hield zijn mond.

Leo en Annabelle keken elkaar aan en zuchtten allebei van opluchting.

Twee dagen later, in het huurflatje, klopte Leo op de deur van Annabelles slaapkamer.

'Ja?' riep ze.

'Heb je even tijd?'

Hij ging op haar bed zitten terwijl zij wat kleren in een sporttas stopte.

'Drie miljoen,' zei hij eerbiedig. 'Weet je, jij noemde het korte trucs, Annabelle, maar voor de meeste mensen zouden het lange zijn. En het waren ook heel mooie trucs.'

'Iedere oplichter die zijn vak verstaat zou het gekund hebben. Alleen de inzet was een beetje hoger dan anders.'

'Een béétje? Een kwart van drie miljoen is geen kleingeld.'

Ze keek hem scherp aan.

'Sorry,' zei hij snel. 'Ik weet het. Jij krijgt een groter aandeel omdat jij de hele opzet bedacht hebt. Maar toch, met mijn aandeel zou ik een paar jaar in luxe kunnen leven. Misschien zou ik zelfs eens echt met vakantie kunnen.'

'Nog niet. We hebben de lange truc nog voor de boeg, Leo. Dat was de deal.'

'Best, maar denk er in elk geval eens over na.'

Ze liet een grote stapel kleren in haar tas vallen. 'Ik heb er al over nagedacht. Hierna beginnen we met de lange truc.'

Leo stond op en bleef nerveus wat staan draaien met een niet-aangestoken sigaret. 'Oké, wat doen we met de jongen?'

'Wat is er met de jongen?'

'Je zei dat we een *all-star* gingen doen. Nou, met Freddy heb ik geen enkel probleem. Die is echt eersteklas. Maar die jongen heeft bijna alles bedorven. Als jij er niet geweest was...'

'Als ik er niet geweest was, dan had hij zelf wel iets bedacht.'

'Bullshit. Die meid achter de balie had hem helemaal door. Hij gaf haar het verkeerde paspoort, god nog aan toe! Heb je ooit zo'n eikel gezien?'

'Heb jij nooit eens een foutje gemaakt als je met een truc bezig was, Leo? Laat me even denken. Hoe zat het ook weer met Phoenix? Of met Jackson Hole?'

'Ja, maar daarbij ging het niet om miljoenen dollars, Annabelle. En het werd me allemaal niet op een presenteerblaadje uitgereikt terwijl ik nog in de luiers lag, zoals Tony.'

'Met afgunst schiet je niks op, Leo. En Tony staat heus zijn mannetje wel.'

'Mogelijk, maar misschien valt hij ook wel tegen. Waar het mij om gaat, is dat ik niet in de buurt wil zijn als blijkt dat hij niet voor zijn taak berekend is.'

'Laat dat nou maar aan mij over.'

Leo stak zijn handen op in een machteloos gebaar. 'Goed zo, maak jij je maar zorgen om ons allemaal.'

'Oké, dat is dan geregeld.'

Leo zwierf rusteloos door de kamer, met zijn handen diep in zijn broekzakken.

'Verder nog iets?' vroeg ze.

'Ja, wat is de lange truc?'

'Dat vertel ik je wel als je het weten moet. En dat hoef je nu nog helemaal niet te weten.'

Leo ging op het bed zitten. 'Ik ben niet van de CIA. Ik ben een oplichter. Ik vertrouw helemaal niemand.' Hij keek naar haar tas. 'En als jij het me niet wilt vertellen, dan ga ik niet mee. Waar je ook naartoe gaat.'

'Jij wist van tevoren waar je aan begon, Leo. Als je nu stopt, dan krijg je niks. Twee korte trucs, en één lange, dat was de deal.'

'Ja, maar we hadden niet afgesproken dat ik een of ander snotjoch onder mijn hoede moest nemen die ons bijna in de bak heeft gebracht.'

Ze keek hem minachtend aan. 'Wát! Probeer je me uit te schudden na al die jaren? Ik heb je de beste handel gegeven die je ooit hebt gehad.'

'Ik hoef niet meer geld te hebben. Ik wil weten wat de lange truc inhoudt. Anders ga ik niet mee!'

Annabelle hield op met inpakken en liet het tot zich doordringen. 'Als ik je vertel waar we naartoe gaan, is dat dan voldoende?'

'Dat hangt ervan af waar het is.'

'Atlantic City.'

Leo werd krijtwit. 'Ben je nou helemaal gek geworden, godverdomme nog aan toe! Was de vorige keer nog niet erg genoeg?'

'Dat is lang geleden, Leo.'

'Voor mij kan het niet lang geleden genoeg zijn,' snauwde hij. 'Waarom doen we niet iets makkelijkers, zoals de maffia te grazen nemen of zo!'

'At-lan-tic Ci-ty,' zei ze langzaam en nadrukkelijk.

'Waarom? Vanwege je pa?'

Ze gaf geen antwoord.

Leo stond op en stak zijn wijsvinger naar haar uit. 'Je bent stapelgek, Annabelle. Als je denkt dat ik samen met jou nog een keer die hel inga omdat je zo nodig iets moet bewijzen, dan ken je Leo Richter niet.'

'Het vliegtuig gaat morgenochtend om zeven uur.'

Leo stond een paar minuten nerveus toe te kijken terwijl ze verderging met pakken.

'Vliegen we eersteklas?' vroeg hij toen.

'Ja. Hoezo?'

'Als dit mijn laatste vlucht wordt, dan wil ik toch in stijl reizen.'

'Best hoor, Leo. Als je maar meegaat.'

Hij liep de deur uit en Annabelle ging door met pakken.

Caleb Shaw was aan het werk in de leeszaal van de afdeling Zeldzame Boeken. Verschillende cliënten hadden verzocht materiaal uit de Lessing-kluis te mogen inzien, maar daarvoor was toestemming nodig van een van zijn superieuren. Daarna was hij langdurig aan het bellen met een professor die een boek aan het schrijven was over de privébibliotheek van Thomas Jefferson. Jefferson had die aan de stad verkocht nadat de Britten tijdens de oorlog van 1812 Washington hadden platgebrand. Het was deze collectie die de grondslag had gelegd voor de huidige Congresbibliotheek. Daarna had Jewell English, een oudere dame die vaak in de leeszaal kwam, gevraagd naar een van *Beadle's Dime Novels*. Ze was zeer geïnteresseerd in Beadle's en had Caleb verteld dat ze over een fraaie collectie beschikte. Het was een slanke vrouw met wit haar en een prettige glimlach. Ze had hem ooit verteld dat haar man tien jaar geleden gestorven was en dat haar familie over het hele land verspreid woonde. Omdat hij vermoedde dat ze nogal eenzaam was, maakte hij altijd een praatje met haar als ze in de leeszaal kwam.

'Je hebt geluk, Jewell,' zei Caleb. 'Het is net teruggekomen van de afdeling Conservatie. Het had wat TLC nodig.' Hij was het boek voor haar gaan halen, praatte een paar minuten met haar over de tragische dood van Jonathan DeHaven, en ging toen weer aan zijn bureau zitten. Hij zag dat de oude vrouw haar leesbril opzette – ze had dikke glazen – en langzaam het oude boek doorlas, waarbij ze nu en dan met potlood aantekeningen maakte op een paar velletjes papier die ze had meegenomen. Om voor de hand liggende reden mochten bezoekers alleen potloden en losse vellen papier mee naar binnen nemen en moesten ze hun tassen laten doorzoeken voordat ze de leeszaal verlieten.

Toen de deur van de leeszaal openging, keek Caleb even op naar de vrouw die binnenkwam. Ze was van de afdeling Administratie. Hij stond op om haar te begroeten.

'Dag Caleb, ik heb een briefje voor je van Kevin.'

Kevin Philips was de waarnemend directeur die DeHaven verving.

'Kevin? Waarom heeft hij niet gewoon even gebeld of gemaild?'

'Volgens mij heeft hij dat ook geprobeerd, maar de lijn was bezet of je nam niet op. En om de een of andere reden wilde hij niet mailen.'

'Nou, ik heb het erg druk gehad.'

'Volgens mij is het nogal dringend.' Ze overhandigde hem de envelop en liep de zaal weer uit. Caleb liep ermee naar zijn bureau, maar struikelde over de omgekrulde rand van de mat onder zijn stoel, zodat hij zijn bril van tafel sloeg en er per ongeluk ook nog op ging staan.

'Och, lieve hemel, wat ben ik soms toch een oen.' Hij raapte zijn kapot getrapte bril op en keek toen even naar de envelop. Nou, die kon hij dus niet meer lezen. Zonder zijn bril kon hij helemaal niets lezen. En de vrouw had gezegd dat het dringend was.

'Je bent al een paar keer over die mat gestruikeld, Caleb,' zei Jewell behulpzaam.

'Bedankt, Jewell,' zei hij met op elkaar geklemde kaken. 'Dat had ik nog niet gemerkt.' Toen keek hij haar eens aan. 'Jewell, kan ik je bril even lenen om deze brief te lezen?'

'Zonder bril ben ik echt stekeblind. Misschien zijn de glazen wel veel te sterk voor jou.'

'Maak je maar niet druk. Wat lezen zonder bril betreft ben ik ook stekeblind.'

'Laat mij het anders maar voorlezen.'

'Eh, nee, ik bedoel, het zou weleens... je weet wel.'

Ze klapte in haar handen en fluisterde: 'Bedoel je dat het geheim zou kunnen zijn? Wat spannend!'

Terwijl Jewell hem haar bril aangaf, keek hij snel even naar het briefje. Hij zette de bril op, ging aan zijn bureau zitten en las het door. Kevin Philips vroeg Caleb onmiddellijk naar het hoofdkantoor te gaan dat op een beveiligde verdieping was ondergebracht. Daar was hij nog nooit eerder ontboden, in elk geval niet op deze manier. Langzaam vouwde hij het briefje dubbel en schoof het in zijn zak.

'Dank je wel, Jewell. Jij en ik hebben ongeveer dezelfde sterkte, geloof ik, want het ging heel goed.' Hij gaf haar de bril terug, vermande zich en liep naar het hoofdkantoor.

Daar zat Kevin Philips, samen met een man in een zwart pak. De man werd aan hem voorgesteld als de advocaat van Jonathan DeHaven.

'Krachtens de bepalingen in het testament van meneer DeHaven bent u benoemd tot literair executeur van zijn collectie, meneer Shaw,' zei de advocaat. Hij haalde een document uit zijn tas en overhandigde dat aan Caleb. Daarna gaf hij Caleb twee sleutels en een strookje papier.

'De grote sleutel is van de woning van meneer DeHaven. De kleine sleutel is van de kluis in zijn woning waar hij zijn boeken bewaarde. Het eerste nummer op het papier is de toegangscode van het alarmsysteem in het huis. Het tweede nummer is de combinatie van de kluis. De kluis is zowel voorzien van een slot met sleutel als van een combinatieslot.'

Caleb stond met een dom gezicht naar de voorwerpen te kijken die hem zojuist waren overhandigd. 'Zijn literair executeur?'

'Ja, Caleb,' zei Philips. 'Ik heb begrepen dat jij hem hebt geholpen bij de aankoop van sommige onderdelen van zijn collectie.'

'Inderdaad,' zei Caleb. 'Hij had voldoende geld en smaak om een uitstekende collectie op te bouwen.'

'Nou, kennelijk heeft hij veel waarde aan uw assistentie gehecht,' zei de advocaat. 'Want volgens de bepalingen van het testament krijgt u onbelemmerd toegang tot zijn collectie zeldzame boeken. U krijgt opdracht om een inventarisatie uit te voeren, de collectie vervolgens te laten taxeren en naar eigen inzicht op te delen en te verkopen. De opbrengst gaat naar verschillende liefdadige doelen die in zijn testament zijn gespecificeerd.'

'Hij wilde dat ik zijn boeken ging verkopen? Hoe zit het dan met zijn familie?'

'Mijn firma vertegenwoordigt de familie DeHaven al vele jaren. Geen van zijn familieleden is nog in leven,' zei de advocaat. 'Ik herinner me dat een van onze partners, die inmiddels met pensioen is, me heeft verteld dat meneer DeHaven ooit getrouwd is geweest, jaren geleden, maar waarschijnlijk heeft dat niet lang geduurd.' Hij liet een korte stilte vallen en probeerde zich kennelijk iets te herinneren. 'Ik geloof dat die partner van ons zei dat het huwelijk is ontbonden. Dat was nog voordat ik bij de firma kwam. Maar goed, er waren geen kinderen, dus er is niemand die aanspraak kan maken op de nalatenschap. U krijgt een percentage van de opbrengst van de collectie.'

'Dat zou weleens een flink bedrag kunnen worden,' voegde Philips daaraan toe.

'Ik doe het wel gratis,' zei Caleb snel.

De advocaat grinnikte. 'Ik zal maar doen alsof ik dat niet gehoord heb, want het zou weleens heel wat meer werk kunnen worden dan u denkt. Aanvaardt u de benoeming?'

Caleb aarzelde even en zei toen: 'Ja, ik doe het. Voor Jonathan.'

'Uitstekend. Tekent u dan hier even om aan te geven dat u de benoeming aanvaardt en sleutels en codes in ontvangst hebt genomen.' De man schoof een vel papier naar Caleb toe, die zonder leesbril enige moeite had met ondertekenen.

De advocaat rondde het gesprek af met de woorden: 'Nou, het ligt allemaal klaar voor u.'

Caleb liep naar zijn kamer en zat een tijdje naar zijn toetsenbord te staren. Een paar minuten later nam hij een besluit. Hij belde Milton, Rueben en Stone en zei dat hij niet in zijn eentje naar Jonathans huis toe wilde. Ze zeiden alle drie dat ze met hem mee zouden gaan.

•13•

Die avond reden Rueben en Stone op Ruebens Indian-motor naar het huis van DeHaven. De lange Stone zat in het zijspan gepropt. Vrijwel onmiddellijk na aankomst kwamen Caleb en Milton aanrijden in Calebs auto, een oeroude Chevy Nova met een rotte uitlaatpijp. Caleb had zijn reservebril op. Hij ging ervan uit dat hij vanavond veel zou moeten lezen.

'Leuk optrekje,' zei Rueben terwijl hij zijn helm afzette en naar het reusachtige huis keek. 'Voor iemand met een ambtenarensalaris is dit behoorlijk luxe.'

'Jonathan kwam uit een rijke familie,' zei Caleb.

'Dat lijkt me leuk,' zei Rueben. 'Ik heb van huis uit alleen maar problemen meegekregen. Als ik met jullie optrek, lijk ik daar altijd in terecht te komen.'

Caleb maakte de voordeur open, en nadat hij het alarmsysteem had uitgeschakeld liepen ze naar binnen. 'Ik ben al eerder in de kluis geweest,' zei hij. 'We kunnen de lift naar de kelder nemen.'

'Geen lift!' riep Milton. 'Ik hou niet van liften.'

'Neem de trap dan maar.' Caleb wees naar links. 'Die is daar.'

Rueben wreef met de neus van zijn schoen over het Perzische tapijt in de woonkamer en liet zijn blik over het antieke meubilair gaan, over de smaakvolle schilderijen aan de muren en de beelden in de nissen. 'Hebben ze soms iemand nodig die zolang op het huis past?'

'Ik denk het niet,' zei Caleb.

De kluisdeur zwaaide geruisloos open. Ze stapten naar binnen. Vanbinnen was de kluis ongeveer drie meter breed, twee meter zeventig hoog en tien meter diep. Zodra ze binnen waren, klikte er gedempte verlichting aan, zodat ze redelijk goed konden zien.

'De kluis is brandwerend en bomvrij. De temperatuur en vochtigheidsgraad worden automatisch op het juiste peil gehouden,' legde Caleb uit. 'Voor zeldzame boeken is dat absoluut noodzakelijk, vooral in kelders, want daar kunnen temperatuur en luchtvochtigheid sterk wisselen.'

Langs de wanden van de kluis stonden grote boekenkasten die allemaal vol stonden met boeken, pamfletten en andere objecten die er zelfs in lekenogen zeldzaam en waardevol uitzagen.

'Mogen we iets aanraken?' vroeg Milton.

'Dat kunnen jullie beter aan mij overlaten,' zei Caleb. 'Sommige boeken zijn uiterst kwetsbaar. Een groot deel van de verzameling heeft meer dan honderd jaar het daglicht niet gezien.'

Rueben streek met zijn vinger behoedzaam over een van de boekruggen. 'Dit is een soort gevangenis waar al die boeken levenslang hebben gekregen.'

'Zo moet je dat niet zien, Rueben,' zei Caleb verwijtend. 'Op deze manier worden de boeken beschermd, zodat komende generaties er ook van kunnen genieten. Jonathan heeft kosten noch moeite gespaard om zijn collectie zorgvuldig te bewaren.'

'Wat voor collectie had hij eigenlijk?' vroeg Stone. Hij stond naar een heel oud boek te kijken waarvan de band wel uit eikenhout gesneden leek te zijn.

Voorzichtig trok Caleb het boek waar Stone naar stond te kijken uit de kast. 'Jonathan had een mooie collectie, maar geen buitengewone. Hij zou zelf de eerste zijn geweest om dat toe te geven. Alle grote verzamelaars beschikten over vrijwel onbeperkte middelen, maar belangrijker nog, ze hadden een visioen van het soort collectie dat ze werkelijk wilden, en dat visioen streefden ze zo vastberaden na dat het bijna obsessief werd. Het werd bibliomanie genoemd, de "zachtmoedigste obsessie ter wereld". Alle grote verzamelaars leden eraan.'

Hij keek de kluis rond. 'Er zijn een aantal titels die in geen enkele eersterangs collectie mogen ontbreken, maar daar had Jonathan eenvoudig het geld niet voor.'

'Zoals?' vroeg Stone.

'De Shakespeare-folio's bijvoorbeeld. Het First Folio ligt natuurlijk voor de hand. Dat telt negenhonderd pagina's en bevat zesendertig van Shakespeares toneelstukken. Geen enkel oorspronkelijk manuscript van de Bard is bewaard gebleven, en dus zijn de folio's ongelooflijk gewild. Een paar jaar geleden is er in Engeland een First Folio verkocht voor drieënhalf miljoen pond.'

Milton liet een zacht gefluit horen en schudde zijn hoofd. 'Dat is bijna zesduizend dollar per pagina.'

'En zo zijn er nog een paar voor de hand liggende aankopen,' ging Caleb verder. 'Werk van William Blake, Newtons *Principia Mathematica*, iets van Caxton... Dat was de eerste Engelse drukker. Als ik me niet vergis had de bekende oliemagnaat John Pierpoint Morgan meer dan zestig Caxtons in zijn collectie. Een Mainzer Psalter uit 1457 of 1459, *The Book of Saint Albans*, en een Durandus. Na de Gutenberg-bijbel is dat een van de fraaiste drukwerken die ooit is gemaakt. Er zijn op de hele wereld maar drie exemplaren van de Gutenberg-bijbel die in onberispelijke staat bewaard zijn gebleven en daar heeft de Congresbibliotheek er één van. Het boek is van onschatbare waarde.'

Caleb liet zijn blik over een andere plank gaan. 'Jonathan beschikte over een editie van Dantes *Divina Commedia* uit 1472 die in geen enkele collectie zou misstaan. En hij had een exemplaar van Edgar Allen Poe's *Tamerlane*. Een buitengewoon zeldzaam boek dat moeilijk is te krijgen. Een tijdje geleden is er een van de hand gegaan voor bijna twee ton. Poe's reputatie was wat ingezakt maar is de afgelopen tijd weer aardig gestegen, dus tegenwoordig zou het veel meer opbrengen. Verder omvat de collectie een interessante selectie incunabelen, vooral Duitse maar ook enkele Italiaanse, en een solide verzameling eerste edities van recentere romans, in veel gevallen met handtekening van de auteur. Jonathan was heel sterk op het gebied van documenten uit de Amerikaanse geschiedenis en beschikte over een keur aan persoonlijke brieven van Washington, Adams, Jefferson, Franklin, Madison, Hamilton, Lincoln en vele anderen. Zoals ik al zei, het is een heel aardige collectie, maar geen buitengewone.'

'Wat is dat?' vroeg Rueben en hij wees naar een schemerig verlichte hoek achter in de kluis.

Ze gingen allemaal om het voorwerp heen staan. Het was een klein portret van een man in middeleeuwse kleding.

'Ik kan me niet herinneren dat ik dat ooit eerder heb gezien,' zei Caleb.

'Waarom zou het in deze kluis hangen?' voegde Milton eraantoe.

'En het is er maar één,' merkte Stone op. 'Dat is wel een heel kleine verzameling.' Hij nam het portret vanuit verschillende hoeken aandachtig op voordat hij zijn vingers op de rand van de lijst zette en erop duwde. Het schilderij zwaaide open, waarna een kleine kluisdeur zichtbaar werd met zowel een gewoon slot als een combinatieslot.

'Een kluis in een kluis,' zei Stone. 'Probeer de combinatie eens die de advocaat je voor de hoofdkluis heeft gegeven.'

Dat deed Caleb, maar zonder resultaat.

'Meestal gebruiken mensen een combinatie die ze niet zullen vergeten,' zei Stone. 'Dan hoeven ze die niet op te schrijven. Het kunnen cijfers of letters zijn, of een combinatie van cijfers en letters.'

'Waarom zou hij Caleb wel de sleutel en de combinatie van de hoofdkluis geven en niet die van de tweede kluis?' vroeg Milton.

'Misschien dacht hij dat Caleb er op de een of andere manier wel achter zou komen,' merkte Rueben op.

Stone knikte. 'Dat ben ik met je eens. Denk eens na, Caleb. Kan het iets te maken hebben met de leeszaal van de afdeling Zeldzame Boeken?'

'Hoezo?' vroeg Milton.

'Omdat dit hier in zekere zin DeHavens eigen leeszaal met zeldzame boeken was.'

Caleb keek peinzend voor zich uit. 'Tja, Jonathan was degene die elke dag de leeszaal opende, ongeveer een uur voordat iemand anders het gebouw binnenkwam. Daarbij maakte hij gebruik van speciale, van een alarmsignaal voorziene sleutels, en bovendien moest hij ook nog een beveiligingscode intoetsen. Maar die code ken ik niet.'

'Misschien is het iets veel eenvoudigers. Misschien ligt het zo voor de hand dat je het over het hoofd ziet.'

Plotseling knipte Caleb met zijn vingers. 'Maar natuurlijk. Ik zie het elke dag als ik naar mijn werk ga.' Hij toetste een code in op het digitale toetsenpaneeltje en de kluisdeur sprong met een klikkend geluid open.

'Welke combinatie heb je gebruikt?' vroeg Stone.

'LJ239. Dat is het kamernummer van de leeszaal Zeldzame Boeken. Elke dag als ik naar mijn werk ga, kom ik erlangs.'

Er lag maar één voorwerp in de kluis. Caleb trok de doos er voorzichtig uit en maakte hem langzaam open.

'Dat exemplaar is er behoorlijk slecht aan toe,' zei Rueben.

Het was een boek. De zwarte band zat vol scheuren en de pagina's begonnen los te raken. Voorzichtig sloeg Caleb het open bij de eerste bladzijde. Even later sloeg hij een bladzijde om, en toen nog een.

'O, mijn god!'

'Caleb,' zei Stone. 'Wat is er?'

Calebs handen trilden. Langzaam en met bevende stem zei hij: 'Ik denk... ik bedoel... ik geloof dat dit een eerste editie van het *Bay Psalm Book* is.'

'Is dat zeldzaam?' vroeg Stone.

Caleb keek hem met wijd opengesperde ogen aan. 'Het is het oudste nog bestaande boek dat ooit in de Verenigde Staten is gedrukt, Oliver. Er zijn er op de hele wereld maar elf, en slechts vijf daarvan zijn compleet. Ze komen nooit op de markt. De Congresbibliotheek heeft er een, maar die is ons tientallen jaren geleden geschonken. Ik denk niet dat we die ooit hadden kunnen betalen.'

'Maar hoe komt Jonathan DeHaven er dan aan?' zei Stone.

Eerbiedig legde Caleb het boek weer in de doos en deed die dicht. Daarna legde hij hem weer in de kluis en sloot de deur. 'Dat weet ik niet. Het laatste *Bay Psalm Book* is zestig jaar geleden op de markt gekomen en verkocht voor wat destijds een absoluut recordbedrag was, het equivalent van miljoenen hedendaagse dollars. Het wordt nu bewaard in de bibliotheek van Yale.'

Hij schudde zijn hoofd. 'Dit is zoiets alsof je plotseling op een onbekende Rembrandt of Goya stuit.'

'Nou, als er maar elf van zijn, dan zal het niet moeilijk worden om na te trekken waar die uithangen,' zei Milton. 'Ik kan het even opzoeken op Google.'

Caleb wierp hem een minachtende blik toe. Milton maakte gretig gebruik van elke nieuwe computertechnologie, maar Caleb was overtuigd technofoob.

'Je kunt een *Bay Psalm Book* niet zomaar googelen, Milton. Voor zover ik weet bevinden alle exemplaren zich in instituutsbibliotheken, zoals die van Harvard, Yale en de Congresbibliotheek.'

'Weet je zeker dat het een oorspronkelijk exemplaar is?' vroeg Stone.

'Er zijn daarna nog een aantal edities geweest, maar ik weet bijna zeker dat dit de uitgave van 1640 is. Dat is het jaartal op de titelpagina en bovendien heeft de eerste editie bepaalde kenmerken,' zei Caleb, die van alle opwinding een beetje buiten adem begon te raken.

'Maar wat is het eigenlijk?' vroeg Rueben. 'Ik kan de letters nauwelijks ontcijferen.'

'Het is een gezangboek dat door een aantal puriteinse dominees is samengesteld om de gemeente van een dagelijkse dosis religieuze verlichting te kunnen voorzien. Het drukproces was toen nog vrij primitief en het lettertype is ook nogal ouderwets, waardoor het voor ons wat minder makkelijk te lezen valt.'

'Maar als alle *Bay Psalm Books* in bibliotheken liggen?' vroeg Stone.

Caleb keek hem gespannen aan. 'Het lijkt me niet uitgesloten dat er nog een onbekend exemplaar rondzwerft. Ik bedoel, een vrouw heeft ooit de helft van het oorspronkelijke manuscript van *Huckleberry Finn* op zolder gevonden. En iemand anders vond een oorspronkelijk exemplaar van de Amerikaanse Onafhankelijkheidsverklaring achter een ingelijst schilderij. En dan is er nog iemand die in een oud boek een paar manuscriptpagina's van Byron aantrof. In de loop van vele honderden jaren kan er van alles gebeuren.'

Hoewel het niet warm was in de kluis, veegde Caleb een zweetdruppel van zijn voorhoofd. 'Besef je wel wat een enorme verantwoordelijkheid dit met zich meebrengt? We hebben het hier over een collectie met een echt *Bay Psalm Book*. Een *Bay Psalm Book*, god nog aan toe!'

Stone legde zijn hand op de schouder van zijn vriend om hem te kalmeren. 'Ik ken niemand die daar beter voor is uitgerust dan jij, Caleb. Als we je ergens mee kunnen helpen, dan zullen we het niet laten.'

'Reken maar,' zei Rueben. 'En als je een paar boeken kwijt wilt voordat de echte zwaargewichten komen opdagen, ik heb nog wel een paar dollar op zak, hoor. Wat moet je hebben voor die *Divina Commedia*? Ik heb wel zin in een lolletje.'

'Rueben,' zei Milton, 'jij en ik kunnen niet eens de catalogus betalen waarin deze collectie te koop zal worden aangeboden.'

'Wel verdorie!' riep Rueben met gespeelde woede. 'Straks ga je me nog vertellen dat ik dat klotebaantje van me niet kan opzeggen.'

'Hé, wat spoken jullie daar uit!' riep een stem.

Ze draaiden zich als één man om. Net buiten de kluis stonden twee stevig gebouwde mannen in het uniform van een particuliere beveiligingsdienst die hun pistool op hen gericht hielden. Tussen hen in stond een kleine, magere man met een grote bos rood haar en een rossig baardje.

'Ik vroeg wat jullie hier uitspoken,' zei de man met het rode haar.

'Misschien kunnen we dat beter aan jou vragen, maat,' gromde Rueben.

Caleb deed een stap naar voren. 'Ik ben Caleb Shaw van de Congresbibliotheek. Ik ben een collega van meneer DeHaven, die me in zijn testament tot literair executeur heeft benoemd.' Hij hield de sleutels van de woning en van de kluis omhoog. 'Jonathans advocaat heeft me toestemming gegeven de collectie te komen bekijken, en mijn vrienden hier zijn meegegaan om me een handje te helpen.' Hij stak zijn hand in zijn zak en liet zijn pasje van de Congresbibliotheek zien.

Er verscheen nu een heel andere uitdrukking op het gezicht van de man. 'Maar natuurlijk,' zei hij. 'Neemt u me niet kwalijk.' Hij keek even naar het pasje en gaf het terug. 'Ik zag een paar mensen het huis binnen gaan, en omdat de deur niet afgesloten was, heb ik overhaaste conclusies getrokken.' Hij knikte naar zijn manschappen dat ze hun pistool weer in de holster konden steken.

'En wie bent u?' vroeg Rueben, die de man achterdochtig opnam.

Voordat hij kon antwoorden, zei Stone: 'Volgens mij zijn we in gezelschap van Cornelius Behan, de president-directeur van Paradigm Technologies, de op twee na grootste wapenfabrikant van de Verenigde Staten.'

Behan glimlachte. 'Als het aan mij ligt, zal het niet lang duren voordat we de grootste zijn.'

'Wel, meneer Behan...' begon Caleb.

'De meeste mensen noemen me CB.' Hij deed een stap naar voren en keek de kluis rond. 'Dus dit is de DeHavens collectie?'

'Hebt u Jonathan gekend?' vroeg Caleb.

'We waren buren. Ik zal niet beweren dat we met elkaar bevriend waren. Hij is een paar keer op een feestje van me geweest. Ik wist dat hij in de Congresbibliotheek werkte en boeken verzamelde. We kwamen elkaar weleens op straat tegen en dan maakten we een praatje. Ik vind het heel erg dat hij is overleden.'

'Wij allemaal,' zei Caleb somber.

'Dus u bent zijn literair executeur?' vroeg Behan. 'Wat wil dat zeggen?'

'Dat wil zeggen dat ik opdracht heb gekregen zijn verzameling te catalogiseren, te taxeren en vervolgens te verkopen.'

'Zit er nog iets goeds bij?' vroeg Behan.

'Bent u ook verzamelaar?' vroeg Stone.

'O, ik verzamel zoveel,' zei de man vaag.

'Het is een mooie collectie. Hij wordt geveild,' zei Caleb. 'In elk geval de belangrijkste onderdelen.'

'Ja,ja,' zei Behan verstrooid. 'Verder nog nieuws over Jonathans dood?'

Caleb schudde van nee. 'Het ziet ernaar uit dat het een hartaanval is geweest.'

'En hij leek nog wel zo gezond. Een goede reden om te leven bij de dag, want morgen...' Behan draaide zich om en liep de kluis uit, gevolgd door de twee bewakers.

Terwijl hun voetstappen wegstierven, zei Stone tegen Caleb: 'Wat attent van hem om het huis te controleren van iemand met wie hij op straat weleens een praatje maakte.'

'Ze waren buren, Oliver,' zei Caleb. 'Natuurlijk maakt hij zich ongerust als hij inbrekers denkt te zien.'

'Ik mag hem niet,' zei Milton. 'Hij maakt dingen die mensen doden.'

'En niet zo weinig ook,' voegde Rueben eraantoe. 'Volgens mij is die CB een onbetrouwbare hufter.'

Ze waren twee avonden bezig om de collectie door te werken en een inventarisatie te maken. Milton zette alles in zijn laptop.

'En nu?' vroeg Milton toen ze het laatste boek hadden dichtgeslagen.

'Onder normale omstandigheden zou ik er een taxateur van Sotheby's of Christie's bijhalen,' zei Caleb. 'Maar in dit geval wil ik iemand anders inschakelen. Iemand die ik als de grootste autoriteit op het gebied van zeldzame boeken beschouw. Ik wil weten of het hem bekend was dat Jonathan een *Bay Psalm Book* bezat.'

'Iemand uit New York?' vroeg Stone.

'Nee, hij zit hier in Washington. Met de auto is het een minuut of twintig.'

'Wie is het?' vroeg Rueben.

'Vincent Pearl.'

Stone keek op zijn horloge. 'Dat zal dan tot morgen moeten wachten. Het is al elf uur.'

Caleb schudde zijn hoofd. 'Nee, het kan nu heel goed. Vincent Pearls antiquariaat is alleen 's avonds open.'

·14·

Toen de leden van de Camel Club het huis van Jonathan DeHaven verlieten, waren er twee verrekijkers op hen gericht. De ene bevond zich in een kamer op de bovenverdieping van een huis tegenover dat van DeHaven, de andere werd vastgehouden door een man in een bestelbusje met het opschrift OPENBARE WERKEN D.C. dat een eind verderop geparkeerd stond.

Toen de motorfiets en de Chevrolet wegreden, zette het busje de achtervolging in. Ook nadat de voertuigen uit het zicht waren verdwenen, bleef de verrekijker in het huis aan Good Fellow Street de omgeving afspeuren.

Zoals Caleb al had voorspeld, waren ze in een minuut of twintig bij het antiquariaat van Vincent Pearl. Er stond geen naam op de winkelpui, er hing alleen een bordje met het opschrift GEOPEND MA-VRIJ VAN 20 TOT 24 UUR. Caleb belde aan.

Rueben liet zijn blik over de deur en de geblindeerde etalageruit glijden. 'Volgens mij gelooft hij niet in reclame.'

'Iedere serieuze verzamelaar weet precies waar hij Vincent Pearl kan vinden,' zei Caleb rustig.

'Ken je hem goed?' vroeg Stone.

'O, nee. Ik werk bij lange na niet op zijn niveau. De afgelopen tien jaar heb ik hem maar twee keer persoonlijk ontmoet, en beide keren hier in deze winkel. Voor die tijd heb ik weleens een lezing van hem bijgewoond. Hij is echt onvergetelijk.'

In het westen was de verlichte koepel van het Capitool zichtbaar. De buurt waar ze zich nu bevonden, bestond uit een lange reeks huizen waarvan de natuur- en bakstenen gevels met mos waren bedekt. Ooit was het een centrum van de zich snel uitbreidende stad geweest.

'Weet je zeker dat hij thuis is?' vroeg Milton. Op hetzelfde moment zei een diepe stem op gebiedende toon: 'Wie is daar?'

Caleb liep naar het luidsprekertje naast de deur dat bijna geheel schuilging onder de klimop. 'Meneer Pearl, Caleb Shaw hier. Van de Congresbibliotheek.'

'Wie?'

Er verscheen een licht gegeneerde uitdrukking op Calebs gezicht. 'Caleb Shaw. Ik werk op de leeszaal Zeldzame Boeken. We hebben elkaar een paar jaar geleden ontmoet toen ik bij u ben geweest met een verzamelaar van president Lincoln memorabilia.'

'U hebt geen afspraak voor vanavond,' klonk het geërgerd. Kennelijk had Calebs klant destijds weinig indruk op de antiquair gemaakt.
'Nee, maar het is dringend. Als u een paar minuten hebt...'
Een paar seconden later klikte de deur open. Terwijl de anderen naar binnen liepen, zag Stone iets boven de deuropening reflecteren. Het was een kleine, op ingenieuze wijze als vogelhuisje vermomde bewakingscamera, die recht op hem gericht stond. De meeste mensen zouden zo'n apparaatje over het hoofd hebben gezien, maar Oliver Stone was anders dan de meeste mensen, zeker als het om apparaten ging waarmee hij in de gaten werd gehouden.
Terwijl ze de winkel binnenliepen, vielen hem nog een paar dingen op. Hoewel de voordeur van hout leek, was die in werkelijkheid van gehard staal in een gehard stalen frame, waarvan het slot in Stones ervaren ogen niet makkelijk open te breken was. De geblindeerde etalageruit was van acht centimeter dik polycarbonaat.
Het interieur verraste hem. Hij had een soort rommelwinkel verwacht van stoffige boeken en folianten op doorzakkende planken en in alle hoeken en gaten, maar in plaats daarvan zag hij een schone, gestroomlijnde en overzichtelijke ruimte van twee verdiepingen. Langs de muren stonden hoge boekenkasten met glazen schuifdeuren. Een van wieltjes voorziene ladder was aan een rail boven de bijna drie meter hoge kasten bevestigd. In het midden van de lange, smalle ruimte stonden drie ovale leestafels van kersenhout met bijpassende stoelen. Daarboven hingen drie bronzen kroonluchters die een verrassend gedempt licht verspreidden. Er zou wel een dimmer op zitten, dacht Stone. Een twee meter brede wenteltrap met Chippendale balustrade leidde naar de bovenverdieping, waar nog meer boekenkasten stonden.
Achter de lange houten toonbank op de benedenverdieping stonden eveneens boekenkasten. Wat Stone het meest verbaasde was wat hij hier niet zag. Nergens een computer. Zelfs geen kassa.
'Dit is zo'n plek om een sigaar te roken en paar whisky's te drinken,' zei Rueben.
'O, nee,' zei Caleb geschokt. 'Rook is dodelijk voor oude boeken. En één gemorste druppel kan een tijdloze schat ruïneren.'
Rueben wilde net iets terugzeggen toen een deur achter de toonbank openging en een oude man binnenkwam. Hij had een zilvergrijze baard die tot ver op zijn borst reikte. Zijn lange lijf en bierbuik werden verhuld door een lichtpaarse mantel met gouden strepen op de mouwen. Een brilletje zonder montuur balanceerde op zijn hoge voorhoofd, waar zijn grijze haar in slordige krullen overheen hing. Zijn ogen waren zwart, dacht Stone, tenzij het door het licht kwam, maar nee, ze waren inderdaad gitzwart.

'Een monnik?' fluisterde Rueben tegen Caleb.

'Ssst!' zei Caleb, terwijl de man verder naar voren liep.

'Bent u Shaw?' vroeg Pearl.

'Ja.'

'Wat is er zo dringend?' Met een nijdige blik op de anderen voegde hij eraantoe: 'En wie zijn deze mensen?'

Caleb stelde hen snel voor, maar alleen met hun voornaam.

Pearls blik bleef langer op Stone rusten dan op de anderen. 'Heb ik u niet eens in Lafayette Park gezien, meneer? In een tent?' vroeg hij overdreven beleefd.

'Inderdaad,' zei Stone.

'Als ik me niet vergis, staat er op uw bordje: "Ik wil de waarheid weten." Hebt u de waarheid al gevonden?'

'Nee, dat kan ik niet zeggen.'

'Als ik op zoek was naar de waarheid zou ik nooit bij het Witte Huis beginnen.' Hij wendde zich weer tot Caleb. 'Wat komt u doen?' zei hij bruusk.

Haastig vertelde Caleb dat hij was benoemd tot literair executeur van Jonathan DeHaven en dat hij Pearls advies wilde.

'Ja, dat was heel tragisch van DeHaven,' zei Pearl ernstig. 'En ú bent benoemd tot zijn literair executeur?' voegde hij er verbaasd aan toe.

'Ik heb Jonathan geholpen met zijn collectie en we werkten allebei bij de Congresbibliotheek,' zei Caleb verdedigend.

'Juist,' zei Pearl kortaf. 'Maar toch hebt u de hulp van een expert nodig.'

Caleb liep een beetje rood aan. 'Eh, eigenlijk wel, ja. Milton heeft een inventaris van de collectie op zijn laptop.'

'Ik geef de voorkeur aan papier,' zei Pearl streng.

'Als u hier een printer hebt, dan maak ik wel even een uitdraai voor u,' zei Milton.

Pearl schudde zijn hoofd. 'Ik heb hier wel een drukpers, maar die stamt uit de vijftiende eeuw, en ik betwijfel of dat apparaat van u daar op aan te sluiten is.'

'Nee, dat denk ik niet.' Milton was oprecht geschokt dat de antiquair niet eens een printer in huis had.

'Dan brengen we u morgen wel even een uitdraai,' zei Caleb, en na een korte aarzeling voegde hij eraantoe: 'Meneer Pearl, laat ik er maar meteen mee voor de dag komen. Jonathan had een eerste editie van het *Bay Psalm Book* in zijn bezit. Wist u dat?'

Pearl liet zijn bril op zijn neus zakken. 'Sorry, wat zei u?'

'Jonathan had een *Bay Psalm Book* uit 1640.'

'Uitgesloten.'

'Ik heb het met mijn eigen handen vastgehouden.'

'Nee, onmogelijk.'

'Jawel!' zei Caleb nadrukkelijk.

Pearl wuifde het minachtend weg. 'Dan moet het een latere editie zijn geweest.'

'Er staat geen muziek in. Dat is pas begonnen bij de negende editie in 1698.'

Pearl keek Caleb doordringend aan. 'Het zal u niet verrassen dat ik me daarvan bewust ben. Maar zoals u zelf al aangaf zijn er dus nog zeven andere edities waar evenmin muziek in staat.'

'Het was de editie van 1640. Het jaartal stond op de titelpagina.'

'Dan, waarde heer, is het een facsimile of een vervalsing. Mensen kunnen heel slim zijn. Iemand heeft zelfs de *Oath of a Freeman* vervalst, en dat is nog een jaar ouder dan het *Bay Psalm Book*.'

'Maar het *Bay Psalm Book* was toch het eerste boek dat in Amerika is gedrukt?' kwam Stone tussenbeide.

'Dat is het ook,' zei Pearl ongeduldig. 'En de *Oath* was geen boek, maar een pamflet van één pagina. En zoals de titel al aangeeft was het een eed, een eed van trouw die iedere mannelijke puritein moest afleggen om stemrecht en andere privileges te kunnen genieten in de kolonie aan de Baai van Massachusetts.'

'En dat was een vervalsing?' vroeg Stone.

'Grappig genoeg heeft de vervalser als basis een facsimile van het *Bay Psalm Book* gebruikt. Dat heeft hij gedaan omdat het van dezelfde drukpers afkomstig is als de *Oath* en door dezelfde drukker is gedrukt, zodat ook hetzelfde lettertype is gebruikt.' Pearl tikte Caleb op zijn borst. 'Het is zo ingenieus gedaan dat de Congresbibliotheek het bijna had aangekocht. Pas toen een expert bepaalde onregelmatigheden signaleerde, werd het bedrog opgemerkt.'

'Ik werk nu al twaalf jaar op de afdeling Zeldzame Boeken,' zei Caleb, 'en ik heb het *Bay Psalm Book* dat we daar hebben aandachtig bestudeerd. Naar mijn mening is Jonathans exemplaar authentiek.'

Pearl keek hem achterdochtig aan. 'Hoe was uw naam ook weer?'

Caleb werd nu vuurrood. 'Caleb Shaw!'

'Nou, Shaw, heb je het standaard authenticiteitsonderzoek al gedaan?'

'Nee, maar ik heb het boek bekeken en vastgehouden. Ik heb het geroken!'

'Mijn god, man, dat kun je toch geen onderzoek noemen. DeHaven bezat gewoon geen verzameling van dat kaliber. De kern van zijn collectie bestond uit een *Tamerlane*, een paar incunabelen, en een Dante, die hij trouwens nog van mij heeft gekocht. Een eerste editie van het *Bay Psalm Book* heeft Jonathan nooit gehad.'

'Waar heeft Jonathan hem dan vandaan?' vroeg Caleb.

Pearl schudde zijn hoofd. 'Hoe moet ik dat weten?' Hij keek de anderen eens aan. 'Zoals uw vriend u misschien heeft verteld, zijn er maar elf oorspronkelijke *Bay Psalm Books* op de hele wereld. Laat dat maar eens tot u doordringen, heren, elf stuks. Er zijn maar liefst 228 exemplaren van Shakespeares First Folio in omloop, maar niet meer dan elf *Bay Psalm Books*. En van die elf zijn er maar vijf compleet.' Hij stak zijn rechterhand op. 'Niet meer dan vijf.'

Terwijl Stone naar die donkere ogen stond te staren, leken ze een steeds intenser wordende zwarte gloed te verspreiden. Wat hem betrof leed Vincent Pearl duidelijk aan bibliomanie.

De antiquair richtte zich weer tot Caleb. 'En omdat er geen enkel *Bay Psalm Book* wordt vermist, begrijp ik niet hoe er een zijn weg gevonden kan hebben naar de collectie van Jonathan DeHaven.'

'Maar waarom zou hij een vervalsing in zijn kluis bewaren?' vroeg Caleb.

'Misschien dacht hij dat het authentiek was.'

'Het lijkt me sterk dat het hoofd van de afdeling Zeldzame Boeken zich zo zou laten misleiden,' zei Caleb minachtend.

Pearl was er niet van onder de indruk. 'Zoals ik al zei voordat de Congresbibliotheek bijna een valse *Oath* had aangeschaft: mensen geloven wat ze willen geloven, en in mijn ervaring is het menselijke vermogen tot zelfbedrog vrijwel onbegrensd.'

'Misschien is het beter dat u zelf naar Jonathans huis komt, zodat u met eigen ogen kunt zien dat het hier om een eerste druk gaat.'

Pearl wreef met zijn lange, slanke vingers over zijn baard en keek Caleb strak aan.

'En natuurlijk zou ik dan graag uw mening over de rest van de collectie horen,' voegde Caleb eraantoe.

'Misschien dat ik morgenavond nog wat tijd over heb,' zei Pearl onverschillig.

'Uitstekend.' Caleb overhandigde hem zijn kaartje. 'Op dit nummer in de Congresbibliotheek kunt u me bereiken om de afspraak te bevestigen. Hebt u Jonathans adres?'

'Ja, dat heb ik wel ergens in mijn archief.'

'Het lijkt me beter om voorlopig met niemand over het *Bay Psalm Book* te praten, meneer Pearl.'

'Ik praat bijna nooit met iemand over wat dan ook,' zei Pearl. 'En zeker niet over dingen die niet waar zijn.'

Caleb liep dieprood aan terwijl Pearl hen haastig naar de voordeur begeleidde.

'Oké,' zei Rueben toen ze weer buiten stonden en hij zijn motorhelm opzette. 'Volgens mij heb ik zojuist professor Perkamentus ontmoet.'

'Wie?' zei Caleb. Hij was nog steeds woedend over Pearls laatste opmerking.

'Perkamentus. Je weet wel, uit Harry Potter.'

'Ken ik niet,' snauwde Caleb.

'Dreuzel die je bent,' mompelde Rueben terwijl hij zijn motorbril voor zijn ogen trok.

'Pearl gelooft duidelijk niet dat het *Bay Psalm Book* echt is,' zei Caleb. Hij zweeg even. 'En misschien heeft hij ook wel gelijk. Ik heb er tenslotte maar heel even naar gekeken.'

'Nou,' zei Rueben, 'je hebt hem er op zo'n manier over verteld dat je maar beter gelijk kunt hebben.'

Caleb liep weer rood aan. 'Misschien ben ik iets te ver gegaan. Ik bedoel, in het antiquariaatwezen is hij een beroemdheid, en ik ben maar een gewone bibliothecaris.'

'Een eersterangs bibliothecaris bij een van de beste bibliotheken ter wereld,' zei Stone.

'En al is hij nog zo goed in zijn vak, hij moet nodig eens een computer aanschaffen,' zei Milton.

De Chevrolet reed weg. Terwijl Rueben de motor aantrapte, installeerde Stone zich in het zijspan en keek even achterom.

Terwijl ze wegreden, kwam een eindje achter hen een bestelbusje in beweging. Toen de Chevrolet en de motor uit elkaar gingen, bleef het busje de motor volgen.

•15•

Hoewel het al laat was, vroeg Stone aan Rueben hem af te zetten bij het Witte Huis in plaats van zijn huisje op het Mount Zion-kerkhof. Het was hem opgevallen dat ze gevolgd werden door een bestelbus en daar wilde hij iets aan doen.

Toen hij uit het zijspan stapte, vertelde hij Rueben wat er aan de hand was.

'Hou het in de gaten,' zei hij. 'Als dat busje je volgt, dan bel ik je.'

'Kun je niet beter Alex Ford bellen? Tenslotte hebben we hem net tot erelid van de Camel Club benoemd.'

'Alex werkt niet meer op het Witte Huis. Misschien heeft het niks om het lijf, en anders zijn hier wel andere Secret Service-agenten die misschien kunnen helpen.'

Toen Rueben wegreed, liep Stone langs zijn tent met het bordje IK WIL DE WAARHEID WETEN. Er waren vanavond geen andere demonstranten, ook zijn vriendin Adelphia niet. Daarna liep hij snel het park door naar het standbeeld van een Poolse generaal die de Amerikaanse Revolutie had gesteund. Als beloning was er een groot gedenkteken voor hem opgericht dat dagelijks door honderden vogels werd ondergescheten. Hij klom op het voetstuk en zag dat het busje nog steeds in 15th Street geparkeerd stond, vlak buiten het afgesloten gebied rond het Witte Huis.

Stone klom weer naar beneden en liep op een geüniformeerde bewaker af.

'Is er vanavond nog wat te beleven, Oliver?' vroeg Joe. Hij werkte al bijna tien jaar op het Witte Huis en kende Stone goed. Stone was altijd beleefd en hield zich aan de regels van zijn demonstratievergunning.

'Ik heb een tip voor je, Joe. Misschien is het niets, maar ik weet dat de Secret Service liever geen risico's neemt.' Snel vertelde hij over het busje zonder ernaar te wijzen. 'Ik vond dat je het moest weten.'

In al die jaren hier had Stone geleerd dat voor de Secret Service het kleinste detail telde waar het de veiligheid van de president betrof. Een paar minuten later stond hij van dichtbij toe te kijken terwijl Joe samen met een andere bewaker naar het busje van de dienst Openbare Werken liep. Stone wenste dat hij zijn verrekijker had meegenomen, maar die lag thuis op zijn bureau. Hij hield zijn adem in toen hij het linkerzijraampje omlaag zag zakken.

Wat daarna gebeurde, verbijsterde hem. Het raampje schoof weer omhoog en de twee bewakers liepen haastig terug naar het Witte Huis. In plaats van zijn kant uit te komen, liepen ze zo snel mogelijk de tegenovergestelde richting uit, zonder het openlijk op een hollen te zetten. Het busje bleef waar het stond.

'Verdomme,' mompelde Stone.

Ineens begreep hij het. De mensen in dat busje waren van een hogere overheidsorganisatie en hadden de twee Secret Service-medewerkers als schooljongens weggestuurd. Tijd om ervandoor te gaan. Maar hoe? Moest hij Rueben vragen hem op te halen? Eigenlijk wilde hij zijn vriend hier liever niet bij betrekken.

Zou zijn verleden hem dan toch nog inhalen?

Snel nam hij een besluit. Hij liep dwars door het park naar H Street en sloeg daar links af. Metrohalte Farragut West was maar een paar straten verderop. Hij keek op zijn horloge. Verdomme! De metro was al dicht. Hij veranderde van richting en keek nu voortdurend over zijn schouder of hij de bestelwagen zag. Hij besloot maar door te lopen; misschien kon hij nog ergens een bus halen.

Toen hij de volgende kruising op liep, hoorde hij het busje met piepende remmen recht voor zich tot stilstand komen. De zijdeur schoof open. Hij hoorde iemand roepen.

'Oliver!'

Hij keek naar rechts. Rueben had zijn motor het trottoir op gereden en kwam nu met hoge snelheid op hem af. Hij minderde net genoeg vaart om Stone de gelegenheid te geven halsoverkop het zijspan in te duiken. Rueben schoot over de stoepranden en gaf vol gas terwijl Stones lange benen nog uit het zijspan staken.

Rueben kende de plattegrond van D.C. bijna net zo goed als Stone. Na een reeks scherpe bochten minderde hij vaart en reed een donker steegje in. Daar stopte hij naast een vuilcontainer. Tegen die tijd zat Stone rechtop in het zijspan. 'Bedankt, Rueben,' zei hij terwijl hij naar zijn vriend opkeek. 'Je timing had niet beter kunnen zijn.'

'Toen je niet belde, heb ik een rondje gemaakt, en toen dat bestelbusje begon te rijden, ben ik erachteraan gegaan.'

'Het verbaast me dat ze je niet hebben gezien. Die motor van jou zie je niet gauw over het hoofd.'

'Wie zijn die lui?'

Stone vertelde over het korte gesprek met de Secret Service.

'Er zijn niet veel organisaties die de Secret Service op eigen terrein rechtsomkeert kunnen laten maken,' zei Rueben.

'Ik kan er hooguit twee bedenken, en die zijn weinig geruststellend.'

'Wat zouden ze van je willen?'

'Ik heb dat busje voor het eerst bij het antiquariaat gezien, maar misschien is het ons voor die tijd ook al gevolgd.'

'Bij het huis van DeHaven?' Rueben knipte met zijn vingers. 'Denk je dat het iets met die Cornelius Behan te maken heeft? Die man heeft waarschijnlijk constant spionnen om zich heen.'

'Gezien de timing zou dat best eens kunnen.' Misschien had dit helemaal niets met zijn verleden te maken.

Op gespannen toon zei Rueben: 'Denk je dat ze Caleb en Milton ook zijn gevolgd?'

Stone had zijn mobieltje al in de hand. Hij belde Caleb, vertelde hem een deel van wat er zojuist was gebeurd en liet zijn mobieltje toen weer in zijn zak glijden.

'Hij heeft Milton net thuisgebracht. Ze hebben niemand gezien, maar dat zegt niet zoveel.'

'Wat zouden we gedaan hebben dat ze achter ons aan zitten? We hebben Behan verteld wat we daar kwamen doen. Wat kan hij nou voor belang stellen in DeHaven?'

'Misschien weet hij hoe DeHaven om het leven is gekomen, of liever gezegd, hoe hij is vermoord.'

'Denk je dat Behan zijn buurman heeft laten vermoorden? Maar waarom?'

'Je zei het net zelf al. Het was zijn buurman. Misschien heeft DeHaven iets gezien wat hij niet had mogen zien.'

Rueben liet een minachtend gesnuif horen. 'In Good Fellow Street, midden tussen al die rijke stinkerds?'

'Het blijft speculeren. Maar god mag weten wat er met me gebeurd zou zijn als jij niet was komen opdagen.'

'Wat doen we nu?'

'Niemand maakte zich druk om ons voordat we in het huis van Jonathan DeHaven gingen kijken. Dus beginnen we daar.'

'Ik was al bang dat je dat zou zeggen.'

Stone werkte zich weer in het zijspan, Rueben startte de motor en ze reden weg.

Net als vroeger, dacht Stone. En dat was duidelijk niet goed.

De mannen in de bestelbus brachten verslag uit aan een heel boze Roger Seagraves.

'We hadden die ouwe wel te pakken kunnen krijgen, maar toen zijn maatje kwam opdagen leek het ons te riskant,' zei een man over de telefoon.

Seagraves zat even diep in gedachten naar zijn beveiligde telefoon te staren en vroeg zich af wat zijn volgende zet moest zijn. 'Hoe lang zijn ze in het huis van DeHaven geweest?'

'Een paar uur.'

'Daarna zijn ze naar een antiquariaat gegaan en toen zijn jullie hen gevolgd naar het Witte Huis?'

'Een van die gasten heeft een tent in Lafayette Park. Volgens de Secret Service heet die halvegare Oliver Stone.'

'Hij had jullie in de gaten, dus zo'n halvegare is het niet,' snauwde Seagraves. 'Het bevalt me helemaal niet dat jullie met je pasjes lopen te zwaaien, zeker niet tegen de Secret Service.'

'Het was een lastige situatie, dus we konden niet anders,' zei de andere man. 'We werken per slot van rekening voor de CIA.'

'Officieel hadden jullie vanavond geen dienst,' zei Seagraves.

'Wat doen we nu?'

'Niets. Ik wil die meneer Stone eens wat grondiger checken. Jullie horen nog van me.' Na die woorden verbrak hij de verbinding.

Een man die zich Oliver Stone noemt heeft een tentje tegenover het Witte Huis, geeft een ervaren achtervolgingsteam het nakijken en bezoekt het huis van iemand die ik uit de weg heb laten ruimen. Seagraves voelde dat er opnieuw onweer op komst was.

•16•

Het regende en het was koud in Newark toen het vliegtuig landde. Annabelle had nu bruin haar en een smal brilletje. Ze droeg een funky outfit en schoenen met blokhakken. Haar drie metgezellen waren gekleed in een pak, maar zonder das. Ze verlieten afzonderlijk van elkaar de luchthaven, reden een eind naar het zuiden en kwamen weer bij elkaar in een huurhuis in Atlantic City.

Nu ze hier na al die jaren weer terug was, voelde Annabelle haar gespannenheid toenemen. De vorige keer had het weinig gescheeld of haar leven was erbij ingeschoten. Als ze nu gestrest raakte zou het weleens echt verkeerd kunnen aflopen. Om te overleven wat ze nu voor de boeg had, moest ze op haar zenuwen kunnen vertrouwen. Bijna twintig jaar lang had ze zich hierop voorbereid, en ze was niet van plan het nu te verknoeien.

De afgelopen week had ze het geld van de valse cheques van de bedrijfsrekeningen overgeboekt. Samen met het geld van de truc met de pinautomaten was het overgemaakt op een rekening in een land dat zich niet om Amerikaanse bankvoorschriften bekommerde. Met drie miljoen op zak om de volgende operatie te financieren, waren de mannen nieuwsgierig naar wat Annabelle van plan was.

Toch wilde ze het nog niet vertellen. De eerste dag wandelde ze door de stad, bekeek de casino's en voerde gesprekken met een aantal mensen. De drie mannen brachten de tijd door met kaarten en kletsen. Leo en Freddy vertelden de jonge Tony sterke verhalen over oude trucs, zo aangedikt en opgesmukt als alleen oude herinneringen kunnen zijn.

Uiteindelijk riep ze iedereen bij elkaar.

'Ik ben van plan om van drie miljoen in korte tijd heel wat meer te maken.'

'Wat weet je het toch leuk te brengen, Annabelle,' zei Leo.

'Om nauwkeuriger te zijn, ik ben van plan drie miljoen om te zetten in minstens drieëndertig miljoen. Daarvan krijg ik dertienenhalf en de rest is voor jullie, dus dat komt neer op zesenhalf miljoen voor jullie elk. Heeft iemand daar een probleem mee?'

De mannen zaten even sprakeloos voor zich uit te staren voordat Leo zei: 'Jazeker, een heel groot probleem.'

Ze hield waarschuwend haar hand op. 'Als de truc mislukt, kunnen we een deel van het geld kwijtraken, maar niet alles. Ik hoop dat niemand er bezwaar tegen heeft dat we dat risico nemen?' Ze schudden alle drie van nee. 'De hoeveelheid geld waar we het hier over hebben, brengt onvermijdelijk een paar risico's met zich mee.'

'Dat zal ik even vertalen,' zei Leo. 'Ze bedoelt dat degene die we bestelen, wie het ook mag zijn, altijd naar ons zal blijven zoeken.' Hij stak een sigaret op. 'En nu wordt het tijd dat je ons vertelt wie het doelwit is.'

Zonder haar ogen van Leo af te wenden leunde Annabelle achterover en stak haar handen in haar zak. Leo deed hetzelfde. Een tijdje later zei hij zenuwachtig: 'Is het echt zo erg?'

'Jerry Bagger en het Pompeï Casino,' zei ze.

'Grote god!' riep Leo. De sigaret viel uit zijn mond, kwam op zijn broek terecht en brandde er een gaatje in. Nijdig sloeg hij de peuk weg en stak toen een trillende wijsvinger naar haar uit. 'Ik wist het! Ik wist dat je zoiets van plan was.'

Tony keek van de een naar de ander. 'Wie is Jerry Bagger?'

'De gemeenste klootzak die er rondloopt en die je maar beter nooit tegen kunt komen, jongen. Dat is Jerry Bagger.'

'Kom op, Leo,' zei Annabelle spottend. 'Het is mijn taak om hem lekker te maken. Als je zo doorgaat wil hij het straks nog in zijn eentje tegen Jerry opnemen.'

'Ik ga het niet opnemen tegen die hufter. Voor geen 3 miljoen, voor geen 33 miljoen en voor geen 333 miljoen, want ik blijf niet lang genoeg in leven om daar ook maar een cent van uit te kunnen geven.'

'Maar je bent wel meegekomen, en zoals je zelf hebt gezegd wist je dat ik hem op het oog had. Je wíst het, Leo.' Ze stond op, liep om de tafel heen en legde haar arm om zijn schouders. 'En als je eerlijk bent, dan geef je toe dat je al twintig jaar staat te springen om die rat te grazen te nemen. Waar of niet.'

Leo keek gegeneerd voor zich uit. Hij stak nog een Winston op en blies de rook naar het plafond. 'Iedereen die zaken doet met die klootzak wil hem daarna vermoorden,' zei hij.

'Ik wil Jerry niet vermoorden, Leo. Ik wil hem alleen zoveel geld afhandig maken dat hij eraan onderdoor gaat. Al roei je zijn hele familie uit, hij zal het minder erg vinden dan dat iemand er met zijn geld vandoor is dat hij aan die arme sukkels in zijn casino heeft verdiend.'

'Klinkt gaaf,' zei Tony.

Leo keek hem woedend aan. 'Gaaf? Vind jij dat gaaf? Nou moet jij eens goed naar me luisteren, akelig snotjoch dat je bent. Als jij tegenover Jerry Bagger net zo de mist in gaat als in die bank, dan kunnen we je van het tapijt schrapen en in een envelop naar je moeder sturen.' Hij draaide zich om en wees weer naar Annabelle. 'Laat ik je één ding duidelijk maken. Ik neem het niet op tegen Jerry Bagger, en ik neem het zeker niet op tegen Jerry Bagger als deze halvezool meedoet.'

'Hé, ik heb een foutje gemaakt. Eén foutje! Heb jij nooit een foutje gemaakt?' zei Tony nijdig.

Leo gaf geen antwoord. Annabelle en hij keken elkaar strak aan en wachtten allebei totdat de ander de ogen zou neerslaan.

'Tony hoeft alleen maar te doen waar hij goed in is. Hij komt niet oog in oog met Jerry te staan.' Met een snelle blik op Freddy voegde ze eraantoe: 'Freddy blijft tijdens de hele operatie op de achtergrond. Hij hoeft alleen maar een paar goed uitziende documenten te maken. Het succes van deze truc hangt van jou af. En van mij. Dus ik zie geen gegronde bezwaren, tenzij je vindt dat jij en ik niet goed genoeg zijn.'

'Ze kennen ons, Annabelle. We zijn hier al eerder geweest.'

Ze pakte een geelbruine envelop van tafel en maakte die open. Er zaten twee foto's in: een van een man en een van een vrouw.

'Wie zijn dat?' vroeg Freddy.

Leo zat met een strak gezicht naar de foto's te kijken. 'Annabelle en ik, maar dan heel lang geleden,' zei hij met tegenzin. 'In At-lan-tic Ci-ty,' voegde hij er sarcastisch aan toe.

'Waar heb je die foto's vandaan?' vroeg Tony.

'Elk casino heeft een fotoarchief,' legde Annabelle uit, 'een zwartboek van iedereen die de zaak probeerde te flessen, en die informatie wisselen ze uit met alle andere casino's. Jij hebt nooit geprobeerd een casino op te lichten, Tony, en Freddy ook niet. Dat is een van de redenen waarom ik jullie heb uitgekozen. Ik heb nog steeds contacten in deze stad, en van hen heb ik deze afdrukken gekregen. We zijn hier nooit echt betrapt. Dit zijn compositiefoto's die zijn gemaakt op basis van signalementen. Als ze echte foto's hadden gehad, dan weet ik nog niet of ik hier naartoe was gegaan.'

'Maar jullie zien er nu heel anders uit,' zei Tony. 'Dat fotoarchief stelt dus niks voor.'

Annabelle haalde twee andere foto's uit de envelop. Deze leken veel meer op de echte Leo en Annabelle. 'Net als de politie doet met vermiste kinderen, huren de casino's deskundigen in om de foto's digitaal zo aan te passen dat ze het normale verouderingsproces volgen. Die foto's gaan in hun zwartboek en het elektronische surveillancesysteem dat over automatische gezichtherkenningssoftware beschikt. Als we het tegen Jerry opnemen zullen we er dus finaal anders uit moeten zien.'

'Maar ik ga het helemaal niet tegen Jerry opnemen,' grauwde Leo.

'Kom op, Leo,' zei Tony. 'Het wordt juist leuk.'

'Kop houden jij, ja?' snauwde Leo. 'Ik heb al genoeg de pest aan je!'

'Leo, laten we een eindje gaan lopen,' zei Annabelle. Ze stak haar hand op toen Tony en Freddy opstonden om mee te gaan. 'Jullie blijven hier,' zei ze. 'We zijn zo weer terug.'

Buiten was de zon tevoorschijn gekomen. Annabelle trok de capuchon over haar hoofd en zette haar zonnebril op. Leo trok een honkbalpet ver over zijn voorhoofd en zette eveneens een zonnebril op.

Ze liepen over de Boardwalk, de promenade tussen de casino's en de zee, waar stelletjes op bankjes naar de schuimende Atlantische Oceaan zaten te kijken.

'Ze hebben het aardig opgeknapt sinds we hier voor het laatst waren,' zei Annabelle. Eind jaren zeventig waren miljarden kostende gokpaleizen in de vervallen en verloederde badplaats uit de grond gestampt. Nog jaren later had niemand zich ver van de casino's durven wagen omdat de stad erachter zo onveilig was. De politiek had al heel lang beloofd dat de omgeving schoongeveegd zou worden, en nu de casino's veel geld en banen begonnen op te leveren, scheen die belofte eindelijk te worden ingelost. Ze bleven staan en keken naar een hijskraan die stalen balken naar het dak hees van een constructie die volgens het reclamebord een luxe appartementengebouw zou worden.

Overal werd gebouwd en gerenoveerd.

Ze liepen naar het strand en wandelden op blote voeten en met opgestroopte broekspijpen langs de waterlijn. Leo bleef staan om een schelp op te rapen en in de golven te gooien.

'Ben je zover?' vroeg ze. 'Kun je er nu over praten?'

'Waarom doe je dit?'

'Waarom doe ik wat? Een truc voorbereiden? Dat doe ik mijn hele leven al, Leo. Je zou me toch beter moeten kennen.'

'Nee, ik bedoel, waarom heb je mij, Freddy en die jongen erbij gehaald? Je had wie dan ook kunnen kiezen.'

'Ik wilde niet zomaar iemand. Wij kennen elkaar al heel lang, Leo. Ik dacht dat je graag nog eens de kans wilde krijgen om Jerry te grazen te nemen. Of heb ik het mis?'

Leo gooide nog een schelp in de zee. 'Zo gaat het al mijn hele leven, Annabelle. Ik gooi schelpen naar de golven, maar ze blijven maar komen.'

'Voor mij hoef je niet de filosoof uit te hangen.'

Hij keek haar even aan. 'Doe je dit vanwege je vader?'

'En ook niet de psychiater.' Ze sloeg haar armen over elkaar en tuurde naar een schip aan de horizon.

'Met dertien miljoen kan ik vast wel een schip kopen waarmee je de oceaan kunt oversteken, denk je niet?'

Hij haalde zijn schouders op. 'Ik zou het niet weten.' Hij tuurde naar het zand. 'Jij kon altijd goed met geld omgaan, Annabelle, veel beter dan ik. Na al die trucs van je heb je geen geld meer nodig.'

'Wie heeft er nou ooit genoeg geld?' zei ze, terwijl ze naar het verre schip aan de horizon bleef kijken.

'Je wilt dit echt, hè?'

'Een deel van me wil dit helemaal niet. Maar het deel van me waar ik naar luister, weet dat ik wel moet.'

'En de jongen hoeft niets te zeggen?'

'De jongen hoeft niets te zeggen.'

'Ik moet er niet aan denken wat er gebeurt als dit misloopt.'

'Zorg dan dat het niet misloopt.'

'Heb je weleens last van zenuwen?'

'Niet dat ik weet.' Ze liep naar voren en liet de golven rond haar voeten spelen. 'Doen we het?'

Langzaam knikte hij. 'Ja, we doen het.'

Terwijl ze terugliepen naar het hotel, zei hij: 'Ik heb al heel lang niets meer van je moeder gehoord. Hoe gaat het met Tammy?'

'Niet best.'

'Leeft je vader nog?'

'Hoe zou ik dat moeten weten?' zei Annabelle.

•17•

De voorbereidingen namen bijna een volle week in beslag. Annabelle gaf Freddy een lijst met documenten en identiteitspapieren die ze nodig had. Hij keek geschrokken op toen hij bij het eind van de lijst kwam. 'Vier Amerikaanse paspoorten?'

Tony keek op van zijn computer. 'Paspoorten? Waarvoor?'

Leo keek hem minachtend aan. 'Denk je dat je gewoon in het land kunt blijven als je Jerry Bagger een hak zet? Doe me een lol zeg! Ondergetekende vertrekt naar Mongolië en gaat daar een paar jaar als monnik leven. Ik laat me liever op een jak door de sneeuw rijden dan door Bagger in mootjes te worden gehakt.' Daarna werkte hij verder aan zijn vermomming.

'We hebben die paspoorten nodig om het land uit te komen tot de hele zaak is overgewaaid,' zei Annabelle.

'Het land uit?' riep Tony terwijl hij half opstond uit zijn stoel.

'Jerry is niet onfeilbaar, maar we moeten geen stommiteiten uithalen. Dit is je kans om de wereld te zien, Tony. Ga Italiaans leren.'

'En mijn ouders dan?' vroeg Tony.

'Stuur ze af en toe een kaartje,' gromde Leo over zijn schouder terwijl hij een toupet over zijn hoofd probeerde te trekken. 'Stomme amateur.'

'Amerikaanse paspoorten zijn moeilijk te vervalsen,' zei Freddy. 'Op straat doen ze tien ruggen per stuk.'

Annabelle keek hem streng aan. 'Jij krijgt zesenhalf miljoen, Freddy.'

Hij slikte nerveus. 'Je hebt gelijk. Ik zorg dat je ze krijgt.'

'Ik ben nog nooit het land uit geweest,' zei Tony.

'Je moet reizen als je nog jong bent,' zei Annabelle.

'Ben jij weleens in het buitenland geweest?' vroeg hij.

'Dat meen je toch niet?' zei Leo. 'Denk je dat Amerika het enige land is waar je de boel kunt tillen?'

'Ik ben weleens in het buitenland geweest, Tony,' gaf Annabelle toe.

Tony keek haar nerveus aan. 'Misschien kunnen we samen reizen. Dan kun je me rondleiden. Jij en Leo,' voegde hij er snel aan toe. 'En ik denk dat Freddy ook wel mee wil.'

Annabelle zat al nee te schudden. 'We gaan uit elkaar. Vier mensen apart zijn moeilijker op te sporen dan vier mensen samen.'

'O, ja natuurlijk, oké,' zei Tony.

'Je hebt genoeg geld om van te leven,' voegde ze eraantoe.

Tony's gezicht klaarde op. 'Een villa ergens in Europa, met bedienden.'

'Niet meteen met geld gaan smijten, Tony. Dat is veel te opvallend. Doe rustig aan. Ik zorg dat je het land uit komt, en dan moet je het zelf uitzoeken.' Ze boog zich voorover. 'En nu zal ik je vertellen wat ik van je verwacht.' Vervolgens legde ze hem nauwkeurig uit wat hij moest doen. 'Kun je dat?'

'Geen probleem,' zei hij onmiddellijk. Ze keek hem onderzoekend aan. 'Hoor eens, ik ben na twee jaar gestopt met mijn studie aan het MIT omdat ik me verveelde.'

'Dat weet ik. Dat was nog een reden waarom ik je heb uitgekozen.'

Tony tuurde even naar zijn laptop en begon te typen. 'Ik heb zoiets trouwens al eerder gedaan. Toen is het me gelukt om de best beveiligde organisatie ter wereld binnen te dringen.'

'Welke organisatie is dat?' vroeg Leo. 'Het Pentagon?'

'Nee, Wal-Mart.'

Leo wierp hem een geërgerde blik toe. 'Dat is zeker weer een geintje? Wal-Mart?'

'Nou, met Wal-Mart valt niet te spotten hoor.'

'Hoe snel kun je dit regelen?' vroeg Annabelle.

'Een paar dagen.'

'Niet meer dan twee. Ik wil het kunnen testen.'

'Dat lukt wel,' zei hij vol zelfvertrouwen.

Leo rolde met zijn ogen, sloeg een kruisteken en ging weer verder met zijn toupet.

Terwijl Freddy en Tony verdergingen met hun voorbereidingen, reden Leo en Annabelle in vermomming naar het Pompeï Casino. Het was gebouwd op de ruïnes van een vorig gokpaleis, en om zijn naam eer aan te doen beschikte het over een actieve vulkaan die twee keer per dag tot uitbarsting kwam, om twaalf uur 's middags en om zes uur 's avonds. De vulkaan braakte echter geen lava uit, maar consumptiebonnen die ingewisseld konden worden aan de bar. Omdat alle casino's drank en hapjes bijna cadeau gaven om de cliëntèle maar aan het gokken te houden, was het niet echt een royaal gebaar, maar omdat mensen het een prettige gedachte vonden om iets voor niets te krijgen, waren de vulkaanuitbarstingen een geweldige publiekstrekker. Lang van tevoren kwamen de mensen in drommen naar het casino om de uitbarsting niet te missen en lieten daar bij het gokken veel meer geld achter dan ze ooit van de nepvulkaan zouden krijgen.

'Laat het maar aan Bagger over om die debielen zo gek te krijgen dat ze in de rij gaan staan om zich klem te vreten en te zuipen, en vervolgens hun zuurverdiende centen in zijn casino achter te laten,' zei Leo.

'Het is wel een slimme marketingstrategie,' zei Annabelle.

'Ik herinner me nog dat het eerste casino hier werd geopend,' zei Leo. 'Dat was in '78.'

Annabelle knikte. 'Resorts International, dat was groter dan welk casino in Las Vegas ook, op het MGM na. In het begin had Paddy hier ook een paar teams rondlopen.'

'Hij had nooit met jou en mij mee terug moeten gaan.' Leo stak een sigaret op en wees naar de lange rij casino's. 'Ik ben hier begonnen. De casino's werden toen hoofdzakelijk bemand door mensen uit de stad zelf. Verpleegsters, vuilnismannen en pompbedienden zaten plotseling kaarten te delen en geld van de roulettetafels bij elkaar te harken. Ze waren zo slecht dat je ze op elke mogelijke manier kon belazeren. Christus, je hoefde niet eens vals te spelen. Er viel al genoeg te verdienen aan de fouten die ze maakten. Dat heeft een jaar of vier geduurd. Ik heb mijn twee kinderen kunnen laten studeren van het geld dat ik hier in die tijd heb verdiend.'

Ze keek hem eens aan. 'Je hebt me nooit eerder iets over je familie verteld.'

'Of jij wat dat betreft zo loslippig was.'

'Je kende mijn ouders. Wat viel er nog meer te weten?'

'Ik ben al jong vader geworden. Mijn kinderen zijn inmiddels het huis uit, en mijn vrouw ook.'

'Wist ze wat je deed voor de kost?'

'Na een tijdje viel het niet meer verborgen te houden. Ze had geen bezwaar tegen het geld, maar wel tegen de manier waarop ik eraan kwam. We hebben het de kinderen nooit verteld. Die wilde ik er absoluut buiten houden.'

'Heel verstandig van je.'

'Ja, maar toch hebben ze me gedumpt.'

'Niet te veel omkijken, Leo. Dat roept alleen maar nare herinneringen op.'

Hij haalde zijn schouders op. 'We hadden hier een fantastische roulette-truc lopen, hè? Trucs met dobbelstenen en kaarten zijn een makkie vergeleken bij roulette. Daar heb je professionals voor nodig.' Hij keek haar aan. 'Jij was de beste claimer die ik ooit heb gekend, Annabelle. Of je nou vriendelijk was of koel, de spelleider ging elke keer plat. En als het link werd, had jij het altijd als eerste in de gaten.' Hij doelde op achterdochtige casinomedewerkers.

'En jij was de beste technicus met wie ik ooit heb gewerkt, Leo. Als een of ander groentje je voor de voeten liep, had je het al gefikst voordat de croupier zijn hoofd kon omdraaien.'

'Ja, ik was goed, maar jij was minstens zo goed als ik. Soms denk ik weleens dat je vader me alleen in dienst hield omdat jij het wilde.'

'Dat is te veel eer. Paddy Conroy deed alleen maar wat hij zelf wilde. En uiteindelijk heeft hij ons allebei genaaid.'

'Ja, en ons achtergelaten als prooi voor Bagger. Als jij toen niet zo snel was geweest en hij een paar centimeter miste...' Hij tuurde naar de oceaan. 'Dan lagen we daar nu misschien ergens op de bodem.'

Ze plukte de sigaret uit zijn mond. 'Nu hebben we elkaar wel genoeg schouderklopjes gegeven. Kom op, aan het werk.'

Ze liepen naar de casino-ingang en bleven toen plotseling staan. 'Eerst de kudde doorlaten,' zei Leo waarschuwend.

Elk casino had een lange oprit waar de touringcars om elf uur 's ochtends al in de file stonden om hun hoogbejaarde passagiers uit te braken die hier junkfood kwamen eten en hun pensioentje kwamen vergokken. Daarna werden ze naar huis gereden met nauwelijks genoeg geld om de maand door te komen, maar wel met het voornemen weer van de partij te zijn zodra ze hun volgende uitkering binnen hadden.

Leo en Annabelle keken naar de bejaardenbrigade die het Pompeï binnenmarcheerde voor de eerste vulkaanuitbarsting van die dag, en liepen daarna zelf naar binnen. Ze zwierven er een paar uur rond en waagden een paar gokjes. Leo won wat met dobbelen en Annabelle met blackjack.

Een tijdje later kwamen ze weer bij elkaar en dronken wat in een van de bars. Terwijl Leo toekeek hoe een wulpse serveerster een dienblad met drankjes naar een speeltafel bracht waar verwoed werd gedobbeld, zei Annabelle zachtjes: 'Nou?'

Hij kauwde een paar pecannoten weg en nam een slok van zijn cola met whisky. 'Blackjacktafel nummer vijf. Volgens mij is er iets mis met de schudmachine.'

'Weet de croupier ervan?'

'Reken maar. En jij?'

Annabelle nam een slokje wijn voordat ze antwoord gaf. 'Aan de roulettetafel zijn vier man bezig de boel te tillen en dat doen ze helemaal niet slecht.'

'Ik dacht dat croupiers vandaag de dag wel beter zouden opletten, ondanks de hypermoderne camerabewaking van tegenwoordig.'

'Je weet hoe krankzinnig druk het aan een roulettetafel kan zijn. Daarom is het ook zo makkelijk om in te zetten als het balletje is uitgerold. Als je daar goed in bent, lukt het je ook wel met een camera erbij.'

Hij hief zijn glas. 'En dat weten wij maar al te goed, hè?'

'Wat denk je van de beveiliging?'

'Niets bijzonders. Ik neem aan dat de kluis bedolven ligt onder duizend ton beton en dat er een miljoen bewakers met machinepistolen omheen staan.'

'Goed dat we die kant niet uit hoeven,' zei ze droogjes.
'Ja, dat zou zonde zijn van je manicure.' Hij zette zijn glas neer. 'Hoe oud zou Jerry nu zijn?'
'Zesenzestig,' zei ze zonder aarzelen.
'Hij zal er niet milder op zijn geworden.'
'Dat is hij ook niet.'
Ze zei het zo zelfverzekerd dat hij haar argwanend aankeek.
'Het eerste wat een oplichter doet is het karakter van zijn doelwit onderzoeken, Leo. Dat weet iedere beginner.'
'Verdomme, daar heb je die klootzak,' siste Leo, en hij draaide zich onmiddellijk om.
Er kwamen zes jonge, stevig gebouwde mannen binnen. Tussen hen in liep een man die veel kleiner van stuk was. Hij zag er fit uit, met brede schouders en een dikke bos wit haar. Hij droeg een duur blauw pak met een gele das. Over Jerry Baggers diep gebruinde gezicht liep een groot litteken en zijn neus zag eruit alsof hij een paar keer gebroken was. Onder zijn dikke witte wenkbrauwen speurden een paar sluwe ogen voortdurend om zich heen.
Zodra ze voorbij waren, draaide Leo zich weer om. Het kostte hem de grootste moeite zijn ademhaling weer onder controle te krijgen.
'Ik had er niet op gerekend dat je al gaat hyperventileren zodra je maar een glimp van hem opvangt, Leo.'
Hij stak zijn hand op. 'Maak je niet druk, het is al over.' Hij haalde nog een keer diep adem.
'We hebben hem nooit persoonlijk ontmoet. Het waren zijn zware jongens die ons destijds probeerden te vermoorden. Hij zal zich ons heus niet herinneren.'
'Ja, ja, ik weet het.' Hij dronk zijn glas leeg. 'En nu?'
'We wachten af tot de tijd rijp is. Intussen blijven we ons script perfectioneren en goed om ons heen kijken. We moeten voorbereid zijn als hij ons een onverwachte bal toespeelt, want anders...'
'Ja, want anders... Daar weten wij alles van, hè?'
Ze keken zwijgend toe hoe Jerry Bagger en zijn lijfwachten het casino uit liepen, in een paar gereedstaande auto's stapten en wegreden. Misschien om de knieschijven kapot te trappen van iemand die had geprobeerd het casino voor dertig dollar af te zetten.

Aan het eind van de week waren ze zover. Annabelle had een zwart jurkje en schoenen met hoge hakken aangetrokken. Haar haar was nu blond en piekerig. Ze leek in niets op de foto in het casinoarchief. Leo's uiterlijk was nog drastischer aangepast. Zijn toupet was grijs en dun, met grote kale plekken. Hij had een sikje, een brilletje met een dun montuur en droeg een driedelig pak met daaronder een korset om zijn dikke buik te maskeren.

'Niet te geloven dat vrouwen vroeger vrijwillig in die dingen rondliepen,' klaagde hij.

'Het zou je verbazen als je wist hoeveel ze nog gedragen worden.'

'Het zit me niet lekker dat we er andere zwendelaars bij gaan lappen.'

'Denk je dat die ons niet hetzelfde zouden flikken als ze er miljoenen mee konden verdienen? En bovendien, de types die wij aan het werk hebben gezien, waren helemaal niet zo goed. Vandaag of morgen worden ze toch gepakt. En het is niet meer zoals vroeger. Er worden echt geen lijken meer in de woestijn begraven of in zee gedumpt. Knoeien bij roulette is eerder een overtreding dan een misdrijf. Ze krijgen een boete of zitten een tijdje in de bak, en daarna gaan ze naar het Midden-Westen om het op de casinoboten te proberen, of ze gaan naar New England om indianen te pesten. En uiteindelijk komen ze hier terug om het opnieuw te proberen.'

'Toch blijft het lullig.'

'Als je wilt noteer ik hun naam en stuur ik ze elk twintigduizend dollar.'

Leo klaarde meteen op, maar zei toen: 'Als dat maar niet van mijn aandeel af gaat.'

Ze hadden Freddy en Tony achtergelaten en hun intrek genomen in een van de beste hotels aan de Boardwalk. Van nu af aan zouden Leo en Annabelle geen contact meer met ze hebben. Voordat ze vertrokken had Annabelle hen allebei, maar vooral Tony, op het hart gedrukt dat in deze stad overal spionnen rondliepen.

'Niet met cashgeld gaan zwaaien, geen geintjes maken, en niets zeggen dat wie dan ook op het idee kan brengen dat ergens een zwendel aan de gang is, want reken maar dat ze het meteen gaan aangeven om tipgeld op te strijken. Eén foutje en het kan voorbij zijn, voor ons allemaal.'

Ze had Tony strak aangekeken en gezegd: 'Dit is het grote werk, Tony. Ga het niet verknallen.'

'Ik hou me gedeisd,' had hij gezegd. 'Ik zweer het.'

Leo en Annabelle reden in een taxi naar het Pompeï en namen daar onmiddellijk hun post in. Annabelle hield een ploeg in de gaten die in alle casino's aan de Boardwalk met inzetten knoeide. Er waren verschillende manieren om een inzet te doen als het balletje al stil was komen te liggen. Een daarvan hield in dat er stiekem fiches op het vakje van het winnende nummer werden geschoven. Er waren ook teams die een andere techniek gebruikten, waarbij de speler dure fiches onder fiches van lagere waarde verborg voordat het balletje tot stilstand was gekomen. Als hij had verloren 'sleepte' de speler de dure fiches van tafel, en als hij had gewonnen begon hij te schreeuwen van blijdschap. De laatste techniek had het voordeel dat je niet veel last had van de camera's die boven de tafel waren geïnstalleerd, want de opnamen werden alleen gecontroleerd als er gewonnen werd, en in dat geval wezen de beelden uit dat de speler de fiches helemaal niet had aangeraakt. Hij haalde ze tenslotte alleen weg als hij verloor. Knoeien op de roulettetafel vereiste oefening, perfecte timing, goed teamwerk en veel talent, geduld en lef.

Annabelle en Leo waren er ooit meesters in geweest. De huidige bewakingstechnologie had het werk echter zoveel moeilijker gemaakt dat alleen de allerbesten op langere termijn nog succes wisten te behalen. En de aard van de truc hield in dat je hem maar een paar keer per casino kon uithalen voordat ze het doorkregen, dus de inzet en de kansen moesten hoog genoeg zijn om het risico de moeite waard te maken.

Leo bleef bij een blackjacktafel staan waar een man al geruime tijd aan het winnen was. Hij won niet genoeg om achterdocht te wekken, maar toch kreeg Leo de indruk dat hij heel wat meer binnenhaalde dan het minimumloon. Hij pakte zijn mobieltje en belde Annabelle.

'Ben je zover?' vroeg hij.

'Volgens mij zijn de roulettejongens bijna klaar om in actie te komen, dus vooruit maar.'

Annabelle liep naar de man die volgens haar een chef was. Ze fluisterde hem iets in het oor en knikte naar de roulettetafel waar de oplichters bezig waren.

'In sectie drie zit een stel zwendelaars aan tafel nummer zes. De twee vrouwen rechts zijn de controlespelers, de technicus zit in de stoel bij het eind van de tafel. De claimer is die magere man met de bril die schuin achter de croupier staat. Bel naar het oog in de hemel en laat de camera inzoomen totdat het spel gespeeld is.'

Roulettetafels waren zo groot dat er twee camera's op gericht stonden: één op het roulettewiel en een op de tafel. Het probleem was dat de bewakingstechnicus maar één monitor tegelijk in de gaten kon houden. De chef keek Annabelle even strak aan, maar ze had het zo gezaghebbend geformuleerd dat hij het niet kon negeren. Snel zei hij iets in zijn headset.

Intussen liep Leo naar de andere chef toe en fluisterde: 'Bij blackjacktafel nummer vijf is een foute croupier bezig met de *zero-shuffle*. De speler op stoel nummer drie heeft een kaartenteller om zijn rechterkuit gegespt. Van dichtbij kun je het door zijn broekspijp heen zien. Hij heeft ook een draadloos oortelefoontje in zijn rechteroor waarmee hij het signaal van de computer kan ontvangen. Het oog in de hemel merkt niet dat de kaarten worden gecoupeerd omdat de handen van de croupier dat verbergen, maar als je er vanaf de grond een handcamera op richt, is het duidelijk te zien.'

Net als bij Annabelle duurde het maar een paar seconden voordat de chef naar boven belde. Er kwam iemand met een videocamera naar beneden om opnamen te maken.

Vijf minuten later werden de verbijsterde boeven weggeleid en belde het casino de politie.

Nog eens tien minuten later bevonden Leo en Annabelle zich in een deel van het casino waar geen enkel omaatje dat haar pensioencentjes wilde vergokken ooit zou worden uitgenodigd.

Jerry Bagger stond op van achter het enorme bureau in zijn weelderig ingerichte kantoor, met de handen in de zakken en een paar fraaie glimmertjes om zijn polsen en gebruinde nek.

'Sorry dat ik jullie niet bedank omdat jullie me een luizige paar duizend dollar hebben bespaard,' zei hij op blafferige toon die verried dat hij uit Brooklyn kwam. 'Maar ik ben niet gewend dat mensen mij gunsten verlenen. Daar gaan mijn nekharen recht van overeind staan. En ik vind het niet prettig als mijn nekharen recht overeind staan. Het enige aan mijn lijf dat ik recht overeind wil hebben zit achter mijn ritssluiting.'

De zes andere aanwezigen, allemaal breedgeschouderde mannen in dure pakken, keken Leo en Annabelle dreigend aan. Hun gevouwen handen bungelden losjes voor hun buik.

Annabelle stapte naar voren. 'Het was geen gunst. Wij hebben het gedaan omdat we u wilden spreken.'

Bagger maakte een weids gebaar met zijn handen. 'Nou, hier ben ik. Zeg het maar.'

'We hebben een voorstel.'

Bagger rolde met zijn ogen. 'O, krijgen we dat.' Hij liet zich op zijn leren bank ploffen, pakte een walnoot uit de schaal op de salontafel en kraakte hem open met zijn rechterhand. 'Nu ga je me zeker vertellen dat ik een heleboel geld kan verdienen, terwijl ik al een heleboel geld heb?' Hij stak een stukje walnoot in zijn mond.

'Ja. En u kunt in één moeite door uw land een dienst bewijzen.'

'Mijn land,' grauwde Bagger. 'Is dat hetzelfde land dat me steeds in de bak probeert te krijgen omdat ik iets doe wat volkomen legaal is?' Hij nam nog een stukje walnoot.

'Daar kunnen wij u bij helpen,' zei Annabelle.

'O, nou zijn jullie ineens van de FBI?' Hij keek naar zijn lijfwachten. 'Hé, jongens, we hebben FBI-agenten in het casino. Bel de Rentokil even!'

De mannen begonnen te lachen.

Annabelle ging naast Bagger op de bank zitten en gaf hem een kaartje. Hij keek ernaar. 'Pamela Young, International Management, Inc.,' las hij. 'Dat zegt me geen ene moer.' Hij liet het kaartje in haar schoot dwarrelen. 'Ik heb van mijn jongens gehoord dat jullie heel goed weten hoe je een casino moet tillen. Leren jullie dat tegenwoordig bij de FBI-opleiding? Niet dat ik geloof dat jullie van de FBI zijn, trouwens.'

Op norse toon zei Leo: 'U verdient hier dertig of veertig mille per dag. U moet een bepaalde reserve aanhouden om aan de overheidsvoorschriften te voldoen, maar dan blijft er nog een heleboel over. Wat doet u met dat geld? Vooruit, vertel het maar.'

De casino-eigenaar keek hem verbluft aan. 'Ik plak het op de muur van mijn woonkamer, klootzak.' Hij keek naar zijn lijfwachten. 'Haal die vlek hier even weg, ja?'

Zijn mannen liepen op Leo af en hadden hem al van de vloer getild toen Annabelle zei: 'Wat dacht u van een rendement van tien procent op dat geld?'

'Schei toch uit.' Bagger stond op en liep naar zijn bureau.

'Ik bedoel tien procent in twee dagen.' Hij bleef staan, draaide zich om en keek haar aan. 'Nou?' zei ze.

Hij pakte een staalgrijs roulettefiche van vijfduizend dollar uit zijn bureau en smeet het haar toe. 'Ga maar even spelen. Je hoeft me niet te bedanken. Beschouw het maar als een geschenk van onze lieve heer.' Hij wenkte zijn lijfwachten dat ze Leo moesten loslaten.

'Denkt u er eens over na, meneer Bagger,' zei Annabelle. 'We komen morgen terug. We hebben opdracht het u twee keer te vragen. Als u dan nog niet wilt meedoen, probeert Uncle Sam het gewoon bij het volgende casino aan de Boardwalk.'

'Succes ermee.'

'Als het in Vegas heeft gewerkt, dan werkt het hier ook,' zei ze zelfverzekerd.

'Ja, hoor. Ik vraag me af wat jij gerookt hebt. Moet goed spul zijn.'

'De winsten van de gokindustrie zijn al vijf jaar over hun hoogtepunt heen, meneer Bagger. Dus hoe kan Vegas zich al die gigantische gebouwen veroorloven? Het lijkt wel of ze een geheime geldvoorraad hebben.'

Ze liet een korte stilte vallen. 'In zekere zin is het ook zo. En ze helpen hun land er nog mee ook.'

Hij ging aan zijn bureau zitten. Voor het eerst was er iets van belangstelling in zijn ogen te zien. En meer had Annabelle op dat moment niet nodig.

'Hebt u zich weleens afgevraagd waarom niemand in Vegas de afgelopen tien jaar last heeft gehad van de FBI? Ik heb het niet over acties tegen de maffia, die zijn bekend. Maar u en ik weten wat zich daar afspeelt, en toch bent u degene die de FBI achter zich aan krijgt.' Ze liet opnieuw een korte stilte vallen en legde haar kaartje op zijn bureau. 'U kunt me altijd bellen. In onze branche houden we ons niet aan kantooruren.' Met een snelle blik op de lijfwachten die nog steeds om Leo heen stonden, voegde ze eraantoe: 'We laten onszelf wel uit. Dank u.'

Samen met Leo liep ze het kantoor uit.

Toen de deur achter hen dichtviel, snauwde Bagger: 'Laat ze volgen.'

·19·

Annabelle en Leo zaten in een taxi. Ze hield haar ogen geen seconde van de achterruit afgewend.

'Zitten ze achter ons?' fluisterde Leo.

'Natuurlijk. Wat had je anders verwacht?'

'Ik dacht even dat die lijfwachten me het raam uit gingen gooien. Hoe komt het toch dat ik altijd de kwaaie smeris speel en jij altijd de goeie?'

'Omdat jij zo ontzettend goed kwaaie smerissen kunt spelen.'

Leo huiverde. 'Die vent is nog net zo'n nachtmerrie als vroeger. Zag je dat hij met één hand die walnoot kraakte?'

'Kom nou, Leo, die man is een wandelend cliché uit een slechte gangsterfilm.'

De taxi kwam tot stilstand voor hun hotel. Annabelle liep een eind de straat in, stak toen over en klopte op het raam van een daar geparkeerde SUV. Het zijraampje schoof omlaag, zodat een van Baggers lijfwachten zichtbaar werd.

'Zeg maar tegen meneer Bagger dat ik in kamer 1412 logeer,' zei ze vriendelijk. 'O, en hier heb je nog een visitekaartje, voor het geval hij het andere heeft weggegooid.' Ze draaide zich om, liep terug naar Leo en ging samen met hem het hotel binnen. Even later begon haar telefoon te piepen. Het was Tony, die meldde dat hij zich op de afgesproken plek bevond. Ze had een dure verrekijker voor hem gekocht en hem een kamer laten huren in een hotel tegenover het Pompeï, waar hij uitzicht had op Baggers kantoor.

Het telefoontje waarop ze nu zat te wachten, kwam nog geen tien minuten later en onmiddellijk gaf ze Leo een seintje. Leo stond bij het raam en stuurde Tony snel een tekstbericht op zijn Blackberry.

Annabelle liet haar hand boven de telefoon hangen en gebaarde met de andere naar Leo. 'Kom op, kom op!' De telefoon ging vijf, zes, zeven keer over.

Bij de negende piep ontving Leo een bevestiging en hij knikte. Annabelle griste de hoorn van de haak. 'Hallo?'

'Hoe kregen jullie mijn jongens zo snel door?' brulde Bagger.

'Als het op surveillance aankomt, is mijn... werkgever niet te kloppen, meneer Bagger,' zei Annabelle. 'Gewoon een kwestie van duizenden mensen en een onbeperkte hoeveelheid geld.' In werkelijkheid had ze geweten dat Bagger opdracht zou geven hen te laten volgen en had ze voortdurend door de achterruit van de taxi zitten kijken. Tijdens een eerdere verkenning had ze al gezien dat Baggers beveiligingsmensen allemaal in gele SUV's reden, dus zo moeilijk waren ze niet op te merken.

'Wil dat zeggen dat mijn gangen worden nagegaan?' snauwde hij.

'Iedereen wordt tegenwoordig in de gaten gehouden, meneer Bagger. Dat is niets bijzonders meer.'

'Hou op met dat gemeneer! Hoe komt het dat jullie zoveel over zwendel weten dat jullie die trucs in mijn casino in de gaten hadden? Volgens mij zitten jullie een beetje te dicht bij de oplichterswereld.'

'Ik heb ze niet opgemerkt. We hadden vandaag drie teams in uw casino rondlopen, en die waren alle drie op zoek naar iets wat ik als lokaas voor u kon gebruiken. De leden van die teams zijn zeer deskundig. Zij hebben ons die informatie toegespeeld en wij hebben het weer aan uw chefs gemeld. Heel simpel.'

'Oké, dan laten we dat voorlopig even rusten. Wat willen jullie nou eigenlijk?'

'Ik dacht dat ik daar heel duidelijk over was geweest...'

'Ja, ja! Ik weet wat je hebt gezegd, maar ik wil weten wat je daarmee bedoelt.'

'Dat bespreek ik liever niet over de telefoon. De NS...' begon ze, maar zei toen snel: 'Telefoonlijnen zijn niet erg veilig.'

'Je ging zeker NSA zeggen, hè?' zei hij. 'Spionnen, daar weet ik alles van.'

'Met alle respect, meneer, maar niemand weet alles over de NSA, zelfs de POTUS niet,' zei ze, en daarbij gebruikte ze met opzet een van tevoren zorgvuldig in het script opgenomen acroniem voor *president of the United States*.

Het bleef stil aan de andere kant van de lijn.

'Bent u daar nog?' vroeg ze.

'Ik ben er nog!' snauwde hij.

'Wilt u dat we naar uw kantoor toe komen?'

'Dat heeft geen zin. Ik, eh, ik ben de stad uit.'

'Nee, hoor. U zit nu gewoon op kantoor.' Die informatie had Tony net naar Leo gemaild.

Onmiddellijk werd de verbinding verbroken.

Ze legde de hoorn neer, keek naar Leo en gaf hem een geruststellend knipoogje.

Hij zuchtte. 'We zijn nu echt in het diepe gesprongen, Annie.'

Er verscheen een geamuseerde uitdrukking op haar gezicht. 'Je noemde me vroeger alleen Annie als je heel erg zenuwachtig was, Leo.'

Hij veegde een zweetdruppel van zijn voorhoofd en stak een sigaret op. 'Ja, nou, sommige dingen veranderen nooit, hè?'

De telefoon ging weer. Ze nam op.

'Dit is mijn stad,' zei Bagger. 'Ik laat me niet bespioneren in mijn eigen stad!'

'Meneer Bagger,' zei ze rustig. 'U schijnt er nogal van streek door te raken, dus ik zal het u gemakkelijk maken. Ik zal melden dat u ons tweede en laatste aanbod hebt afgewezen. Dan hoeft u zich daar niet meer druk om te maken. En zoals ik al zei, ik ga wel naar iemand anders.'

'Geen enkel casino hier zal dat rare verhaal van jou geloven.'

'Het is niet zomaar een verhaal. We verwachten echt niet van door de wol geverfde casinochefs dat ze het voor zoete koek zullen slikken. Daarom doen we eerst een paar tests. We laten ze snel een heleboel geld verdienen en daarna mogen ze zelf beslissen of ze meedoen of niet. En wat ze ook besluiten, het geld dat ze al verdiend hebben, mogen ze houden.'

Aan de andere kant van de lijn kon ze hem horen ademen.

'Hoeveel?' vroeg hij.

'Hoeveel wilt u hebben?'

'Waarom zou de overheid me zo'n aanbod doen?'

'De overheid heeft vele gezichten. Dat één tak van de overheid u niet zo ziet zitten, wil niet zeggen dat andere takken niet van uw diensten gebruik willen maken. Juist het feit dat Justitie het op u gemunt heeft, maakt u voor ons interessant.'

'Waarom is dat interessant voor u?'

'Omdat weinig mensen zullen geloven dat de Amerikaanse overheid iets met u te maken wil hebben,' zei ze.

'Ben je van de NSA?'

'Nee.'

'De CIA?'

'Ik zal op dergelijke vragen altijd met "nee" antwoorden. En in situaties als deze draag ik geen penning of pasje bij me.'

'Ik heb genoeg politici uit Washington op de loonlijst staan. Eén telefoontje en ik weet het.'

'Daar schiet u niets mee op, want geen enkele politicus heeft ook maar enig benul van het veld waar ik actief ben. Maar belt u ze gerust. Bel de CIA. Die zitten in Langley, en voor het geval u dat niet wist, Langley is een plaatsje in McLean County, Virginia. Een hoop mensen denken dat ze in Washington D.C. zijn gevestigd, maar dat is niet zo. En geloof het of niet, ze staan gewoon in het telefoonboek. U kunt het beste vragen naar het directoraat Operatiën. Maar u kunt zich de moeite besparen, want u krijgt te horen dat ze nog nooit van Pamela Young of International Management, Inc. gehoord hebben.'

'Hoe weet ik dat dit niet gewoon een of andere valstrik is van de FBI?'

'Ik ben geen advocaat, maar ik heb het idee dat dit een heel duidelijk geval van uitlokking zou zijn.'

'Om wat voor tests gaat het?'

'Een paar muisklikken.'

'Hoe bedoelt u?'

'Dat kan ik u niet over de telefoon uitleggen. Dan wil ik u onder vier ogen spreken.'

Ze hoorde hem zuchten.

'Heb je al gegeten?' vroeg hij.

'Nee.'

'Over tien minuten in het Pompeï. Ze staan bij de voordeur op jullie te wachten.'

De verbinding werd verbroken.

Ze legde de telefoon neer en keek naar Leo. 'We zijn binnen.'

'En nu moeten we hem een voorstel doen.'

'En nu moeten we hem een voorstel doen,' herhaalde Annabelle.

•20•

Een uur later werkten ze de laatste hapjes naar binnen van de uitstekende maaltijd die Baggers persoonlijke chef-kok voor hen had gekookt.
Daarna nestelden ze zich in de comfortabele leren fauteuils rondom een
open haard met flikkerende gasvlammetjes, Bagger met een glas whisky
en Leo en Annabelle met een glas wijn.
'Oké,' zei Bagger. Hij stak een vinger op. 'Om te beginnen wil ik weten
wat jullie van plan zijn. En ik wil weten hoe het zit met dat geld.'
Annabelle leunde achterover, tuurde peinzend naar haar glas, keek toen
even naar Leo en zei: 'Kunt u zich het Iran-Contra-schandaal nog herinneren?'
'Vaag.'
'Soms worden de Amerikaanse belangen het best gediend door hulp te
geven aan landen en organisaties die in de Verenigde Staten weinig
geliefd zijn.'
'Zoals wapens naar Osama sturen die ze inzet tegen de Russen?' sneerde
hij.
'Het is een keuze voor het minste van twee kwaden. Dergelijke keuzes
worden voortdurend gemaakt.'
'En wat gaat mij dat aan?'
'We beschikken over fondsen uit zeer vertrouwelijke bronnen, waaron-
der een aantal particuliere, en dat geld moet geraffineerd worden voor-
dat we het kunnen gebruiken.' Ze nam een slokje wijn.
'Witgewassen, bedoel je,' zei Bagger.
Ze lachte hem ondeugend toe. 'Nee, ik bedoel geraffineerd.'
'Ik snap nog steeds niet wat ik daarmee te maken heb.'
'El Primero Banco de Caribe. Kent u die?'
'Moet ik die kennen?'
'Dat is toch de bank waar u een deel van uw casino-opbrengsten par-
keert?' zei Leo. 'Die bank is gespecialiseerd in het laten verdwijnen van
geld, tegen een vergoeding natuurlijk, zodat er geen belasting over
betaald hoeft te worden.'
Bagger veerde op.
'Het hoort bij ons werk om dat soort dingen te weten,' zei Annabelle. 'U
moet het niet persoonlijk opvatten. U bent niet de enige van wie we een
dossier hebben.'
Bagger liet zich weer in zijn stoel zakken en keek naar haar piekerige
haar. 'Jij ziet er anders helemaal niet uit als een spion.'

'Dat is natuurlijk ook de bedoeling, hè?' zei ze vriendelijk. Ze stond op om zich nog een glas wijn in te schenken.

'Hoor eens, hoe weet ik dat jullie de waarheid spreken? Als ik iemand bel, dan heeft die nooit van jullie gehoord, zeg je. Hoe kan ik het dan wel controleren?'

'Laat het geld voor zichzelf spreken.'

'Je bedoelt?'

'Dat u uw financiële expert moet laten komen.'

Bagger keek haar even argwanend aan en nam toen de hoorn van de haak.

Even later kwam een man de kamer binnen. 'Ja, meneer?'

Annabelle haalde een papiertje uit haar zak en gaf het hem. 'Trek deze rekening na op uw computer. Het is een rekeningnummer bij El Primero Banco de Caribe. Eenmalig wachtwoord met bijbehorend rekeningnummer. Daarna komt u hier terug en vertelt u meneer Bagger hoeveel er op die rekening staat.'

Voordat de man de kamer uit liep, keek hij vragend naar Bagger, die hem toeknikte. Een paar minuten later was hij terug.

'En?' zei Bagger ongeduldig.

'Drie miljoen twaalfduizend dollar en zestien cent, meneer.'

Bagger keek Annabelle aan met een blik waarin duidelijk respect te lezen was. Hij gebaarde zijn financieel manager dat hij kon gaan. Daarna zei hij: 'Oké, ik luister.'

'Om argwaan weg te nemen, doen we meestal een of meer tests.'

'Dat heb je al gezegd. Hoe gaat dat in zijn werk?'

'U zet twee dagen lang een bedrag bij El Banco op een door ons te bepalen rekeningnummer; u incasseert de rente en daarna wordt het geld teruggeboekt naar uw eigen rekening.'

'Over hoeveel geld praten we?'

'Doorgaans een miljoen. Het geld dat u overmaakt, raakt "vermengd" met andere fondsen. Twee dagen later bent u honderdduizend dollar rijker. U kunt het om de twee dagen doen als u wilt.'

'Vermengd? Bedoel je niet geraffineerd?' zei Bagger.

Ze hief haar glas. 'U leert snel.'

Bagger keek haar dreigend aan. 'Jullie willen dat ik een miljoen dollar van mijn eigen kapitaal op een door jullie te bepalen rekening stort en dan twee dagen ga zitten wachten totdat ik mijn geld met rente weer terugkrijg? Denken jullie soms dat ik stront in mijn hoofd heb?'

Annabelle ging naast hem zitten en legde haar hand op zijn arm. 'Zal ik je eens wat zeggen, Jerry? Ik mag je toch wel Jerry noemen?'

'Voor deze keer dan.'

'Zolang jouw geld op die rekening staat, blijven mijn partner en ik hier in jouw hotel, zodat je lijfwachten ons dag en nacht in de gaten kunnen houden. 'Als je geld niet met rente op je rekening wordt gestort zoals ik heb beloofd, dan kun je met ons doen wat je wilt. Ik mag dan ambtenaar zijn, ik ben te veel aan het leven gehecht om het op te geven voor geld dat ik zelf nooit in handen zal krijgen.'

Hij keek haar onderzoekend aan, liep hoofdschuddend naar het raam en staarde door het kogelwerende glas naar buiten. 'Dit is de raarste stunt die ik ooit heb gehoord. Ik ben stapelgek dat ik er ook maar naar luister.'

'Helemaal niet zo raar als je ziet hoe het er tegenwoordig in de wereld aan toe gaat. We moeten nu eenmaal maatregelen nemen om het land te beschermen, ook al kunnen ze wettelijk gezien misschien niet helemaal door de beugel. Als de Amerikaanse bevolking er weet van zou krijgen...?' Ze haalde haar schouders op. 'Maar daar hoef ik me niet mee bezig te houden. Het is mijn taak ervoor te zorgen dat het geld op de juiste plek terechtkomt. En in ruil voor je hulp krijg jij een reusachtige premie uitbetaald, Jerry, zo simpel is het.'

'Maar dit is allemaal elektronisch geld. Waarom moet het nog worden witgewassen?'

'Ook digitale dollars zijn te traceren, Jerry, en wel een stuk makkelijker dan cash. De fondsen moeten vermengd worden met die uit andere bronnen dan van de overheid. Vervolgens worden ze elektronisch gewist. Daarna kunnen we dat geld overal naartoe sturen waar we het nodig hebben.'

'Dus je beweert dat dit al in Vegas gebeurt? Dus als ik daar mensen bel...'

'Dan vertellen ze jou helemaal niets, Jerry,' viel ze hem in de rede. 'Precies zoals hun is opgedragen.' Ze stond op en kwam naast hem staan. 'Je kunt hier veel mee verdienen, Jerry, maar er staat ook iets tegenover, en dat kan ik je maar beter duidelijk uitleggen. Dat is wel zo eerlijk.'

Ze trok hem mee naar de bank. 'Als bepaalde mensen erachter komen dat je wie dan ook over deze regeling hebt verteld...'

Bagger begon te lachen. 'Ga me nou niet bedreigen. Intimidatie is een kunst die ikzelf heb uitgevonden.'

'Dit is geen intimidatie, Jerry,' zei ze zacht, terwijl ze hem recht in de ogen keek. 'Als je iemand over deze regeling vertelt, weten onze mensen je te vinden, waar je ook bent. En ze zijn bang voor niemand, wie je ook inhuurt om je te beschermen. Ze zijn niet gebonden aan wetten van welk land dan ook. Iedereen die je ook maar een beetje lief is, mannen, vrouwen, en kinderen, zullen ze genadeloos doden. En dan komen ze voor jou.' Ze liet een lange stilte vallen om het tot hem door te laten dringen. 'Ik zit al heel lang in deze business en ik heb dingen gedaan waar zelfs jij verbaasd van zou staan, maar dit zijn mannen die ik nooit onder ogen hoop te komen, al had ik een heel peloton commando's om me heen. Ze zijn niet de besten, Jerry, ze zijn de aller- allerslechtsten.'

Bagger werd woedend. 'En dat gajes staat op de loonlijst van de overheid! Geen wonder dat dit land totaal naar de klote is!' Toen hij een slok whisky nam, zagen Annabelle en Leo dat zijn hand een beetje trilde. 'Waarom zou ik daar in godsnaam...' begon hij.

Annabelle wist wat hij ging zeggen en onderbrak hem. 'Maar zoals ik al tegen mijn superieuren zei: Jerry Bagger zal zwijgen. Hij strijkt zijn woekerwinst op en houdt zijn mond. Ik heb je niet zomaar uitgekozen, Jerry. Mannen als jij zijn voor ons ideaal. Je hebt hersens, lef en geld, en je leeft graag op het scherp van de snede.' Ze nam Bagger aandachtig op en voegde eraantoe: 'Ik zou het jammer vinden om deze buitenkans aan een ander casino te geven, Jerry, maar mijn opdracht is duidelijk.'

Ineens begon hij te grinniken. Hij gaf haar een klopje op haar been en zei: 'Kan mij het ook wat verdommen. Ik doe het.'

21

De volgende ochtend kwam de Camel Club in Stones huisje op het kerkhof bijeen. Stone vertelde Milton en Caleb wat uitvoeriger wat zich de vorige avond had afgespeeld.

'Misschien worden we nu ook in de gaten gehouden,' zei Caleb en hij keek angstig naar buiten.

'Het zou me verbazen als het niet zo was,' zei Stone rustig.

Het huisje was schamel ingericht: een oud bed, een groot gebutst en gedeukt bureau dat bedekt was met kranten en tijdschriften, planken vol boeken in verschillende talen. Er was een keukentje met een gehavende tafel en een kleine badkamer. Rondom de grote open haard, die de voornaamste warmtebron vormde, stond een aantal niet bij elkaar passende stoelen.

'En dat kan je niet schelen?' vroeg Milton.

'Ik zou me veel ongeruster hebben gemaakt als ze hadden geprobeerd me te vermoorden, want dat hadden ze makkelijk kunnen doen, ondanks Ruebens heldhaftige gedrag.'

'En wat nu?' vroeg Rueben. Hij stond voor de open haard en probeerde zijn verkleumde botten weer warm te krijgen. 'Ik moet naar mijn werk.'

'Ik ook,' zei Caleb.

'Caleb,' zei Stone, 'ik moet de kluis van de Congresbibliotheek in. Is dat mogelijk?'

Er verscheen een onzekere uitdrukking op Calebs gezicht. 'Tja, onder normale omstandigheden wel. Ik mag mensen in de kluis toelaten, maar daar moet ik wel een reden voor opgeven. Het is niet de bedoeling dat ik iedereen zomaar binnenlaat. En na Jonathans dood zijn de regels nog verder aangescherpt.'

'En als de bezoeker een buitenlandse geleerde is?' vroeg Stone.

'Dat is natuurlijk wat anders. Ken jij dan een buitenlandse geleerde?'

'Volgens mij bedoelt hij zichzelf, Caleb,' zei Rueben.

Caleb keek zijn vriend streng aan. 'Ik kan toch niet meewerken aan bedrog, Oliver. In 's hemelsnaam, man!'

'Wanhopige tijden vereisen wanhopige maatregelen. Sinds we betrokken zijn geraakt bij Jonathan DeHaven zit er een stel uiterst gevaarlijke mensen achter ons aan. We moeten te weten komen of DeHaven een natuurlijke dood is gestorven of niet. Daarom wil ik een kijkje nemen op de plek waar hij is gestorven.'

'Nou, we weten hoe hij is gestorven,' zei Caleb. De anderen keken hem verbaasd aan. 'Ik ben er net vanochtend achtergekomen,' zei hij snel. 'Een collega van de bibliotheek heeft me thuis gebeld. Jonathan is overleden aan cardiopulmonaal arrest. Dat staat in het lijkschouwingverslag.'

'Cardiopulmonaal arrest betekent gewoon hartstilstand en daar gaat iedereen uiteindelijk aan dood,' zei Milton.

Stone keek peinzend voor zich uit. 'Milton heeft gelijk. Het wil alleen maar zeggen dat de patholoog-anatoom ook geen idee heeft wat de doodsoorzaak is geweest.'

Hij stond op en keek Caleb aan. 'Ik wil vanochtend de kluis in.'

'Oliver, je kunt daar niet zomaar onaangekondigd naar binnen wandelen.'

'Waarom niet?'

'Daar zijn vaste regels en procedures voor.'

'Ik zeg gewoon dat ik in Washington ben voor familiebezoek en dat ik graag de mooiste boekencollectie ter wereld wil bekijken.'

'Misschien dat het werkt,' gaf Caleb met tegenzin toe. 'Maar stel dat je iets gevraagd wordt waar je geen antwoord op weet?'

'Niets is zo gemakkelijk als een geleerde imiteren, Caleb,' zei Stone geruststellend. Caleb keek hem diep beledigd aan, maar Stone schonk er geen aandacht aan. 'Om elf uur ga ik naar de bibliotheek.' Hij krabbelde iets op een stukje papier en gaf dat aan Caleb.

Caleb las wat erop stond en keek toen verbaasd op.

En daarmee werd de vergadering van de Camel Club geschorst. Wel nam Stone Milton nog even apart en begon zacht met hem te praten.

Een paar uur later overhandigde Caleb in de Congresbibliotheek een boek aan Norman Janklow, een heer op leeftijd die hier regelmatig kwam.

'Hier is het, Norman.' Het was een exemplaar van Ernest Hemingways *A Farewell to Arms*. Janklow was een Hemingway-fanaat, en de roman die hij nu in zijn handen hield, was een gesigneerd exemplaar van de eerste editie.

'Ik zou er mijn leven voor geven dit boek in eigendom te hebben, Caleb,' zei Janklow.

'Ik weet het, Norman. Ik ook.' Het zou minstens vijfendertigduizend dollar opbrengen, wist Caleb. Zo'n bedrag ging zijn financiële middelen ver te boven, en die van Janklow waarschijnlijk ook. 'Maar in elk geval kun je het een tijdje vasthouden.'

'Binnenkort begin ik aan mijn biografie van Ernest.'

'Dat is mooi.' Janklow was al minstens twee jaar van plan aan zijn Hemingway-biografie te beginnen. Toch scheen het idee hem gelukkig te maken, dus Caleb was best bereid het spelletje mee te spelen.

Janklow liet zijn vingers over het boek glijden. 'Ze hebben het omslag gelijmd,' zei hij geërgerd.

'Ja. Voordat de afdeling Zeldzame Boeken goed op gang kwam, was een groot deel van onze eerste edities onder niet al te beste omstandigheden opgeslagen. We zijn nu al jaren bezig om de achterstand in te lopen, en dit exemplaar had allang gerestaureerd moeten zijn. Een administratie-foutje, denk ik. Dat komt voor als je bijna een miljoen boeken onder één dak hebt.'

'Ze zouden in hun oorspronkelijke staat bewaard moeten worden.'

'Tja, we zijn hier vooral gericht op conservatie, en omdat het zo goed bewaard is gebleven, kun jij nu van dit boek genieten.'

'Ik heb Hemingway ooit eens ontmoet.'

'Dat heb je me verteld, ja.' Zo'n honderd keer.

'Hij was een bijzondere man. We zijn samen dronken geworden in een Parijs café.'

'Ja, dat verhaal herinner ik me nog goed. Nou, ik zal je niet langer storen bij je onderzoek.'

Janklow zette zijn leesbril op, haalde potlood en papier tevoorschijn en verloor zich in de avontuurlijke wereld van Ernest Hemingways won-derbaarlijke verbeeldingskracht.

Stipt om elf uur kwam Oliver Stone, gekleed in een gekreukt driedelig pak de leeszaal Zeldzame Boeken binnen. Hij liep met een wandelstok, zijn witte haar en baard waren keurig gekamd en geknipt, en hij had een grote zwarte uilenbril op. Mede door zijn voorovergebogen manier van lopen leek hij op een heel oude man. Caleb kende zijn vriend nauwelijks terug.

Een van de dames aan de balie liep op Stone af, maar Caleb was haar voor. 'Laat mij maar, Dorothy. Ik... ik ken deze heer.'

Met een zwierig gebaar haalde Stone een visitekaartje tevoorschijn. 'Zoals afgesproken, Herr Shaw. Ik kom de boeken bekijken,' zei hij met een zwaar Duits accent.

Terwijl Dorothy, de vrouw aan de balie, hem nieuwsgierig opnam, zei Caleb: 'Dit is doctor Aust. We hebben elkaar jaren geleden ontmoet in... Frankfurt was het toch?'

'Mainz,' verbeterde Stone hem. 'Ik weet het nog goed omdat de asperges net waren geoogst. Ik ga altijd naar de conferentie in Mainz, en dan eet ik altijd verse asperges.' Hij keek Dorothy stralend aan. Ze lachte terug en ging verder met haar werk.

Er kwam nog iemand de leeszaal binnen. Toen hij Caleb zag, bleef hij staan. 'Caleb, ik wil je even spreken.'

Caleb verbleekte. 'O, dag Kevin. Kevin, dit is, eh, doctor Aust uit

Duitsland. 'Doctor Aust, dit is Kevin Philips, de waarnemend directeur van de afdeling Zeldzame Boeken. Na Jonathans...'

'Ach ja, de ontijdige dood van Herr DeHaven,' zei Stone. 'Heel treurig. Heel treurig.'

'Hebt u Jonathan gekend?' vroeg Philips.

'Alleen van reputatie. Met zijn artikel over James Logans metrische ver-taling van Cato's *Disticha Catonis* is echt wel het laatste woord over het onderwerp gezegd, vindt u ook niet?'

Philips gezicht betrok. 'Ik heb het helaas niet gelezen.'

'Zijn analyse van deze eerste in de Nieuwe Wereld gemaakte vertaling van de klassieken is werkelijk zeer lezenswaardig,' zei Stone vriendelijk.

'Ik zal het zeker op mijn leeslijstje zetten. Helaas hebben bibliothecaris-sen niet veel tijd om te lezen.'

'Dan zal ik u maar niet lastigvallen met mijn eigen boeken,' zei Stone glimlachend. 'Ze zijn trouwens toch in het Duits.'

'Doctor Aust was toevallig in Washington en ik heb hem uitgenodigd voor een rondleiding in de kluis,' zei Caleb.

'Het zal ons een eer zijn,' zei Philips. Op zachtere toon voegde hij eraan-toe: 'Caleb, heb je gehoord dat de patholoog-anatoom een sectieverslag over Jonathan heeft vrijgegeven?'

'Ja,' zei Caleb.

'Dus dat wil zeggen dat hij gewoon een hartaanval heeft gehad?'

Caleb keek even naar Stone, die hem een snel knikje gaf.

'Ja, dat denk ik wel.'

'God, hij was nog jonger dan ik,' zei Philips hoofdschuddend. 'Dat geeft toch wel te denken, hè?' En met een blik op Stone voegde hij eraantoe: 'Doctor Aust, wilt u dat ik u een uitgebreide rondleiding geef?'

Stone glimlachte en leunde zwaar op zijn wandelstok. 'Nee, Herr Phi-lips, ik heb liever dat u die tijd gebruikt om te lezen wat uw gewaardeer-de collega over de *Disticha Catonis* te melden had.'

'Het is altijd prettig om te zien dat eminente geleerden hun gevoel voor humor niet hebben verloren,' zei Philips grinnikend.

'Ik doe mijn best, meneer,' zei Stone met een buiginkje. 'Ik doe mijn best.'

'Hoe wist je dat Jonathan een artikel over Logan had geschreven?' vroeg Caleb zodra zijn chef buiten gehoorsafstand was.

'Ik heb Milton gevraagd even op internet te zoeken. Hij heeft een artikel voor me geprint dat ik snel heb doorgelezen voor het geval er iemand als Philips langs zou komen, zodat ik kon laten zien dat ik echt een geleerde was.' Caleb keek nors voor zich uit. 'Wat is er?' vroeg Stone.

'Het is niet bepaald vleiend om te zien hoe makkelijk het is om je voor een geleerde uit te geven.'

'Als jij niet voor me had ingestaan, was je baas er misschien nooit ingetrapt.'

Caleb klaarde weer op. 'Nee, daar zou je weleens gelijk in kunnen hebben.'

'Oké. We nemen precies dezelfde route die jij die dag hebt genomen.'

Dat deden ze. Op de bovenste verdieping wees Caleb naar een plek op de vloer. 'Daar lag hij.' Hij huiverde. 'God, het was afschuwelijk.'

Stone keek om zich heen en wees naar iets aan de muur.

'Wat is dat?'

'O, dat is een sproeier van de brandblusinstallatie.'

'Gebruiken jullie dan water met al die boeken hier?'

'Nee, het is een Halon 1301-systeem.

'Halon 1301?' vroeg Stone.

'Halon is een gas. Eigenlijk is het een vloeistof, maar als het onder hoge druk uit een leiding wordt gespoten, verandert het in een gas dat het vuur smoort zonder de boeken te beschadigen.'

Er verscheen een opgewonden uitdrukking op Stones gezicht. 'Het smoort het vuur! Grote god!' Hij keek zijn vriend nieuwsgierig aan. 'Caleb, zie je het verband dan niet?'

Plotseling drong het tot Caleb door. 'O nee, Oliver! Zo kan Jonathan niet aan zijn eind zijn gekomen.'

'Waarom niet?'

'Omdat het een paar minuten duurt voordat iemand last van verstikkingsverschijnselen krijgt, dus hij kon nog ontsnappen. Daarom juist gebruiken we halon. Bovendien klinkt er een sirene voordat het gas de ruimte in wordt gespoten. We gaan binnenkort trouwens over op een andere brandblusinstallatie, maar niet omdat de oude installatie gevaarlijk is.'

'Waarom dan wel?'

'Halon tast de ozonlaag aan. Hoewel het gas in dit land nog steeds gebruikt mag worden, en recycling voor nieuwe toepassingen ook is toegestaan, mag Halon 1301 hier sinds de jaren negentig niet meer gefabriceerd worden. De federale overheid is trouwens nog wel de grootste verbruiker.'

'Je schijnt er heel wat van te weten.'

'Toen het systeem werd geïnstalleerd, moesten alle werknemers een introductiecursus volgen. En sindsdien heb ik er nog het een en ander over gelezen.'

'Waarom?'

'Omdat ik veel in deze kluis kom,' viel Caleb uit, 'en ik geen afschuwelijke dood wil sterven! Je weet toch dat ik absoluut geen held ben?'

Stone tuurde naar de sproeier. 'Waar ligt het gas opgeslagen?'

'Ergens in de kelder. Het wordt hier naartoe gepompt.'
'Dus het wordt opgeslagen als vloeistof en het komt als gas de brand-slang uit?'
'Ja, door de hoge snelheid waarmee het naar buiten wordt geblazen wordt het omgezet in gas.'
'Dan zal het wel heel koud zijn.'
'Je kunt er bevriezingsverschijnselen aan overhouden.'
'En verder?'
'Als je te lang in de kluis blijft, kun je denk ik stikken. De vuistregel is dat als er niet genoeg zuurstof is om een vlam te laten branden, er ook niet genoeg zuurstof is om in leven te kunnen blijven.'
'Zou dat gas een hartaanval kunnen veroorzaken?'
'Dat weet ik niet. Maar dat maakt ook niet uit. Het systeem kan die dag niet ingeschakeld zijn geweest, want die sirene hoor je door het hele gebouw.'
'Stel dat de sirene van het systeem was losgekoppeld?'
'Wie zou zoiets nou doen?' zei Caleb sceptisch.
'Dat weet ik niet.'
Terwijl ze stonden te praten zag Stone een groot rooster dat was inge-bouwd in een van de pilaren die de boekenplanken ondersteunden. 'Is dat een rooster van het verwarmingssysteem?' vroeg hij. Caleb knikte.
'Het lijkt wel of er iets op is gevallen,' zei Stone, en hij wees naar twee spijlen die uit elkaar waren gebogen.
'Dat kan gebeuren met al die mensen die hier met karretjes vol boeken in en uit lopen.'
'Ik zal Milton eens wat onderzoek laten doen naar Halon 1301,' zei Stone. 'Misschien komt hij nog meer te weten. En Rueben heeft uit de tijd dat hij bij de militaire inlichtingendienst werkte nog wel contacten bij de criminele recherche en de FBI. Ik zal hem vragen zijn licht hier en daar eens op te steken.'
'Vanavond hebben we met Vincent Pearl in Jonathans huis afgesproken. Is het vanwege al die onverwachte ontwikkelingen niet beter die af te zeggen?'
Stone schudde zijn hoofd. 'Nee, ze weten ons toch wel te vinden, Caleb. Als we in gevaar zijn, probeer ik liever zelf achter de waarheid te komen dan dat ik lijdzaam op de klap ga zitten wachten.'
Toen ze de kluis uit liepen, mompelde Caleb: 'Waarom ben ik niet gewoon bij een saaie boekenclub gaan werken?'

22

Die avond reden ze in Calebs Chevrolet naar het huis van Jonathan DeHaven. Milton was intussen veel over brandblusinstallaties te weten gekomen. 'Halon 1301,' zo meldde hij, 'is een reukloos, kleurloos gas dat vuur dooft door het verbrandingsproces op verschillende manieren te beïnvloeden, waaronder het reduceren van de hoeveelheid zuurstof in de lucht. Het verdampt snel en laat geen residu achter. Als het systeem wordt ingeschakeld duurt het ongeveer tien seconden voordat het gas uit de sproeiers spuit.'

'Kan het dodelijk zijn?' vroeg Stone.

'Als je lang genoeg blijft rondhangen en er voldoende halon in de lucht zit, kun je er wel van stikken, ja,' zei Milton. 'En het kan ook een hart-aanval veroorzaken.'

Stone keek Caleb triomfantelijk aan.

'Maar in het verslag van de lijkschouwing stond dat DeHaven is overle-den aan een cardiopulmonaal arrest,' hielp Milton hem herinneren. 'Als hij een hartaanval had gehad, zou de doodsoorzaak zijn omschreven als een myocardiaal infarct. Een hartaanval of een beroerte laat heel duide-lijke fysiologische sporen na. Die zou de patholoog-anatoom echt niet over het hoofd hebben gezien.'

Stone knikte. 'Oké, maar jullie zeiden net dat hij wel gestikt kan zijn.'

'Maar erg waarschijnlijk lijkt dat me niet,' zei Milton. 'Niet sinds ik Caleb heb gesproken.'

'Ik heb nog wat meer onderzoek gedaan naar de brandblusinstallatie van de bibliotheek,' legde Caleb uit. 'Het is geclassificeerd als een NOAEL-systeem, en die afkorting staat voor *No Observed Adverse Effect Level.* Dat betekent dat het systeem functioneert op een niveau waarbij geen schadelijke effecten zijn waargenomen. NOAEL is een standaard brand-bestrijdingsprotocol en in het geval van Halon heeft het betrekking op het cardiosensitisatieniveau van de atmosfeer in een bepaalde ruimte in verhouding tot de hoeveelheid gas die vereist is om een brand te blussen. Kort samengevat komt het erop neer dat je met een NOAEL-niveau ruim de tijd hebt om uit de betreffende ruimte te ontsnappen voordat je last van het gas ondervindt. Zelfs als de sirene om de een of andere reden van het systeem was losgekoppeld, had Jonathan het zeker gehoord als er gas uit de sproeier was gekomen. Op geen enkele manier kan het zo snel zo'n invloed op hem hebben gehad dat hij geen kans zag te ont-snappen.'

'Dus het ziet ernaar uit dat mijn theorie over de dood van Jonathan DeHaven niet klopt,' gaf Stone toe. Hij keek voor zich uit. Ze waren net Good Fellow Street binnengereden.

'Is dat Vincent Pearl?' vroeg hij.

Caleb knikte en zei geïrriteerd: 'Hij is te vroeg. Hij staat kennelijk te springen om te bewijzen dat ik ernaast zat met het *Bay Psalm Book*.'

Rueben grijnsde. 'Hij heeft zijn gewaad toch maar thuis gelaten.'

'Hou je ogen goed open, jongens,' waarschuwde Stone. 'We worden ongetwijfeld in de gaten gehouden.'

En inderdaad, terwijl ze Pearl begroetten en het huis binnenliepen, werd in het huis aan de overkant opnieuw de verrekijker op hen gericht. Er werden ook een paar foto's gemaakt.

Zodra ze binnen waren, stelde Stone voor dat Caleb met de antiquair de kluis in zou gaan. 'Zoveel ruimte is er niet. Wij wachten hier wel.'

Caleb was er duidelijk niet gelukkig mee dat hij als enige aan de antiquair was overgeleverd. Pearl keek Stone argwanend aan en haalde toen zijn schouders op. 'Ik denk niet dat ik veel tijd nodig heb om mijn gelijk te bewijzen.'

'Neemt u alle tijd!' riep Stone hem na terwijl de twee mannen in de lift stapten.

'En pas op dat jullie niet gebeten worden door de boekenwurmen,' voegde Rueben eraantoe.

'Oké, snel,' zei Stone. 'We doorzoeken het hele huis.'

'Waarom wachten we niet tot Pearl weg is?' vroeg Milton. 'Dan kunnen we rustig de tijd nemen en kan Caleb ook meehelpen.'

'Over die Pearl maak ik me geen zorgen, maar ik wil niet dat Caleb weet dat wij het huis gaan doorzoeken, want daar zal hij ongetwijfeld bezwaar tegen maken.'

Ze gingen uit elkaar en kwamen na een halfuur weer bijeen.

'Niets,' zei Stone teleurgesteld. 'Geen dagboek, geen brieven.'

'Dit heb ik gevonden op een plank in zijn kleerkast,' zei Rueben, en hij liet een ingelijste foto zien van een man en een vrouw. 'Die man is DeHaven. Ik herken hem van zijn foto in de krant.'

Stone keek er even naar en draaide de foto om. 'Geen naam of datum. Zo te zien is die foto lang geleden genomen.'

'Caleb vertelde dat DeHaven ooit getrouwd is geweest,' zei Milton. 'Zou dit de bruid kunnen zijn?'

'Dan had hij het niet slecht getroffen,' merkte Rueben op. 'Ze zien er heel gelukkig uit, dus waarschijnlijk waren ze nog niet zo lang getrouwd.'

Stone liet de foto in zijn jaszak glijden. 'Voorlopig houden we die even in ons bezit.' Hij zweeg en keek omhoog. 'Dit huis heeft een puntdak.'

'Nou en?' zei Rueben.

'Huizen met een puntdak hebben over het algemeen een zolder.'

'Ik heb boven geen zolder gezien,' zei Milton.

'Misschien is er een verborgen toegangsdeur,' antwoordde Stone.

Rueben keek op zijn horloge. 'Waarom hebben die boekenfreaks zo lang werk? Zouden ze het met elkaar aan de stok hebben gekregen?'

'Ik kan me niet voorstellen dat ze elkaar met eerste drukken te lijf gaan,' zei Milton.

'Wat ze ook uitspoken,' zei Stone, 'laten we hopen dat ze er nog een tijdje mee doorgaan. Milton, jij houdt hier beneden de wacht. Als je de lift hoort, roep je ons.'

Het duurde een paar minuten voordat Stone de deur naar de zolder had gevonden. Die zat achter een kledingrek in DeHavens grote inloopkast en was op slot, maar Stone had een set stekers bij zich en wist het slot snel open te krijgen.

'Deze kast moet later ingebouwd zijn,' zei Rueben.

Stone knikte. 'Inloopkasten kwamen in de negentiende eeuw niet veel voor.'

Ze liepen de trap op. Halverwege vond Stone een lichtknop, maar veel licht gaf de lamp niet. Boven aan de trap lieten ze hun blik over de grote ruimte gaan. Zo te zien was er sinds de bouw van het huis nooit iets aan de zolder veranderd. Er stonden een paar dozen en oude koffers, maar die waren leeg of zaten vol met ouwe rommel.

Rueben zag het instrument als eerste. Het stond voor een halvemaanvormig glas-in-loodraam.

'Waarom had DeHaven hier een telescoop staan?' vroeg hij.

'Nou, zoiets zet je natuurlijk niet in de kelder.'

Rueben keek er doorheen. 'Godallemachtig!'

'Wat is er?' riep Stone.

'Hij staat op het huis hiernaast gericht.'

'Wie zijn huis is dat?'

'Hoe moet ik...' Plotseling zweeg Rueben en stelde het oculair bij. 'Verrek!'

'Wat is er? Laat mij eens kijken.'

'Wacht even, Oliver,' zei Rueben. 'Ik wil even zien wat zich daar afspeelt.'

Stone wachtte even en duwde zijn vriend toen opzij. Hij veegde het oculair schoon en zag toen dat hij door een raam van het huis naast dat van DeHaven stond te kijken. De gordijnen waren dichtgetrokken, maar ook boven dit venster was een halvemaanvormige ruit aangebracht, en daar hing geen gordijn voor. Zo was het mogelijk een kamer binnen te kijken. Het werd Stone duidelijk wat Rueben zo in beslag had genomen.

Hij zag een slaapkamer waar Cornelius Behan naakt op een groot hemelbed zat terwijl een lange, aantrekkelijke brunette een striptease voor hem uitvoerde. Haar jurk lag op de gepolitoerde vloer, net als haar zwarte onderrok, en ze trok net haar zwarte beha uit. Nu had ze alleen nog een string aan en schoenen met hoge hakken.

'Kom op, Oliver,' zei Rueben. 'Nou ik weer.' Hij legde zijn hand op Stones schouder. Stone bleef echter staan waar hij stond. 'Hé, dat is niet eerlijk. Ik heb haar het eerst gezien!'

Terwijl Stone stond te kijken, gleed nu ook de string langzaam over haar lange benen omlaag. Toen stapte ze eruit en gooide het minuscule kledingstuk naar Behan, die het om een zeker lichaamsdeel hing. Ze lachte, greep een pijler van het hemelbed vast en begon een professionele paaldans. Pas toen ze haar schoenen uittrok en naakt en op blote voeten op Behan af liep, liet Stone zijn vriend weer kijken. 'Ik heb weleens een foto van mevrouw Behan in de krant gezien, maar dit is duidelijk iemand anders.'

Rueben stelde het oculair weer bij. 'Verdomme, hij staat helemaal niet scherp meer,' mopperde hij.

'Toen jij stond te kijken was het glas helemaal beslagen.'

Rueben stond weer aandachtig te turen. 'Zo'n klein onbenullig mannetje met zo'n mooie vrouw. Hoe kan dat toch?'

'O, daar kan ik je heel wat redenen voor geven,' merkte Stone peinzend op. 'Dus DeHaven was een gluurder.'

'Jezus, dat kunnen we hem toch niet kwalijk nemen? Oei, dat zal best pijn doen. O, nee, het leek erger dan het was... Wauw, die meid is nog behoorlijk lenig ook.'

Stone keek op. 'Wat gebeurt er?'

Rueben was te zeer verdiept in het schouwspel om doorlopend commentaar te geven. 'Oké...! Nu liggen ze op de vloer. O, moet je kijken, nu heeft ze hém opgetild.'

'Rueben, Milton staat te roepen. Caleb en Pearl komen naar boven.'

Maar Rueben bleef door de telescoop turen. 'Wat doen ze nou? Dat heb ik buiten het apenhuis nog nooit gezien. Die kroonluchter moet wel stevig aan het plafond verankerd zitten.'

'Rueben! Kom op nou!'

'Hoe kan ze dat zonder handen?'

Stone greep Rueben bij zijn lurven en trok hem mee naar de deur. 'Nú!'

Hij wist de luidkeels protesterende Rueben net op tijd de trap af te duwen. Toen Caleb en Pearl de lift uitkwamen, waren ze weer beneden. De antiquair maakte een verbijsterde indruk en er lag een triomfantelijke blik in Calebs ogen.

'Het moet een hele schok voor u zijn, meneer Pearl, maar ik heb u gewaarschuwd dat het een oorspronkelijk exemplaar was.'

'Dus het is een eerste editie uit 1640?' vroeg Stone.

Pearl knikte. 'En ik heb hem vastgehouden. Met mijn eigen handen.' Hij liet zich op een stoel zakken. 'Ik dacht even dat ik van mijn stokje zou gaan. Shaw heeft een glas water voor me moeten halen.'

'We maken allemaal weleens een foutje,' zei Caleb medelevend, zonder de triomfantelijke grijns van zijn gezicht te halen.

'Vanochtend heb ik elke instelling gebeld die een *Bay Psalm Book* in zijn bezit heeft,' zei Pearl. 'Yale, de Congresbibliotheek, de Old South Church in Boston, enzovoorts, en ze hebben allemaal bevestigd dat er geen *Bay Psalm Book* vermist wordt.' Met een zakdoek veegde hij het zweet van zijn voorhoofd.

Caleb nam het verhaal over. 'We hebben het boek gecontroleerd op alles wat kenmerkend is voor de authentieke exemplaren. Daarom waren we zo lang bezig.'

'Toen ik hiernaartoe kwam, was ik ervan overtuigd dat het om een vervalsing ging,' gaf Pearl toe. 'En hoewel we het hele boek grondig onderzocht hebben, wist ik al vanaf de eerste paar bladzijden dat het echt was. Dat kon ik vooral opmaken uit de onregelmatige druk. De drukker verdunde de inkt af en toe, en hier en daar zijn klontjes opgedroogde inkt in het zetsel komen vast te zitten. Dat zie je vaak in eerste edities. Daardoor zijn ze soms zo slecht leesbaar. Het was destijds niet gebruikelijk om het zetsel voor gebruik schoon te spoelen. Ook alle andere typische kenmerken van een eerste editie zijn aanwezig.' Na een korte stilte voegde hij eraantoe: 'Alle kenmerken zijn aanwezig.'

'Natuurlijk moet de authenticiteit nog bevestigd worden door deskundigen, die een uitgebreide stilistische, historische en chemische analyse zullen uitvoeren,' merkte Caleb op.

'Precies,' zei Pearl instemmend. 'Maar ik weet al wat de uitkomst zal zijn.'

Stone zei: 'Dus er is een twaalfde exemplaar van het *Bay Psalm Book*?'

'Inderdaad,' zei Pearl zacht. 'En Jonathan DeHaven had het in zijn bezit.' Hij schudde zijn hoofd. 'Ik kan er maar niet over uit dat hij het me nooit heeft verteld. Hij bezat een van de zeldzaamste boeken ter wereld, een boek dat de grootste collectioneurs aller tijden nooit te pakken hebben gekregen. En dat heeft hij geheimgehouden. Maar waarom?' Hij keek Caleb hulpeloos aan. 'Waarom, Shaw?'

'Ik weet het niet,' gaf Caleb toe.

'Hoeveel zou het waard zijn?' vroeg Rueben.

'Hoeveel een *Bay Psalm Book* waard zou zijn?' riep Pearl uit. 'De waarde van dat boek valt helemaal niet in geld uit te drukken!'

'Als je het gaat verkopen zal iemand toch een prijs moeten bepalen.'

Pearl stond op en begon te ijsberen. 'De prijs is wat de hoogste bieder ervoor wil betalen. En dat gaat in de miljoenen lopen. Er zijn op dit moment verzamelaars en instellingen die bulken van het geld, en er zal buitengewoon veel belangstelling voor dit boek zijn. Er is al meer dan zestig jaar geen *Bay Psalm Book* meer op de markt gekomen. Voor sommige bieders is dit de allerlaatste kans om er ooit een in bezit te krijgen.' Hij bleef staan en keek Caleb strak aan. 'Ik zou het een eer vinden om de veiling te organiseren, samen met bijvoorbeeld Sotheby's of Christie's.'

Caleb haalde diep adem. 'Ik moet het allemaal even verwerken, meneer Pearl. Ik zal er een paar dagen over nadenken en dan hoort u van me.'

Er verscheen een teleurgestelde uitdrukking op Pearls gezicht, maar hij wist toch een glimlachje te produceren. 'Ik zal er graag op wachten.'

Toen Pearl was vertrokken, zei Stone: 'Caleb, terwijl jullie in de kelder zaten, hebben wij het huis doorzocht.'

'Wat!' riep Caleb. 'Oliver, dat is ongehoord. Ik mag hier alleen komen omdat ik Jonathans literair executeur ben. Ik heb niet het recht om in zijn andere bezittingen rond te neuzen, en dat geldt ook voor jullie.'

'Vertel hem over de telescoop,' zei Rueben zelfvoldaan.

Dat deed Stone en Calebs woede maakte plaats voor stomme verbazing. 'Dus Jonathan stond naar vrijende paren te gluren. Weerzinwekkend.'

'Nee, hoor,' zei Rueben vol overtuiging. 'In zekere zin is het zelfs heel verheffend. Zullen we nog even gaan kijken?'

'Nee, Rueben!' zei Stone streng. Toen liet hij Caleb de foto van DeHaven en de jonge vrouw zien.

'Als dat Jonathans vrouw was dan is die foto genomen voordat ik hem heb leren kennen,' zei Caleb.

'Hij heeft de foto bewaard, dus misschien heeft hij wel contact met haar gehouden,' merkte Milton op.

'Als dat zo is,' zei Stone, 'dan moeten we haar zien te vinden.' Hij keek naar het boek dat Caleb in zijn hand hield. 'Wat is dat?'

'Een boek uit Jonathans collectie waar wat aan hersteld moet worden. Het heeft waterschade opgelopen. De vorige keer dat we hier waren, is het me niet opgevallen. Ik neem het mee naar de afdeling Conservatie. Daar werken de beste vaklui ter wereld, en een van hen klust er ook weleens wat bij. Ik weet zeker dat hij het kan herstellen.'

Stone knikte en zei peinzend: 'Jonathan DeHaven had een van de zeldzaamste boeken ter wereld in zijn bezit, en we weten niet hoe hij eraan is gekomen. Hij bespioneerde de slaapkamer van een grote wapenfabrikant, en daar heeft hij misschien wel meer gezien dan seks. En niemand weet hoe hij werkelijk aan zijn eind is gekomen.' Hij keek zijn vrienden aan. 'Ik denk dat het duidelijk is wat ons te doen staat.'

'Waarom zou ons iets te doen staan?' vroeg Rueben.

'Jonathan DeHaven is misschien vermoord. Iemand is ons gevolgd. Caleb werkt in de bibliotheek en heeft opdracht gekregen als DeHavens literair executeur op te treden. Als Cornelius Behan bij DeHavens dood is betrokken, dan denkt Behan nu misschien dat Caleb het ook weet. En dat kan Caleb in gevaar brengen. Dus hoe eerder we achter de waarheid komen, hoe beter.'

'Geweldig,' zei Caleb sarcastisch. 'Ik hoop dat ik het overleef.'

•23•

'U krijgt een e-mail van ons,' zei Annabelle. Ze stond in een kantoor van het Pompeï Casino met een paar van Baggers mensen om zich heen. 'We openen liever geen e-mails als we niet weten waar ze vandaan komen,' zei een van hen.

Annabelle knikte. 'Haal er maar een virusscanner doorheen. Ik neem aan dat jullie op dat gebied het allerbeste in huis hebben.'

'Reken maar,' zei de man zelfverzekerd.

Leo zat in een hoek de mannen aandachtig op te nemen. Het was zijn taak elk teken van achterdocht of ongerustheid op te merken terwijl Annabelle haar scenario uitspeelde. Haar overtuigingskracht werd versterkt door haar korte, strakke rokje en haar bloesje waarvan de twee bovenste knoopjes waren losgemaakt. Alle mannen in het vertrek waren vol aandacht voor haar borsten en billen. Annabelle Conroy liet geen wapen onbenut, daar was Leo lang geleden al achter gekomen.

'De enige aanvaardbare vorm van communicatie is via een beveiligde webportal in het e-mailbericht. U kunt in geen geval gebruikmaken van telefoon of fax, want die kunnen worden afgeluisterd.' Na een korte blik op Bagger voegde ze eraantoe: 'Correctie: die wórden afgeluisterd.'

Bagger trok zijn wenkbrauwen op, maar zei: 'Jullie hebben het gehoord: alleen via het net.' Bagger voelde zich ongetwijfeld heel zeker van zichzelf omdat hij een troef achter de hand had, of liever gezegd twee troeven. Hij zou Leo en Annabelle vasthouden totdat hij zijn geld terug had. 'In de e-mail staat waar het geld naartoe moet en wanneer. Twee dagen later wordt het bedrag, met rente, automatisch teruggeboekt.'

'En in die twee dagen wordt een miljoen dus 1,1 miljoen, dat heb ik toch goed begrepen?' zei Bagger.

Annabelle knikte. 'Precies zoals ik heb beloofd, Jerry.'

'Dat is je geraden,' zei hij onheilspellend. 'Wanneer kunnen we beginnen?' Annabelle keek op haar horloge. 'Het e-mailbericht zou nu ongeveer binnen moeten komen.'

Bagger knipte met zijn vingers en een van zijn mensen keek op de computer.

'Daar is het,' zei de man en hij sloeg een paar toetsen aan. 'Ik doe even een paar extra scans om er zeker van te zijn dat het clean is.'

Twee minuten later keek de IT'er op. 'Oké, het is in orde.'

'Maak open,' zei Bagger.

'Jullie kunnen van hieruit zelf geld overmaken, hè?' zei Annabelle, hoewel ze dat na haar grondige research allang wist.

'Ons systeem lift mee op dat van de bank. Ik vind het niet prettig dat derden mijn geld beheren of weten waar het naartoe gaat. Het wordt rechtstreeks van de bank naar ons gestuurd, en we regelen hier de overboekingen zelf. Dat bevalt me het best.'

Mij ook, dacht Annabelle.

Tien minuten later was een miljoen dollar van Jerry's vermogen op weg naar een zeer speciale rekening.

Terwijl hij zijn kantoor uit liep zei hij tegen Annabelle: 'De komende achtenveertig uur ben je bij mij te gast. Dat is een mooie gelegenheid om elkaar wat beter te leren kennen.' Hij glimlachte en liet zijn blik verlekkerd over haar elegante verschijning gaan.

'Dat klinkt goed,' zei Annabelle.

'Ja, klinkt goed,' voegde Leo eraantoe.

Bagger keek naar Leo alsof hij hem helemaal vergeten was. 'O, ja,' mompelde hij.

De twee dagen daarop gebruikten ze samen met Bagger het ontbijt, de lunch en het diner. Tussen de maaltijden door stonden Baggers lijfwachten bij de deur van hun hotelkamer, en als ze die wilden verlaten, liepen de mannen met hen mee. Annabelle zat tot laat in de avond te drinken met de gokmagnaat. Ze wist zijn avances af te wimpelen zonder hem alle hoop te ontnemen. Ze vertelde iets over haar 'levensloop', en hield net genoeg achter om Baggers nieuwsgierigheid te prikkelen. Hij praatte veel over zichzelf, met alle ijdelheid en bravoure die je van zo'n man kon verwachten.

'Volgens mij zou jij een goede spion zijn geweest, Jerry,' zei Annabelle bewonderend terwijl ze met een martini op de bank zaten. 'Je hebt lef en hersenen, en die combinatie komt niet veel voor.'

'Hoor wie het zegt.' Hij schoof dichter naar haar toe en gaf een klopje op haar bovenbeen. Vervolgens probeerde hij haar te kussen, maar ze draaide snel haar hoofd weg. 'Jerry, zo kan ik grote problemen krijgen.'

'Wie komt erachter? We zijn hier helemaal alleen. Ik weet dat ik niet meer zo jong ben, maar ik ga elke dag naar de fitness, en je zult ervan staan te kijken wat ik nog allemaal in bed presteer.'

'Geef me nog wat tijd, Jerry. Ik vind je heel aantrekkelijk, maar ik heb nu te veel aan mijn hoofd. Oké?' Ze gaf hem een kusje op de wang en na nog wat aandringen liet hij zich afschepen.

Toen de twee dagen voorbij waren, was Bagger honderdduizend dollar rijker.

'Wil je het een keer proberen met vier of vijf miljoen, Jerry? Dat levert je binnen achtenveertig uur een half miljoen rente op.' Annabelle zat achteloos op Baggers bureau met haar lange benen over elkaar geslagen. Leo zat op de bank.

121

'Alleen als je bij me blijft tot ik het weer terug heb,' zei Bagger.

Ze knipoogde. 'Dat hoort bij de afspraak, Jerry. Je krijgt me helemaal voor jezelf.'

'Ja, ja, dat heb je al vaker gezegd. Waar is mijn geld trouwens naartoe gegaan?'

'Naar de Banco Caribe. Dat weet je toch.'

'Nee, ik bedoel, welke buitenlandse operatie wordt ermee gefinancierd?'

'Dat kan ze wel vertellen, maar dan moet ik jullie allebei doden,' zei Leo. Er viel een pijnlijke stilte, totdat Annabelle begon te lachen. Het duurde even voordat Jerry Bagger ook begon te lachen, maar van harte ging het niet.

Twee dagen later waren de vijf miljoen vijfenhalf miljoen geworden.

'Verrek,' zei Bagger. 'Dat is nog eens handel.' Ze zaten weer in zijn kantoor. 'Ik weet dat Uncle Sam wat te besteden heeft, maar ik vraag me af of de regering het zich veroorloven kan.'

Annabelle haalde haar schouders op. 'Dat kunnen we niet. Daarom hebben we een tekort op de handelsbalans van duizenden miljarden. Als we meer geld nodig hebben, schrijven we gewoon de zoveelste staatslening uit voor de Saudi's en de Chinezen. Het kan niet eeuwig zo doorgaan, maar voorlopig werkt het nog wel.' Ze keek Bagger aan en legde een hand op zijn arm. 'Maar als je te doen hebt met Uncle Sam, Jerry, dan mag je je geld ook wel gratis ter beschikking stellen.'

Hij lachte. 'Mijn motto is in veertig jaar nooit veranderd: "Iedere klootzak voor zichzelf".'

En niemand bij wie dat motto beter past dan bij jou, dacht Annabelle terwijl ze hem met geveinsde bewondering toelachte.

Bagger boog zich voorover en keek even naar Leo voordat hij zacht tegen Annebelle zei: 'Kun je die schaduw van je nooit eens van je afschudden?'

'Dat hangt ervan af.'

'Waar hangt het van af?'

'Of wij goede vrienden worden of niet.'

'Ik weet hoe we goede vrienden kunnen worden.'

'Vertel het maar.'

'We doen een keer tien miljoen, en in ruil voor de moeite krijg ik een miljoen. Kan Uncle Sam zich dat veroorloven?'

'Je hoeft het geld alleen maar aan ons over te maken, Jerry.'

'En jij blijft hier totdat ik het weer terugkrijg?'

'Wij blijven allebei hier,' zei Leo.

Bagger verstrakte en zei zo zacht dat Leo het niet kon horen: 'Ik krijg zeker problemen als ik hem zijn strot afsnijd, hè?'

'Herinner je je nog wat ik zei over de slechtsten van de allerslechtsten?

Als je hem iets aandoet dan staan ze voor je het weet op je stoep. Ik raad het je dus dringend af.'

'Verdomme,' zei Bagger klaaglijk.

'Zo erg is het nou ook weer niet, Jerry. In twee dagen verdien je een miljoen, en daar hoef je helemaal niets voor te doen, behalve samen met mij wat eten en drinken.'

'Ik wil méér. Dat snap je toch wel?'

'Ja, Jerry. Dat had ik al in de gaten toen je voor het eerst je hand onder mijn rok probeerde te steken.'

Bagger begon te brullen van het lachen. 'Die stijl van jou bevalt me wel. Jij bent veel te goed voor de overheid. Kom toch voor mij werken! Samen zullen we deze stad eens wat laten zien.'

'Ik sta altijd open voor een interessant aanbod. Maar laten we eerst maar aan de slag gaan met dat eerste miljoen.' Ze klopte op zijn hand en drukte haar nagel even in zijn handpalm. Ze kon bijna voelen dat er een rilling door hem heen ging.

'O, schatje, je maakt me kapot,' zei hij op een jankerig toontje.

Nee, dat komt later.

•24•

Twee dagen later was Bagger 1,6 miljoen dollar rijker dan voordat hij Annabelle en Leo had ontmoet. Natuurlijk kon hij niet weten dat al dat geld afkomstig was van de drie miljoen die ze hadden verdiend met de twee korte trucs. Tony had de overboeking van deze rentebetalingen vanaf hun rekening naar die van Bagger goedgekeurd. De opzet vertoonde grote overeenkomsten met de klassieke Ponzi-constructie, een soort piramidespel dat uiteindelijk altijd spaak liep. Annabelle was echter niet van plan het zover te laten komen.

Bagger kon zijn geluk niet op, vooral omdat de door hem zo gehate en gevreesde overheid voor de rekening opdraaide. In haar luxueuze hotelkamer – op de tweede betaaldag had Bagger haar de presidentiële suite toegewezen – die vol stond met enorme boeketten bloemen die de gokmagnaat haar had laten bezorgen, zat Annabelle de ene na de andere krant door te lezen totdat ze eindelijk een bruikbaar artikel had gevonden. Leo en zij konden nergens in het casino met elkaar praten zonder ervan uit te gaan dat ze werden afgeluisterd. Ze communiceerden hoofdzakelijk via een reeks subtiele oogbewegingen en handgebaren die ze in de loop der jaren hadden ontwikkeld.

Toen ze elkaar op de gang tegenkwamen, groette Annabelle hem en gaf hem een teken door aan de ring om haar rechterringvinger te draaien. Hij zei ook goedemorgen, voelde even aan de knoop van zijn stropdas en snoot zijn neus, waarmee hij niet alleen zei dat hij het bericht had ontvangen, maar ook wat hij nu ging doen.

Voordat ze in de lift stapte die haar naar Baggers kantoor zou brengen, haalde ze diep adem. Anders dan Leo dacht, had ze wel degelijk last van zenuwen. Deze laatste stap die ze nu ging zetten, was de stap waarmee alles stond of viel. Als ze er niet in slaagde om dit volgens plan te laten verlopen, zou alles wat ze de afgelopen weken hadden gedaan voor niets zijn geweest. Erger nog, ze zouden niet alleen het geld kwijt zijn dat ze als rente aan Bagger hadden uitbetaald, ze zou ook niet lang genoeg in leven blijven om te kunnen genieten van haar aandeel.

Ze had nu Baggers kantoor bereikt. Omdat de lijfwachten aan haar aanwezigheid gewend waren, werd ze snel binnengelaten. De gokmagnaat begroette haar met een omhelzing. Ze liet toe dat zijn handen wat verder naar beneden zakten. Zijn ene hand bereikte haar billen en begon er zacht in te knijpen voordat ze hem voorzichtig wegtrok. Toch liet ze Bagger elke keer een beetje verdergaan, en meer had hij voorlopig niet nodig. Hij glimlachte en deed een stapje naar achteren. 'En waarmee kan ik mijn mooie toverfee vanochtend van dienst zijn?'

Haar gezicht betrok. 'Slecht nieuws. Ik ben teruggeroepen naar mijn hoofdkwartier, Jerry.'

'Wat bedoel je?'

'Het betekent dat ik word overgeplaatst.'

'Waarheen dan?' Hij keek haar aan en zei: 'Ik weet het al. Dat mag je niet zeggen.'

Ze hield de krant op die ze had meegenomen. 'Dit geeft je misschien een aanwijzing.'

Hij nam de krant van haar over en las snel het artikel door dat ze had aangewezen. Het ging over een corruptieschandaal in Rusland waar een buitenlandse aannemer bij betrokken was.

Bagger keek verbijsterd op. 'Van casino's naar foute aannemers in Moskou?'

Ze nam de krant weer terug. 'Niet zomaar een aannemer.'

'Ken je die mensen dan?'

'Ik kan alleen zeggen dat het in het belang van de Verenigde Staten is dat deze zaak nooit voor de rechter komt. En daar hebben ze mij voor nodig.'

'Hoelang blijf je weg?'

'Dat is moeilijk te zeggen. In Rusland gaat het heel anders dan hier.' Ze wreef over haar slapen. 'Heb je een aspirientje?'

Hij trok zijn bureaula open, gaf haar een potje Advil en schonk een glas water voor haar in. Ze nam drie pillen tegelijk.

Hij liet zich in zijn stoel zakken. 'Je ziet er niet best uit.'

Ze ging op de rand van zijn bureau zitten en zei vermoeid: 'Ik ben het afgelopen jaar op zoveel verschillende plekken geweest dat ik de tel kwijt ben kwijtgeraakt. Soms vliegt het me gewoon een beetje aan. Maar maak je geen zorgen, ik kom er wel weer bovenop.'

'Waarom ga je niet wat anders doen?' drong hij aan.

Ze lachte verbitterd. 'Iets anders gaan doen? En zomaar mijn pensioen opgeven na al die dienstjaren? Ook ambtenaren moeten de huur betalen.'

'Kom dan voor mij werken. Ik betaal je in één jaar meer dan je in twintig jaar bij die suffe ambtenaren kan verdienen.'

'Ja, dat zal wel.'

'Ik méén het. Ik vind je aardig. Je bent goed.'

'Je vindt het vooral leuk dat ik je net anderhalf miljoen dollar heb toegespeeld.'

'Oké, dat zal ik niet ontkennen. Maar daardoor ben ik met jou in contact gekomen, en wat ik zie bevalt me, Pam.'

'Dat is niet eens mijn echte naam. Zo goed ken je me nou.'

'Dat maakt het alleen maar leuker. Wil je er niet eens over nadenken?'

Ze aarzelde. 'Ik heb inderdaad de afgelopen tijd over mijn toekomst nagedacht. Ik ben niet getrouwd. Mijn leven is mijn werk en vice versa.'

Hij stond op en sloeg een arm om haar schouders. 'Dat is zeker een geintje? Je bent beeldschoon. Iedere man die jou weet te veroveren is een bevoorrecht mens.'

Ze gaf hem een klopje op zijn arm. 'Je hebt me nog niet gezien voordat ik 's ochtends koffie heb gedronken en me heb opgemaakt.'

'O baby, je hoeft het maar te zeggen en ik kom graag een kijkje nemen.' Hij legde zijn hand op haar onderrug en begon zachtjes te wrijven.

Hij leunde opzij en drukte op een knop op het paneel op zijn bureau. De jaloezieën zakten automatisch omlaag.

'Waarom doe je dat?' vroeg ze met opgetrokken wenkbrauwen.

'Ik ben op mijn privacy gesteld.' Zijn hand gleed verder naar beneden.

Op dat moment begon haar mobieltje te piepen. Ze keek naar het nummer. 'O, christus!' Ze stond op, staarde naar het schermpje en liep van hem vandaan.

'Wie is het?' vroeg Bagger.

'Het hoofd van mijn sectie. Zijn telefoonnummer verschijnt op het scherm als tien nullen.' Ze nam op. 'Ja?' Daarna zei ze een tijdje niets en verbrak toen de verbinding. 'Godverdomme! Die vuile klootzak!' schreeuwde ze.

'Wat is er?'

Ze stampte woedend in een kringetje rond en bleef toen plotseling staan. 'Mijn hooggeëerde sectiehoofd heeft in zijn wijsheid besloten dat ik niet naar Rusland ga, maar word overgeplaatst naar – dat is toch niet te geloven? – Portland, Oregon.'

'Oregon? Hebben ze spionnen nodig in Oregon?'

'Dat is echt het eindstation, Jerry. Bij ons word je daarheen gestuurd als de hoge heren je niet moeten.'

'Hoe kun je nou op één ochtend eerst worden overgeplaatst naar Rusland en even later naar Oregon?'

'Die opdracht om naar Rusland te gaan kwam van mijn veldsupervisor. Oregon komt van mijn sectiehoofd, en die staat weer een tree hoger op de ladder. Zijn opdracht heeft prioriteit.'

'Heeft die man iets tegen je?'

'Ik weet het niet. Misschien doe ik mijn werk wel te goed.' Ze wilde nog iets zeggen, maar bedacht zich.

Het was Bagger echter niet ontgaan. 'Waarom vertel je het niet gewoon? Misschien kan ik je helpen.'

Ze zuchtte. 'Oké. Geloof het of niet, hij wil met me naar bed. Maar hij is getrouwd en ik heb hem duidelijk gemaakt dat hij moest oprotten.'

Bagger knikte. 'De schoft! Altijd weer hetzelfde liedje. Als een vrouw niet met haar baas naar bed wil, kan ze haar carrière wel schudden.'

Annabelle tuurde naar haar handen. 'En ik kan het zeker schudden, Jerry. Portland! Verdomme!' Ze smeet haar mobieltje zo hard tegen de muur dat het in tweeën brak. Toen liet ze zich verslagen in een stoel ploffen. 'Misschien had ik beter wel met hem naar bed kunnen gaan.'

Bagger begon haar schouders te masseren. 'Natuurlijk niet. Als je eenmaal met zo'n vent de koffer in duikt, blijft hij dat van je verwachten. En als hij na een tijdje genoeg van je krijgt of een nieuw liefje vindt, verdwijn je evengoed nog naar Portland.'

'Ik wil het die vuile etterbak toch zo graag betaald zetten.'

Bagger keek peinzend voor zich uit. 'Nou, dat valt misschien wel te regelen.'

Ze keek argwanend naar hem op. 'Jerry, je kunt hem niet koud laten maken.'

'Dat was ik ook helemaal niet van plan, schatje. Maar je zei dat hij misschien nijdig was omdat je je werk te goed deed. Hoezo?'

'Ik haal veel geld binnen, dus maak ik kans op promotie. En daarom ben ik een bedreiging voor hem. Geloof het of niet, Jerry, maar er werken niet veel vrouwen bij de inlichtingendienst. En de vrouwen die er werken, zouden het prachtig vinden als een andere vrouw tot sectiehoofd werd benoemd. Als ik mensen zoals jij blijf binnenhalen en onze overzeese operaties overspoel met *geraffineerd* geld, dan ondermijnt dat zijn positie en versterkt het de mijne.'

'Godallemachtig, in de problemen komen omdat je je werk te goed doet, dat kan echt alleen bij de ambtenarij.' Hij dacht even na. 'Oké, ik weet hoe we het die hufter betaald kunnen zetten.'

'Waar heb je het over?'

'Onze volgende ronde bij El Banco.'

'Jerry, ik word overgeplaatst. Mijn partner en ik stappen vanavond op het vliegtuig.'

'Oké, oké. Maar moet je horen... Je moet vanavond weg. Maar voor die tijd kun je toch nog wel één keer geld overmaken?'

Annabelle deed alsof ze nadacht. 'Eh, ja, in principe wel. Maar zelfs een miljoen dollar rente zal me niet kunnen redden.'

'Ik heb het niet over een luizige miljoen!' Hij keek haar aan. 'Wat is het grootste bedrag dat je ooit hebt verwerkt?'

Ze dacht even na. 'De meeste bedragen liggen tussen de één en de vijf miljoen dollar, maar in Las Vegas is het ooit eens vijftien miljoen geweest. En in New York twintig, maar dat is twee jaar geleden.'

'Kruimelwerk.'

'Kruimelwerk? Ja, dag hoor!'

'Vertel eens, waarmee zou je die kerel echt kunnen treffen?'

'Ik zou het echt niet weten. Dertig miljoen?'

'Laten we er veertig van maken. En vier dagen in plaats van twee. Dus twintig procent rente in plaats van tien. En dat gaat ondergetekende acht miljoen dollar opleveren. Leuke transactie.'

'Heb jij dan veertig miljoen dollar beschikbaar?'

'Hé, wie denk je dat je voor je hebt? We hebben hier vorige week twee belangrijke bokswedstrijden gehad, dus aan geld geen gebrek.'

'Maar waarom doe je dit?'

'Acht miljoen dollar in vier dagen is geen kattenpis, zelfs niet voor mij.' Hij wreef haar over haar nek. 'En zoals ik al zei, ik begin je steeds leuker te vinden.'

'Maar ik moet nog steeds naar Oregon. Ik kan een uitdrukkelijk bevel niet negeren.'

'Oké, ga jij maar naar Oregon. En als je daar bent, denk er dan eens over om ontslag te nemen en hiernaartoe te komen. Dan geef ik je tien procent van die acht miljoen. Daar kun je een hele tijd mee vooruit.'

'Ik ben niet van plan je maintenee te worden, Jerry. Ik heb een goed stel hersenen.'

'Dat is waar, en daar zal ik goed gebruik van maken. En niet alleen daarvan.' Hij streek met zijn hand over haar rug.

'Maar zoals ik al zei, vanavond vertrek ik met een privévliegtuig naar Oregon.'

'Dat heb ik begrepen.'

'Ik bedoel, Jerry, dat jij op geen enkele manier je geld terugkrijgt voordat ik ben vertrokken.'

Hij lachte. 'Ach, ik heb nu al meer dan anderhalf miljoen aan je verdiend, dus ik denk dat ik je wel kan vertrouwen.'

'Maar ik doe het alleen als je er helemaal achter staat, Jerry. Veertig miljoen dollar is een hoop geld.'

'Hé, deze stunt was mijn idee, hoor! Laat het maar aan mij over.'

Ze stond op. 'Ik heb een heleboel van deze operaties gerund, Jerry, en voor mij is het gewoon werk.' Ze liet een korte stilte vallen. 'Alle anderen wilden alleen maar weten hoeveel ze er maximaal uit konden slepen. Die klootzakken waren allemaal even hebberig.' Ze liet opnieuw een korte stilte vallen en leek naar de juiste woorden te zoeken, al had ze die grondig ingestudeerd. 'Maar jij bent de eerste die ooit iets voor mij heeft willen doen. En dat stel ik echt op prijs. Meer dan je ooit zult begrijpen.'

Ze keken elkaar recht in de ogen. Toen stak Annabelle langzaam haar armen uit en zette zich schrap. Onmiddellijk perste hij zijn lijf tegen haar aan. Ze moest bijna kokhalzen van het zware parfum dat hij gebruikte. Zijn sterke handen vonden snel hun weg onder haar rok, en ze liet het toe. Zwijgend onderging ze zijn onbehouwen gegraai. De impuls om haar knie in zijn kruis te rammen was bijna onweerstaanbaar. Volhouden, Annabelle, je kúnt het. Het moet!

'O baby,' kreunde Bagger in haar oor. 'Kom op, laten we het doen. Eén keertje maar, voordat je weg moet. Hier op de bank. Ik hou het niet meer uit!'

'Ja, Jerry, ik voel het,' zei ze toen ze zich had weten los te wurmen. Ze trok haar ondergoed recht en streek haar rokje glad. 'Oké, kanjer, ik zal niet veel langer weerstand kunnen bieden. Ben je ooit in Rome geweest?'

Hij keek haar verbaasd aan. 'Nee. Hoezo?'

'De zeldzame keer dat ik op vakantie ga, huur ik daar altijd een villa. Ik bel je wel om de details door te geven. En over precies twee weken ontmoeten we elkaar daar.'

'Waarom over twee weken? Waarom doen we het niet nu?'

'Alsjeblieft, Jerry, geef me die tijd om me in mijn nieuwe standplaats te melden en die veertig miljoen te gebruiken om iets beters voor mezelf te regelen dan Portland.'

'Maar mijn aanbod blijft staan. En ik kan echt heel overtuigend zijn.'

Langzaam streek ze met haar vinger over zijn mond. 'Laat me in Rome maar zien hoe overtuigend je kunt zijn, schat.'

Twee uur later werd vanuit het Pompeï Casino een elektronische overboeking van veertig miljoen dollar verricht. De e-mail die Tony daaraan voorafgaand naar het operationele centrum van het Pompeï had gestuurd, bevatte een speciale component: hypergeavanceerde spyware die hem in staat stelde vanuit een andere locatie het computersysteem van het Pompeï te besturen. En met zijn geheime toegang tot dat programma had hij nieuwe codes in het elektronische overboekingprogramma geïnstalleerd.

De andere drie berichten waren naar El Banco gegaan, maar toen de veertig miljoen was overgemaakt, werd dat bedrag op een buitenlandse bankrekening gestort die onder beheer stond van Annabelle Conroy. Hoewel Bagger zou denken dat het geld El Banco had bereikt – er zou automatisch een vals ontvangstbericht naar het Pompeï worden gestuurd – zou hij daar nooit ook maar een cent van terugzien. Annabelles plan had eigenlijk maar één doel gehad: de spyware op Baggers computersysteem aanbrengen. Toen dat eenmaal geregeld was, kon er eigenlijk niets meer misgaan. Vervolgens had ze gewoon haar rol gespeeld en Bagger aan zijn eigen hebzucht en wellust ten onder laten gaan. Want de beste manier om een doelwit op te lichten, was door hem zelf de manier te laten bedenken waarop hij van zijn geld werd beroofd.

Vier dagen later, op precies hetzelfde tijdstip, zou Bagger een beetje nerveus worden omdat zijn geld nog niet was teruggeboekt. Een uur later zou hij een akelig gevoel in zijn maag krijgen, en nog een uur later zou hij door pure moordlust worden bevangen. En Annabelle en haar team zouden tegen die tijd allang verdwenen zijn, samen met meer dan 41 miljoen belastingvrije dollars.

Annabelle Conroy zou dan een schatrijke vrouw zijn. Ze zou al die eindeloze zwendeltjes achter zich kunnen laten, haar eigen schip kunnen kopen en de rest van haar leven varend kunnen doorbrengen. En toch was Bagger dan nog lang niet genoeg gestraft, dacht ze, terwijl ze zijn kantoor uit liep om haar koffer te pakken. Maar eerst ging ze een douche nemen om zijn smerige poten van zich af te wassen.

Onder de douche kwam opnieuw de gedachte bij haar op dat het verlies van al dat geld niet pijnlijk genoeg was voor de man die haar moeder had vermoord vanwege de tienduizend dollar die Paddy Conroy hem had afgezet. Niets zou daar ooit pijnlijk genoeg voor zijn. Maar zelfs Annabelle moest toegeven dat veertig miljoen dollar een aardig begin was.

•25•

Roger Seagraves was erachter gekomen waar Stone woonde en had zijn mannen ernaartoe gestuurd toen Stone niet thuis was. Ze hadden het huisje grondig doorzocht, zonder ook maar een spoor van hun aanwezigheid achter te laten. Het belangrijkste was dat ze Stones vingerafdrukken hadden kunnen nemen van zowel een glas als een beker op het aanrecht.

Seagraves had de vingerafdrukken gecontroleerd bij de algemene databank van de CIA, maar niets gevonden. Met een wachtwoord dat hij van een collega had gestolen probeerde hij het opnieuw in een uiterst geheime databank. Hij kreeg toegang en schoof de vingerafdruk in de scanner. Een minuut later bracht dit hem naar subdirectory 666, een subdirectory waar hij zeer vertrouwd mee was, al leverde zijn zoekpoging naar Stones vingerafdrukken niet meer op dan de mededeling GEEN TOEGANG TOT HET BESTAND.

Seagraves kende subdirectory 666 zo goed omdat hierin zijn eigen personeelsdossier werd bewaard, of liever gezegd, de dossiers van het soort 'personeel' dat hij vroeger was geweest. Hij had het nummer 666 – het getal van de duivel – altijd amusant en ook wel toepasselijk gevonden.

Seagraves logde uit en dacht na. Stone had dus voor de CIA gewerkt, en, te oordelen naar zijn leeftijd, al een hele tijd geleden. Waarschijnlijk was hij een 'eliminator' geweest, want de 666-classificatie werd nooit toegekend aan kantoormedewerkers. Op dit moment wist Seagraves niet goed wat hij met deze ontdekking aanmoest. Hij was inmiddels ook te weten gekomen dat de bibliothecaris met wie Stone bevriend was, opdracht had de verkoop van DeHavens collectie zeldzame boeken te organiseren. Jammer dat Stone achterdochtig was geworden toen hij ontdekte dat hij werd achtervolgd. Paranoia was een 666'er min of meer aangeboren; het was een van de vele eisen waaraan je in een dergelijke functie moest voldoen.

Moet ik hem nu doden, of maak ik de kuil daardoor alleen maar dieper? Seagraves besloot er nog even mee te wachten. Dat kon altijd nog. Verdomme, ik doe het zelf wel. Als 666'ers onder elkaar. Jong tegen oud, een strijd die jong altijd wint. Je mag blijven leven, Oliver Stone. Voorlopig nog wel.

Maar hij moest wel iets doen. In dit soort gevallen moest je het ijzer smeden als het heet was.

Twee dagen na hun laatste bezoek aan het huis van DeHaven reden Stone en Rueben op Ruebens motor naar een antiquariaat in Old Town Alexandria. De Latijnse naam van de boekwinkel luidde in vertaling 'Vier boeken met spreuken'. Caleb had een aandeel in de zaak, die vroeger Doug's Books had geheten, totdat Caleb het briljante idee kreeg de in deze zeer welvarende omgeving gelegen winkel drastisch te upgraden. Stone was hier niet om nog meer oude boeken te bekijken, maar omdat hij hier spullen bewaarde waarin hij iets wilde nazoeken.

Douglas, de eigenaar, legde hem geen strobreed in de weg. Hij was doodsbang voor Stone. Op aandringen van Stone zelf had Caleb hem beschreven als een moordlustige maniak die alleen op vrije voeten was vanwege een vormfout van justitie.

Stones geheime bergruimte bevond zich in de kelder, achter een valse wand die werd geopend door aan een touwtje te trekken dat uit de schoorsteen van een nabijgelegen open haard bungelde. Hier hield hij spullen uit zijn vroegere leven verborgen, plus een verzameling plakboeken met krantenknipsels.

Samen met Rueben koos hij een paar plakboeken uit en nam ze mee terug. Rueben zette hem af bij zijn huisje op het kerkhof.

'Als Behan hierbij betrokken is, moet je goed op je tellen passen, Oliver,' waarschuwde Rueben. 'Hij heeft veel connecties en schakelt zo een stel zware jongens in.'

Stone beloofde dat hij voorzichtig zou zijn en liep zijn huis in. Daar zette hij sterke koffie, ging aan zijn bureau zitten en begon zijn plakboeken door te lezen. De krantenartikelen die hij zocht hadden betrekking op de moordaanslag op de voorzitter van het Huis van Afgevaardigden, Robert 'Bob' Bradley. En ook op de vrijwel gelijktijdige explosie in Bradleys huis, want dat kon geen toeval zijn. Toch leek er geen enkel verband te bestaan tussen de moord op Bradley, die werd opgeëist door een binnenlandse terreurgroep die zich *Americans Against 1984* noemde, en de dood van Jonathan DeHaven. De FBI had een briefje ontvangen waarin de terreurgroep verklaarde dat Bradley was vermoord als eerste stap in de oorlog tegen de federale overheid, die volgens deze organisatie in de macht was van de rijken, de joden en de katholieken, met de zwarte Amerikanen als handlangers. Voor die laatste groep werd een grove, beledigende benaming gebruikt. De terroristen stelden nog meer aanslagen in het vooruitzicht, wat tot gevolg had dat de veiligheidsmaatregelen in Washington waren verscherpt.

Terwijl hij door het plakboek bladerde, voelde Stone iets knagen waar hij niet de vinger op kon leggen. Bradley was niet lang voorzitter geweest. Hij was in die functie benoemd na een politiek schandaal waarbij zowel de vorige voorzitter als de fractieleider van de grootste partij

waren veroordeeld wegens corruptie en het witwassen van verkiezings-
bijdragen. Normaal gesproken zou de fractieleider tot voorzitter zijn
gekozen, maar omdat die ook in de gevangenis zat, waren er buitengewone maatregelen genomen. Bob Bradley, die als voorzitter van een
machtige parlementscommissie de reputatie van onkreukbaarheid
genoot en wiens blazoen op geen enkele wijze was bezoedeld, werd uit-
verkoren tot de politieke Mozes die zijn volk uit deze netelige situatie
moest leiden.

Hij begon met een grote schoonmaak in het Huis van Afgevaardigden
aan te kondigen en te verklaren dat het Huis zich voortaan verre zou
houden van partijpolitiek gekonkel. Dat was al vele keren eerder
beloofd, en die belofte was zelden of nooit waargemaakt, maar iedereen
was ervan overtuigd dat Bob Bradley zich aan die belofte zou houden.

Stone las nu een artikel over Behan. Zijn concern had niet lang geleden
twee grote opdrachten binnengehaald. De ene van het Pentagon voor
een nieuwe generatie conventionele raketsystemen, en de andere voor
het bouwen van een reusachtige bunker vlak buiten Washington waar
het Congres zich tijdens een catastrofale aanval kon terugtrekken. Hoewel sommige cynici aanvoerden dat de eliminatie van dat college het
beste was wat Amerika in zo'n geval kon overkomen, vond Stone dat het
land toch het beste gediend was met continuïteit in de regering.

Bij beide contracten ging het om miljoenen, en beide had Behan binnen
weten te halen. In het artikel werd beschreven hoe hij zijn concurrenten
op elk kritiek ogenblik had weten uit te schakelen. 'Het leek wel of hij
hun gedachten kon lezen,' had de verslaggever geschreven. Stone geloofde niet in gedachtelezen, maar omdat hij in zijn jonge jaren bij de
inlichtingendienst had gewerkt, geloofde hij wel in bedrijfsspionage.

Hij leunde achterover en nam een slok koffie. Misschien had Behan
Bradleys voorganger omgekocht. En toen Bradley beloofde korte met-
ten te maken met de corruptie binnen het Huis van Afgevaardigden,
waren er misschien belanghebbenden geweest die hem liever kwijt dan
rijk waren. Er was geen enkele garantie dat zijn opvolger zich soepeler
zou opstellen tegenover lieden als Behan, maar zo'n aanslag kon natuurlijk ook heel intimiderend werken. Zou een nieuwe voorzitter zich met
volle overgave inzetten voor Bradleys campagne als hij besefte dat die tot
de gewelddadige dood van zijn voorganger had geleid? Die terreurgroep
zou weleens een afleidingsmanoeuvre kunnen zijn, en dat die groep niet
bestond viel nauwelijks te bewijzen.

Aanvankelijk had Bradleys dood Stones aandacht getrokken omdat er
voor zover hij kon zien maar één connectie bestond tussen deze moord
en de dood van DeHaven. En die connectie was Cornelius Behan, een
man die miljarden aan wapens had verdiend.

Hadden Behans mannen in die bestelbus gezeten? Hadden die zoveel macht dat ze de Secret Service konden laten afdruipen? En als er een andere overheidsorganisatie bij betrokken was, een organisatie die nauw met Behan samenwerkte en op zich had genomen de vuile klusjes voor hem op te knappen? Er werd in de Verenigde Staten al tientallen jaren gediscussieerd over het al dan niet bestaan van een 'militair-industrieel complex'. Stone had nooit aan het bestaan getwijfeld – hij had er zelf jarenlang deel van uitgemaakt – en tenzij dat militair-industrieel complex de afgelopen dertig jaar ingrijpend was veranderd, was het een machtsfactor van betekenis.

Hij zou Milton vragen zo veel mogelijk informatie over Bradley en Behan te verzamelen. Milton kon databanken binnendringen waar hij officieel niets te zoeken had, en dat waren altijd de interessantste. Zelf zou hij tussen de brokstukken van Bradleys vernietigde huis gaan kijken. Misschien dat hij daar iets kon vinden. En hij wilde nog eens in het huis van DeHaven door de telescoop turen, en dan niet om Behans seksuele capriolen te begluren. Nee, hij had daar iets over het hoofd gezien, iets heel voor de hand liggends...

Plotseling kreeg hij het koud en hij stond op om de kachel aan te maken. Toen bleef hij staan en wreef over zijn lijf. Hij had het echt heel koud. Wat had die vrouw ook weer gezegd? Hij deed zijn uiterste best zich haar exacte woorden voor de geest te halen. 'Uw temperatuur gaat langzaam omhoog en is nu weer bijna normaal,' had de verpleegster gezegd toen ze Calebs temperatuur had opgenomen. Hij had dat merkwaardig gevonden, want als je in een ziekenhuis te horen kreeg dat je temperatuur weer normaal werd, zou je verwachten dat die aan het dalen was. Maar die vrouw had gezegd dat Calebs temperatuur omhoog ging. Dat wist hij heel zeker.

Stone pakte zijn mobieltje om de anderen te bellen, maar bedacht zich toen hij naar buiten keek. Van hieruit had hij onbelemmerd zicht op de straat langs het kerkhof, en daar stond een wit bestelbusje van de dienst Openbare Werken geparkeerd.

Hij liep onmiddellijk weg van het raam en belde Rueben, maar kreeg geen kiestoon. Toen hij zijn mobieltje controleerde, zag hij dat er geen verbinding met het netwerk was. Toch was hier in de omgeving altijd een heel sterk signaal. Snel keek hij even naar buiten. Stoorzenders. Hij probeerde de vaste telefoon. Geen kiestoon.

Hij rukte zijn jas van de kapstok en liep haastig door de achterdeur naar buiten. Hij zou over de schutting achter zijn huis klimmen en door het labyrint van straten in Georgetown naar een onbewoonbaar verklaarde woning lopen die hij af en toe als onderduikadres gebruikte. Behoedzaam opende hij de deur en stapte naar buiten. Hij zag de schutting voor zich.

Het schot bracht hem onmiddellijk op de knieën. Terwijl hij al bewusteloos begon te raken, keek hij op naar de man die naast zijn huis stond. Hij had een zwarte kap op en hield het pistool met beide handen op hem gericht. Voordat Stone tegen de grond sloeg en roerloos bleef liggen, meende hij de man te zien glimlachen.

•26•

Dit was de duisternis van derdegraads verhoor. Toen Stone weer bij kennis kwam, was het zo donker om hem heen dat hij helemaal niets kon zien. Hij was blootsvoets en zijn handen waren zo hoog boven zijn hoofd vastgebonden dat zijn tenen de grond nauwelijks raakten. Het was heel koud. Het was altijd koud in dit soort ruimten, want kou maakte je sneller murw dan hitte. Hij voelde dat hij niet alleen geen schoenen en sokken aanhad, maar ook verder helemaal naakt was.

'Ben je wakker?' vroeg een stem in het donker.

Stone knikte.

'Hardop,' commandeerde de stem

'Wakker,' antwoordde Stone. Hij zou ze niet meer geven dan het allernoodzakelijkste. Hij had dit al eerder doorgemaakt, zij het dertig jaar geleden, toen een missie was fout gelopen en hij gevangen was genomen in een land waar geen enkele Amerikaan ooit gevangen zou willen zitten.

'Naam?'

Hij was er al bang voor.

'Oliver Stone.'

Hij kreeg een harde klap op zijn achterhoofd, zodat hij even verdoofd raakte.

'Naam?'

'Oliver Stone,' zei hij langzaam en hij vroeg zich af of hij een schedelbreuk had opgelopen.

'Goed, dan laten we het daar voorlopig bij, *Oliver*. DeHaven?' zei de stem.

'Wie?'

Nu werd zijn been vastgegrepen. Hij probeerde te schoppen, maar besefte toen dat zijn benen waren vastgebonden. Er kroop iets over zijn rechterbeen, het leek wel een slang. Hij haalde diep adem en probeerde zijn paniek te bedwingen. Het kon geen slang zijn. Ze deden alleen alsof het een slang was, hield hij zich voor. Het ding dat over zijn been kroop begon tegen zijn huid te duwen. God, was het echt een slang? In de totale duisternis begonnen zelfs Stones geharde zenuwen tekenen van slijtage te vertonen.

'DeHaven?' zei de stem weer.

'Wat wil je weten?'

De druk werd minder, maar bleef aanwezig.

136

'Hoe is hij om het leven gekomen?'

'Dat weet ik niet.'

Onmiddellijk nam de druk weer toe. Het ding kronkelde zich nu om zijn buik. Hij kreeg bijna geen adem meer. Hij had het gevoel dat de spieren in zijn armen en benen op knappen stonden.

'Ik denk dat hij is vermoord,' hijgde Stone.

De druk werd iets minder. Hij hapte naar lucht en voelde een stekende pijn in zijn longen.

'Hoe?'

Wanhopig probeerde Stone te bedenken wat hij moest zeggen. Hij had geen idee wie deze mensen waren en wilde niet te veel loslaten. Ineens was de druk verdwenen. Hij ontspande zich. Hij had beter moeten weten.

Toen zijn boeien werden losgemaakt, zakte hij op de vloer. Hij voelde dat sterke, gehandschoende handen hem vastgrepen. Toen hij zonder erbij na te denken uithaalde, sloeg zijn arm tegen iets hards, iets van glas en metaal op de plek waar het gezicht van de man zich moest bevinden. Ze hebben nachtkijkers, dacht hij.

Hij werd opgetild en weggedragen. Een ogenblik later werd hij neergesmeten op een soort lange plank en daarop vastgebonden. Vervolgens werd hij achterover geklapt en werd er cellofaan over zijn gezicht gelegd. Het water raakte hem hard en duwde het cellofaan in zijn ogen, mond en neus. Hij kokhalsde. Ze waren hem aan het 'waterplanken', een zeer effectieve foltertechniek. Niets is zo angstaanjagend als het besef dat je elk ogenblik kunt verdrinken, zeker wanneer je in het donker ondersteboven op een plank bent vastgebonden.

Plotseling hield de stortvloed op en werd het cellofaan van zijn gezicht getrokken. Zodra hij uitademde, werd zijn hoofd in koud water ondergedompeld. Hij kokhalsde weer en probeerde zich los te rukken. Zijn hart ging nu zo tekeer dat hij vreesde een hartaanval te krijgen voordat hij de verdrinkingsdood stierf.

Toen zijn hoofd ineens uit het water werd getrokken, kokhalsde hij opnieuw en droop het braaksel over zijn gezicht.

'Hoe?' zei de stem rustig.

Stone probeerde het braaksel uit zijn ogen te schudden.

'Door verstikking,' grauwde hij. 'Net als ik nu, klootzak!'

Dat leverde hem een nieuwe onderdompeling op. Maar nu had hij het uitgelokt omdat het water het braaksel van zijn gezicht zou spoelen. Stone had even diep ademgehaald voordat hij werd ondergedompeld en kwam daardoor niet al te paniekerig boven.

'Hoe?' zei de stem.

'Niet met Halon 1301, maar met iets anders.'

'Wat dan?'

'Dat weet ik nog niet.'

Toen hij opnieuw achterover werd geklapt, riep hij panisch: 'Maar daar kan ik wel achterkomen!'

De stem gaf niet meteen antwoord, en dat beschouwde hij als een goed teken.

Toen zei de stem: 'Wij hebben je plakboeken doorgekeken. Je hebt artikelen over Bradley verzameld. Waarom?'

'Beetje toevallig… Eerst hij dood en toen DeHaven.'

'Die hebben niets gemeen.'

'O, nee?'

Stone ademde diep in. Maar deze keer hielden ze hem zo lang onder water dat hij echt bijna stikte. Toen hij weer bovenkwam, spatten zijn hersenen bijna uit elkaar van zuurstofgebrek en trilde hij over zijn hele lijf. Zijn lichaam begon de strijd op te geven.

'Wat hebben ze dan gemeen volgens jou?' zei de stem gebiedend.

'Nog een keer zo lang onder water en ik ben dood,' zei hij zwak. 'Dus als je me wilt vermoorden, doe het dan maar meteen.' Hij zette zich schrap, maar er gebeurde niets.

'Wat hebben ze gemeen volgens jou?' vroeg de stem opnieuw.

Stone haalde moeizaam adem. Meer kon hij op dat moment niet opbrengen. Als hij een antwoord gaf dat ze niet wilden horen, was hij er geweest. Maar hij was toch al bijna dood.

Hij verzamelde al zijn energie en zei: 'Cornelius Behan.'

Hij zette zich schrap voor zijn laatste onderdompeling. Maar in plaats daarvan zei de stem: 'Waarom Behan?'

'Bradley wilde de corruptie bestrijden. Behan had onder het oude bewind twee belangrijke contracten binnengehaald. Misschien is Bradley iets te weten gekomen dat Behan geheim wilde houden. En dus heeft Behan hem laten vermoorden, zijn huis laten platbranden en de verantwoordelijkheid laten opeisen door een niet bestaande terreurgroep.'

Weer viel er een lange stilte. Het enige wat Stone hoorde was het doffe bonken van zijn zwaar beproefde hart. Een angstaanjagend geluid, maar in elk geval leefde hij nog.

'DeHaven?'

'Behans buurman.'

'En dat is het?' De stem klonk teleurgesteld.

Stone voelde zich weer achterover kantelen. 'Nee, dat is niet alles! DeHaven had een telescoop op zolder die op het huis van Behan was gericht. Misschien heeft hij iets gezien wat hij niet had mogen zien, en moest Behan hem daarom ook laten vermoorden, maar niet op dezelfde manier als Bradley.'

'Waarom niet?'

'Dat iemand het gemunt heeft op de voorzitter van het Huis van Afgevaardigden is niet zo verwonderlijk. Maar DeHaven was bibliothecaris en Behan zijn buurman. Het moest eruitzien als een ongeluk, ver van DeHavens en Behans huis, anders zou Behan verdacht kunnen worden.' Stone lag zwijgend te wachten en vroeg zich af of dit het juiste antwoord was geweest.

Hij schrok even toen hij een pijnlijke prik in zijn arm voelde. Een seconde later vielen zijn ogen dicht, en na een lange, diepe zucht bleef hij roerloos liggen.

Vanuit een hoek van de kamer keek Roger Seagraves toe hoe Stone naar buiten werd gedragen. Stone was behoorlijk taai voor iemand van zijn leeftijd. Seagraves kon zich voorstellen dat hij dertig jaar geleden net zo goed was geweest als hijzelf. Nu wist hij in elk geval dat Stone vermoedde dat Cornelius Behan hierachter zat. En daarom mocht Oliver Stone nog een tijdje in leven blijven.

27

Annabelles hotelkamer bood uitzicht op Central Park, en in een opwelling besloot ze een eindje te gaan wandelen. Haar kapsel en haarkleur waren opnieuw ingrijpend veranderd. Ze was nu een brunette met kort haar dat in een scheiding was gekamd, net als op de foto in het paspoort dat Freddy voor haar had gemaakt. Naar de nieuwste New Yorkse mode was ze helemaal in het zwart gekleed. Verscholen onder een hoed en een zonnebril liep ze doelloos over de vele wandelpaden in het park. Verschillende mensen keken haar onderzoekend aan, misschien omdat ze dachten dat ze een beroemdheid was. Ironisch genoeg had Annabelle nooit naar roem gestreefd. Ze had zich juist schuilgehouden in de rustgevende schaduw van de anonimiteit, waar een getalenteerde oplichtster het meeste houvast kon vinden.

Bij een stalletje kocht ze een pretzel die ze meenam naar haar kamer. Daar ging ze op bed zitten om haar reisdocumenten door te kijken. Leo en zij waren uit elkaar gegaan op het vliegveld van Newark. Freddy was al op weg naar het buitenland. Ze had geen van beiden gevraagd waar ze heen gingen. Dat wilde ze niet weten.

Zodra ze in New York was aangekomen had ze contact opgenomen met Tony. Zoals beloofd had ze een vlucht naar Parijs voor hem geboekt. Daarna moest hij het zelf maar uitzoeken, maar in elk geval had hij een paspoort en reisdocumenten die weliswaar vals, maar van uitstekende kwaliteit waren, en miljoenen dollars op een bankrekening waar hij zonder veel moeite bij kon komen. Ze had hem een laatste waarschuwing gegeven: 'Bagger heeft je nooit gezien, maar hij zal er snel achterkomen dat ik voor deze truc een oplichter nodig had die goed met computers overweg kon, en zo sta jij wel bekend. Dus blijf minstens een jaar in het buitenland en ga niet met geld smijten. Koop ergens een huisje, leer de taal en hou je op de achtergrond.'

Tony beloofde dat hij zou doen wat ze zei.

'Ik bel je wel om te vertellen waar ik zit.'

'Als je het maar laat!' had ze gezegd.

Ze had nog drie dagen voordat Bagger tot de ontdekking zou komen dat hij was opgelicht. Ze had er de helft van haar nieuwe vermogen voor over om zijn reactie te zien. Waarschijnlijk zou hij eerst zijn IT'ers en financiële staf afmaken en daarna lukraak bejaarden achter de fruitautomaten neerknallen. Misschien zou een speciaal arrestatieteam uit New Jersey ingrijpen en de wereld een dienst bewijzen door die klootzak uit zijn lijden te verlossen. Waarschijnlijk was het niet, maar een mens kon altijd hopen.

Haar ontsnappingsroute zou haar via Oost-Europa naar Azië brengen. Dat nam ongeveer een jaar in beslag. Daarna zou ze naar een klein eiland in de Grote Oceaan gaan dat ze jaren geleden had ontdekt en waar ze nooit naar was teruggekeerd uit angst dat het de tweede keer niet zo volmaakt was als bij haar eerste bezoek. Maar nu zou ze tevreden zijn met iets wat de volmaaktheid dicht benaderde.

Haar aandeel van de buit had ze ondergebracht op rekeningen in het buitenland. De rest van haar leven zou ze kunnen teren op de rente en haar investeringen, en af en toe zou ze de hoofdsom aanspreken. Misschien zou ze een kleine zeilboot kopen die ze zelf kon bemannen. Ze hoefde niet de hele wereld rond, een paar tochtjes rond een tropische baai waren meer dan genoeg.

Ze had overwogen Bagger een triomfantelijk briefje te schrijven, maar besloot uiteindelijk dat hij het niet waard was. Laat hem de rest van zijn leven maar raden. De dochter van Paddy Conroy kon nooit hoog op zijn verdachtenlijstje staan, want hij wist niet eens dat Paddy een dochter had.

Annabelles relatie met haar vader was uniek geweest, en in de oplichterswereld had hij haar nooit als zijn dochter voorgesteld. Alleen Leo en de paar anderen met wie haar vader en zij hadden gewerkt waren na verloop van tijd achter de waarheid gekomen.

Maar nu was haar uiterlijk vastgelegd op beveiligingscamera's in het casino. Ze besefte maar al te goed dat Bagger haar foto's overal zou verspreiden en een hoge beloning uitloofde voor iedereen die haar op het spoor kwam. Hoewel de meeste zwendelaars het zouden toejuichen dat Bagger zo'n truc was geflikt, kon er ook iemand zijn die voor zijn dreigementen zwichtte. Nou, dacht ze, laat hem maar komen. Van haar moeder had ze geleerd dat vechtlust belangrijker was dan lichaamskracht.

Tammy Conroy was Paddy lang trouw gebleven en had veel van hem verdragen. Ze was serveerster geweest in een cocktailbar totdat ze haar leven had verbonden aan dat van de charmante Ier, die over een eindeloze voorraad grappige verhalen beschikte en elk liedje kon zingen dat je maar wilde. Waar hij ook was, met zijn obsederende stem was Paddy altijd heel nadrukkelijk aanwezig. Misschien was dat de reden dat hij het nooit helemaal had waargemaakt. De beste oplichters vielen nauwelijks op. Maar kennelijk kon het Paddy niet schelen en vertrouwde hij op zijn Ierse geluk, zijn lef en zijn glimlach. En over het algemeen had hij geluk. Maar Tammy Conroy had hij er niet mee kunnen redden.

Jerry Bagger had Tammy eigenhandig een kogel door het hoofd geschoten toen ze haar man niet wilde verraden, en Paddy was zeker niet zo trouw geweest als zij, want toen hij in de gaten kreeg dat Bagger hem op het spoor was, was hij ervandoor gegaan. Annabelle had de begrafenis van haar moeder niet kunnen bijwonen omdat Bagger en zijn mannen bij het kerkhof stonden te wachten. Dat was jaren geleden, en waarschijnlijk was Bagger nog steeds op zoek naar haar vader. En dat allemaal om een lullige tienduizend dollar, terwijl die man al meer kwijt was aan een van die maatpakken van hem! Maar Annabelle besefte ook dat het uiteindelijk niet om geld ging, maar om respect. In Baggers wereld bleven de mensen alleen respect voor je houden als je voor elke klap die je kreeg vijf andere uitdeelde. Het maakte niet uit of iemand hem tilde voor tienduizend dollar of voor tien miljoen. Als Bagger hem in zijn klauwen kreeg, zou hij hem hoe dan ook te grazen nemen. Daarom ook had Annabelle toen ze de oplichters in het Pompeï erbij had gelapt meteen de politie gebeld. Met de politie erbij kon Bagger niet zomaar iemand zijn benen breken. Als de oplichters wisten wat goed voor hen was, zouden ze meteen het land verlaten zodra ze waren vrijgelaten.

Bagger mocht dan een karikatuur zijn uit een slechte gangsterfilm, zijn gewelddadigheid was er niet minder om. Hij was een anachronisme uit de slechte oude tijd in Vegas, toen er met lastige oplichters werd afgerekend door eerst hun knieën te breken en hen daarna de schedel in te slaan. Bagger was uit Vegas verbannen omdat hij zijn werkwijze niet aan de moderne tijd had aangepast. En hoewel hij in Atlantic City zijn oude streken niet had afgezworen, was hij wel een stuk discreter geworden.

Daarom zou tienduizend dollar onder normale omstandigheden niet tot Tammy Conroys dood geleid hebben. Maar de omstandigheden waren niet normaal geweest, want Bagger en haar vader hadden het al lange tijd met elkaar aan de stok gehad. Zelf had Paddy zich nooit in Baggers casino's gewaagd, maar hij had wel het ene team na het andere erop afgestuurd, en uiteindelijk zelfs zijn tienerdochter en een heel wat jongere Leo. De vorige keer dat ze Atlantic City bezochten, had dat er bijna toe geleid dat ze aan de vissen werden gevoerd. Toch had Bagger in de loop der jaren verband weten te leggen tussen Paddy en de problemen waarmee hij in zijn casino voortdurend te kampen had, en op een kwade avond ergens ver van New Jersey had hij bij Paddy voor de deur gestaan. Maar Paddy was niet thuis geweest. Volgens sommigen was hij gewaarschuwd, maar als dat zo was, dan had zijn vrouw er niets van gezegd.

Vanzelfsprekend was er niets wat Bagger met de moord in verband kon brengen. Hij had een waterdicht alibi, dus er was geen aanklacht tegen hem ingediend. Maar een paar ervaren oplichters die Baggers organisatie door en door kenden, hadden Annabelle verteld dat ze wisten wat er was gebeurd. Maar al hadden ze de moord met eigen ogen gezien, ze waren niet bereid geweest een voor Bagger belastende getuigenverklaring af te leggen.

De afgelopen week waren er regelmatig fantasieën bij Annabelle opgekomen waarin ze een pistool tegen zijn voorhoofd zette en de trekker overhaalde. Daarmee zou ze een oude rekening vereffend hebben, maar daar had ze dan met haar eigen leven voor moeten betalen. Nee, het was beter zo. Haar vader had nooit van lange trucs gehouden. Hij had altijd gezegd dat die te veel tijd kostten en dat er te veel bij kon misgaan. Maar Tammy Conroy had de geraffineerde opzet en koelbloedige uitvoering van deze lange truc ongetwijfeld kunnen waarderen. En mocht haar moeder zich op de een of andere manier toch de hemel in hebben kunnen kletsen, dan hoopte Annabelle dat ze van boven zou toekijken wanneer Jerry Bagger tot de ontdekking kwam dat hij veertig miljoen dollar armer was geworden.

Ze nam een hap van de krakeling, pakte de afstandsbediening van de televisie en begon te zappen. Het nieuws was even beroerd als altijd. Nog meer soldaten gedood, nog meer mensen doodgehongerd, nog meer mensen die zichzelf en anderen hadden opgeblazen in naam van God. Toen ze er genoeg van had, pakte ze de krant. Oude gewoonten slijten langzaam, en onder het lezen vroeg ze zich onwillekeurig af of er iets bij zat wat ze kon gebruiken voor een nieuwe truc. Maar dat lag nu achter haar, hield ze zich voor. Dat ze Bagger veertig miljoen lichter had gemaakt was de kroon op haar werk. Daarna kon het alleen maar minder worden.

Toen las ze iets waarbij ze recht overeind schoot. Met grote ogen staarde ze naar het korrelige fotootje bij het artikel op de achterpagina. Het was een kort eerbetoon aan een vooraanstaand geleerde en letterkundige. Er werd geen doodsoorzaak gegeven. Er stond alleen dat Jonathan DeHaven plotseling was overleden terwijl hij aan het werk was in de Congresbibliotheek. Hoewel hij al enige tijd geleden was gestorven, zou de begrafenis pas morgen plaatsvinden. Annabelle kon niet weten dat die vertraging was veroorzaakt doordat de patholoog-anatoom de doodsoorzaak niet had kunnen vaststellen. Omdat er echter geen verdachte omstandigheden waren, werd aangenomen dat hij een natuurlijke dood was gestorven en was zijn stoffelijk overschot vrijgegeven aan de begrafenisondernemer.

Snel pakte Annabelle haar koffer en begon haar kleren erin te proppen. Haar reisplannen waren zojuist veranderd. Ze ging naar Washington om afscheid te nemen van haar gewezen echtgenoot, Jonathan DeHaven, de enige man die ooit haar hart had weten te veroveren.

28

'Oliver! Oliver!'

Stone kwam langzaam weer bij kennis en ging moeizaam rechtop zitten. Hij had languit op de vloer van zijn huis gelegen en zijn haar was nog nat.

'Oliver!' Er stond iemand op de voordeur te bonzen.

Stone stond op, strompelde naar de voordeur en deed open.

Rueben keek hem geamuseerd aan. 'Wat is er met jou aan de hand? Heb je weer aan de tequila gezeten?' Toen hij zag hoe erg zijn vriend eraan toe was, zei hij bezorgd: 'Oliver, wat is er gebeurd?'

'Ik ben niet dood. Dat beschouw ik dan maar als positief.'

Hij liet Rueben binnen en bracht hem van de ontwikkelingen op de hoogte.

'Verdomme! En je hebt geen idee wie het zijn?'

'Ik weet alleen dat ze de marteltechnieken goed bijhouden,' zei Stone droogjes terwijl hij over de bult op zijn hoofd wreef. 'Ik weet niet of ik ooit nog een slok water naar binnen kan krijgen.'

'Dus ze weten dat Behan iets met de moord te maken heeft?'

Stone knikte. 'Ik had niet de indruk dat het als een volslagen verrassing kwam, maar wat ik over Bradley en DeHaven heb verteld was duidelijk nieuw voor ze.'

'Over DeHaven gesproken, hij wordt vandaag begraven. Caleb gaat ernaartoe, samen met de hele Congresbibliotheek. Milton komt ook, en ik heb van dienst geruild zodat ik ook mee kan. We dachten dat het misschien belangrijk zou kunnen zijn.'

Stone stond op, maar begon onmiddellijk te wankelen.

Rueben greep hem bij de arm. 'Misschien kun je maar beter thuisblijven.'

'Nee, die begrafenis kan inderdaad belangrijk zijn. Misschien komen we nog interessante mensen tegen.'

Bij de begrafenisdienst in de kerk naast het Lafayette Park waren voornamelijk vrienden en collega's van de overledene aanwezig. Cornelius Behan was er ook, samen met zijn echtgenote, een lange, slanke, aantrekkelijke vrouw van begin vijftig, met vakkundig geverfd haar. Ondanks haar hooghartige uitstraling maakte ze een fragiele, nogal behoedzame indruk. Cornelius Behan was in Washington D.C. een bekende figuur en er kwamen dan ook voortdurend mensen naar hem toe om hem eerbiedig de hand te schudden. Hij liet het minzaam over zich heen komen. Het viel Stone op dat hij voortdurend zijn hand op de arm van zijn vrouw liet rusten, alsof ze zonder zijn steun elk ogenblik kon omvallen.

Stone had de leden van de Camel Club opdracht gegeven zich door de hele kerk te verspreiden, zodat ze verschillende groepen mensen konden afspeuren. Maar dat was niet de enige reden. Hij wilde zijn ontvoerders, als die hier aanwezig waren, niet op het idee brengen zijn vrienden tot doelwit te kiezen.

Hij ging op de achterste bank zitten en keek de kerk rond totdat zijn ogen bleven rusten op een vrouw die aan een gangpad zat. Toen ze even omkeek en een haarlok wegstreek, nam hij haar aandachtiger op. Dankzij de training in zijn vroegere beroep had hij een zeer goed geheugen voor gezichten, en hij wist zeker dat hij deze vrouw eerder had gezien, al was ze nu een stuk ouder.

Terwijl ze de kerk uit liepen, fluisterde Behan iets tegen zijn vrouw, draaide zich toen om en zei iets tegen Caleb die achter hem liep.

'Een trieste dag.'

'Ja, inderdaad,' zei Caleb stijfjes. Hij keek naar mevrouw Behan.

'O,' zei Behan. 'Mijn vrouw, Marilyn. En dit is, eh...'

'Caleb Shaw. Ik werk bij de Congresbibliotheek.'

Hij stelde haar voor aan de andere leden van de Camel Club.

Behan keek naar de kist die de kerk uit werd gedragen. 'Wie had dat kunnen denken? Hij leek nog zo gezond.'

'Veel mensen zien er vlak voor hun dood nog gezond uit,' zei Stone verstrooid. Hij stond naar de vrouw te kijken die hij eerder had opgemerkt. Ze had een zwarte hoed en een zonnebril op en droeg een lange zwarte rok en zwarte laarzen. Ze was een lange, slanke, opvallende verschijning.

Behan keek Stone onderzoekend aan en probeerde zijn blik te volgen, maar Stone keek gauw de andere kant uit. 'Ik neem aan dat ze inmiddels uitsluitsel hebben over de doodsoorzaak,' zei Behan. Snel voegde hij eraantoe: 'Ik bedoel, ze slaan de plank nog weleens mis.'

'We zullen het vandaag of morgen wel in de krant lezen,' zei Stone.

'Ja, journalisten zijn er altijd als de kippen bij,' zei Behan afkeurend.

'Mijn man weet heel veel van plotselinge dood,' zei Marilyn Behan ineens, en toen iedereen haar geschokt aankeek, voegde ze er haastig aan toe: 'Vanwege zijn werk, bedoel ik.'

Behan glimlachte naar Caleb en de anderen. 'Wilt u ons excuseren?'

Hij nam zijn vrouw stevig bij de arm en voerde haar weg. Had Stone een geamuseerde blik in haar ogen gezien?

Rueben keek hen na. 'Ik zie steeds weer dat slipje aan die vent z'n jonge-heer bungelen.'

'Toch aardig van hem dat hij is gekomen,' zei Stone. 'Voor een toevallige kennis, bedoel ik.'

'Zijn vrouw lijkt me geen makkelijke tante,' merkte Caleb op.

'Volgens mij is ze snugger genoeg om door te hebben wat haar man allemaal uitvreet,' zei Stone. 'Ik kan me niet voorstellen dat ze veel van hem houdt.'

'Maar toch blijft ze bij hem,' zei Milton.

'Uit liefde voor geld, macht en status,' zei Caleb minachtend.

'Daar had ik in mijn huwelijken ook best wat van willen hebben,' zei Rueben. 'Liefde was er wel, maar de rest niet.'

Stone stond weer naar de vrouw in het zwart te kijken. 'Die vrouw daar. Komt die jullie niet bekend voor?'

'Dat is moeilijk te zeggen,' zei Caleb 'Ze heeft een hoed en een zonnebril op.'

Stone haalde de foto uit zijn zak. 'Ik denk dat zij het is.'

Ze kwamen om hem heen staan om de foto te zien. Caleb en Milton begonnen omstandig in haar richting te kijken en te wijzen.

'Kan het wat minder opvallend?' fluisterde Stone nijdig.

Alle aanwezigen liepen nu langzaam terug naar hun auto. De dame in het zwart bleef nog even wachten bij de kist, terwijl twee werklui niet ver van het graf stonden te wachten. Stone keek even om zich heen en zag dat Behan en zijn vrouw in hun auto stapten. Daarna speurde hij de omgeving af op mensen die eruitzagen alsof folteren routine voor hen was. Zulke mensen waren te herkennen, als je maar wist waar je op moest letten, en dat wist Stone. Hij zag echter niemand.

Hij wenkte de anderen dat ze mee moesten komen naar de dame in het zwart. Ze had haar hand op de rozenhouten kist gelegd en prevelde iets, misschien een gebed.

Ze wachtten tot ze klaar was. Toen ze zich omdraaide, zei Stone: 'Jonathan was in de bloei van zijn leven. Wat een droevig en onverwacht einde.'

Vanachter haar zonnebril zei ze: 'Waar hebt u hem van gekend?'

'Ik werk bij de Congresbibliotheek,' zei Caleb. 'Hij was mijn baas. We zullen hem erg missen.'

De vrouw knikte. 'Ik ook.'

'Was u met hem bevriend?' vroeg Stone.

'Het is al heel lang geleden,' zei ze vaag.

'Langdurige vriendschappen zijn zeldzaam tegenwoordig.'

'Inderdaad.' Ze stapte langs hen heen en liep weg.

'Vreemd dat de patholoog-anatoom geen doodsoorzaak heeft kunnen vaststellen,' zei Stone zo luid dat ze het wel moest horen. Zijn opmerking had het gewenste effect. Ze bleef staan en draaide zich om.

146

'In de krant stond dat hij is overleden aan een hartaanval,' zei ze.

Caleb schudde zijn hoofd. 'Hij is overleden aan een hartstilstand, maar niet aan een hartaanval. Dat hebben de kranten kennelijk als vanzelfsprekend aangenomen.'

Ze deed een paar stappen naar hem toe. 'Hebben we ons aan elkaar voorgesteld?'

'Caleb Shaw. Ik werk in de leeszaal Zeldzame Boeken van de Congresbibliotheek. Dit is mijn vriend...'

Stone stak zijn hand uit. 'Sam Billings, aangenaam.' Hij gebaarde naar de twee andere leden van de Camel Club. 'Deze grote kerel hier is Rueben, dit is Milton, en u bent...?'

Ze negeerde hem en zei tegen Caleb: 'Als u in de Congresbibliotheek werkt, houdt u zeker net zoveel van boeken als Jonathan.'

'O, absoluut,' zei Caleb opgetogen. 'In zijn testament heeft Jonathan me zelfs tot zijn literair executeur benoemd. Ik ben zijn collectie aan het inventariseren, en daarna laat ik die taxeren en veilen. De opbrengst gaat naar een goed doel.'

Hij zweeg abrupt toen Stone gebaarde dat hij zijn mond moest houden. 'Net iets voor Jonathan,' zei ze. 'Ik neem aan dat zijn vader en moeder zijn overleden?'

'O, ja. Zijn vader is al jaren dood. Zijn moeder is twee jaar geleden gestorven. Jonathan heeft het huis geërfd.'

Stone zag dat de vrouw een glimlach onderdrukte toen ze dat hoorde. Wat had de advocaat ook weer tegen Caleb gezegd? Dat het huwelijk was ontbonden? Misschien niet door de echtgenote, maar door de echtgenoot omdat zijn moeder het wilde?

'Ik zou graag het huis nog eens willen zien. En zijn collectie ook. Die zal nu wel heel uitgebreid zijn.'

'Hebt u zijn collectie gekend?' vroeg Caleb.

'Jonathan en ik hebben veel gedeeld. Ik blijf niet lang in Washington, dus zouden we voor vanavond kunnen afspreken?'

'Toevallig gaan we er vanavond naartoe,' zei Stone. 'We kunnen u bij uw hotel ophalen als u in een hotel logeert.'

De vrouw schudde haar hoofd. 'Ik zie u wel in Good Fellow Street.' Snel liep ze naar een gereedstaande taxi.

'Is het wel verstandig om die vrouw in Jonathans huis uit te nodigen?' vroeg Milton. 'We kennen haar niet eens.'

Stone haalde de foto weer uit zijn zak en hield die op. 'Ik denk dat we haar wél kennen. En anders komen we er snel genoeg achter met wie we te maken hebben.' Peinzend voegde hij eraantoe: 'In Good Fellow Street.'

29

Nadat ze achter gesloten deuren een verklaring hadden afgelegd tegenover de commissie voor de Inlichtingendiensten van het Huis van Afgevaardigden dronken Seagraves en Trent samen een kop koffie in het restaurant. Daarna liepen ze naar buiten om een wandeling te maken over het terrein rond het Capitool. Omdat ze beroepshalve veel met elkaar te maken hadden, zou het geen argwaan wekken.

Seagraves bleef even staan om een pakje kauwgum open te maken terwijl Trent zich bukte om zijn schoenveters vast te maken.

'Dus jij denkt dat hij vroeger bij de CIA heeft gewerkt?' zei Trent.

Seagraves knikte. 'Bij de 666. Weleens van gehoord, Albert?'

'Vaag. Dat was allemaal geheim en ging mijn bevoegdheden te boven. De CIA heeft me aangenomen vanwege mijn analytische vaardigheden, niet vanwege mijn aanleg voor veldwerk. En na tien jaar van die flauwekul had ik er schoon genoeg van.'

Seagraves glimlachte. 'Is het aan de politieke kant van de branche zoveel beter?'

'Dat was het wel.'

Zijn collega kamde zorgvuldig het tiental haren over zijn schedel en wist ze zonder spiegel precies evenwijdig te krijgen.

'Waarom laat je je niet gewoon millimeteren?' zei Seagraves. 'Veel vrouwen houden wel van die macholook. En je mag ook weleens wat aan je conditie doen.'

'Aan het eind van mijn carrière heb ik zoveel geld dat de dames me waar ook ter wereld ook zo wel accepteren.'

'Je moet het zelf maar weten.'

'Die 666'er zou weleens een complicatie kunnen vormen. Misschien moeten we de onweerstatus afroepen.'

Seagraves schudde zijn hoofd. 'Dan krijgen we zeker problemen. Hij kan hier en daar nog connecties hebben. Als ik hem uit de weg ruim, moet ik zijn vrienden ook elimineren. Dat biedt ruimte voor fouten en we kunnen argwaan wekken bij de verkeerde mensen. Voorlopig denkt hij dat Behan erachter zit. Als dat verandert, verandert de weersverwachting ook.'

'Weet je zeker dat dit de juiste strategie is?'

Seagraves verstrakte. 'Laten we even reëel blijven, ja? Terwijl jij veilig achter je bureau in Washington zat, heb ik mijn leven gewaagd in oorden waar jij op televisie nog niet naar durft te kijken. Blijf nou maar gewoon doen waar je goed in bent, en laat de strategische planning aan mij over. Tenzij je denkt dat je beter bent dan ik.'

Trent probeerde te glimlachen, maar zijn angst stond het niet toe. 'Ik wilde je beoordelingsvermogen niet in twijfel trekken, hoor.'

'Zo klonk het verdomme anders wel.' Plotseling begon hij te grinniken en sloeg zijn arm om Trents schouder. 'Dit is niet het moment om ruzie te maken, Albert. Daar gaat het allemaal veel te goed voor. Toch?' Hij klemde zijn arm steviger om hem heen en voelde een rilling door de ander heen gaan. 'Nou?' 'Absoluut.' Trent wreef over zijn schouder en even leek het alsof hij in tranen zou uitbarsten.

Jij werd vroeger op het speelplein vast elke dag in elkaar geslagen, dacht Seagraves. Hij zei: 'Vier verbindingsmensen van Buitenlandse Zaken dood. Origineel, hoor.' Een van hen had hij nog gekend. Ze waren samen in dienst geweest. Best een aardige vent, maar miljoenen dollars waren belangrijker dan welke vriendschap ook.

'Je verwacht toch geen creativiteit van de regering?' zei Trent. 'Wat gaat er nu gebeuren?'

Seagraves gooide zijn sigarettenpeuk weg en keek de ander even aan. 'Dat merk je wel, Albert.' Hij begon een beetje genoeg van zijn junior-partner te krijgen. Dat was één reden voor dit prettige gesprekje. Hij wilde Trent te verstaan geven dat hij zijn ondergeschikte was en ook altijd zou blijven. Als het allemaal een beetje link werd en het kaarten-huis in elkaar dreigde te storten, was Trent de eerste die hij uit de weg zou ruimen. Muizen bezweken altijd onder druk.

Hij nam afscheid van de stafmedewerker en liep naar zijn auto, die hij had achtergelaten op een niet algemeen toegankelijk parkeerterrein. Hij wuifde naar de bewaker.

'Heb je goed op mijn auto gepast?' vroeg Seagraves.

'Hier wordt goed op alle auto's gepast,' zei de bewaker die op een tan-denstoker stond te kauwen. 'Past u een beetje op ons land?'

'Ik doe mijn best.' Het volgende dat hij aan Trent zou doorgeven, bestond uit essentiële elementen van een gloednieuw plan dat de NSA had opgesteld voor de strategische surveillance van buitenlandse terro-risten. De media waren er altijd al van uitgegaan dat de NSA onwettige activiteiten ontplooide, maar ze hadden geen flauw benul van hoe omvangrijk die activiteiten werkelijk waren, en dat gold ook voor die sukkels in het Capitool. Maar sommige gefortuneerde Amerika-haters meer dan tienduizend kilometer verderop, die minstens acht eeuwen in het verleden leefden, waren bereid miljoenen dollars neer te tellen om daar alles over te weten te komen. En uiteindelijk draaide alles om geld. Het vaderland kon doodvallen! Het enige wat al die patriotten aan hun vaderlandsliefde overhielden, was een opgevouwen vlag over hun kist.

En je moest dood zijn om ervoor in aanmerking te komen.

Seagraves reed terug naar zijn kantoor, handelde een paar zaken af en ging toen naar huis. Hij woonde in een dertig jaar oude woning met vier kamers en twee badkamers op een slecht gedraineerd stuk grond van duizend vierkante meter, en hij was zijn halve salaris kwijt aan hypotheekrente en onroerendgoedbelasting. Hij trainde kort maar intensief in zijn fitnessruimte en liep daarna naar het kamertje in de kelder dat hij altijd afgesloten hield en dat van een alarmsysteem was voorzien.

Het stond er vol met souvenirs uit zijn carrière. Een bruine, met bont afgezette handschoen in een glazen vitrine, de knoop van een jas in een doosje waar ooit een ring in had gezeten, een bril in een plastic brillenkoker, een schoen aan een spijker aan de muur, een horloge, twee armbanden, een notitieboekje met blanco pagina's en het monogram AWF op het omslag, een bontmuts en een slabbetje. Over dat slabbetje voelde hij iets van berouw. Maar als je de ouders uit de weg ruimde, nam je het kind nu eenmaal vaak mee. Een autobom maakte tenslotte geen onderscheid tussen kinderen en volwassenen. Elk voorwerp was genummerd en de nummering liep tot in de vijftig. De achtergrond van al die voorwerpen was alleen hem en een paar andere CIA-medewerkers bekend.

Seagraves had veel moeite gedaan en grote risico's genomen om deze voorwerpen voor zijn verzameling te bemachtigen. Alle mensen waren verzamelaars, of ze het beseften of niet. Veel mensen verzamelden postzegels, munten of boeken. Anderen ging het om gebroken harten of seksuele veroveringen. Er waren er ook die verloren zielen verzamelden. Roger Seagraves verzamelde persoonlijke bezittingen van de mensen die hij had vermoord, of liever gezegd geëlimineerd, want hij had hen gedood in dienst van zijn land. Niet dat het de slachtoffers wat uitmaakte. Die waren gewoon dood.

Vanavond was hij naar het kamertje gekomen om er twee nieuwe voorwerpen in op te bergen: een pen van Robert Bradley en een leren boekenlegger van Jonathan DeHaven. Ze kregen allebei een ereplaats: de pen kwam op een plank te liggen, de boekenlegger in een vitrine. Daarna voorzag hij ze allebei van een nummer. Hij begon al aardig in de buurt van de zestig te komen. Jaren geleden was hij voor de honderd gegaan en daar had hij een goed begin mee gemaakt, want in die tijd waren er een hoop mensen op de wereld die zijn land wilden elimineren. Maar door de slappe regering en de nog slappere CIA-bureaucratie van nu was het tempo de afgelopen jaren behoorlijk ingezakt. Daarom richtte hij zich niet meer op kwantiteit maar op kwaliteit.

Ieder normaal mens zou denken dat Seagraves een psychopaat was die deze dingen verzamelde voor zijn eigen boosaardige genoegens. Maar in werkelijkheid vormde deze verzameling een eerbetoon aan degenen die hij van hun grootste goed had beroofd. Als ooit iemand hem zou doden, dan hoopte hij dat hem dezelfde eer werd bewezen. Seagraves deed de deur achter zich op slot en liep naar boven om zijn volgende actie voor te bereiden. Hij moest nog iets ophalen, en nu DeHaven dood en begraven was, was het tijd erop af te gaan.

Annabelle Conroy zat in een huurauto op de hoek van Good Fellow Street. Het was jaren geleden dat ze hier voor het laatst was geweest, maar de straat was weinig veranderd. Er hing nog steeds de schimmelige lucht van oud geld, al had die zich inmiddels vermengd met de stank van nieuwe rijkdom. Annabelle had geen van beide bezeten, en Jonathans moeder, Elizabeth, had daar snel haar pijlen op gericht. Geen geld en geen opvoeding, had ze haar zoon keer op keer voorgehouden. Zo vaak dat hij het zelf begon te geloven en wilde scheiden. Annabelle had zich er niet tegen verzet. Waar zou het goed voor zijn geweest? Ze voelde geen rancune jegens haar ex. Jonathan was in veel opzichten altijd een kind gebleven. Hij was erudiet, vrijgevig en lief, maar hij had totaal geen ruggengraat en ging elke confrontatie uit de weg. Hij was niet opgewassen tegen zijn almachtige moeder met haar messcherpe tong. Na hun scheiding had hij Annabelle nog een aantal lieve, ontroerende brieven geschreven en cadeaus gestuurd. Hij schreef dat hij voortdurend aan haar dacht, en daar had ze nooit aan getwijfeld. Toch had hij haar nooit gevraagd terug te komen. Vergeleken met de andere mannen in haar leven, die net als zij allemaal aan de verkeerde kant van de wet stonden, was hij de vleesgeworden onschuld geweest. Hij had haar hand vastgehouden en altijd de deur voor haar opengehouden. Hij had met haar gepraat over belangwekkende kwesties uit de wereld van de normale mensen, een oord dat haar even vreemd was als een verre ster. Maar in de korte tijd die ze samen hadden doorgebracht, had Jonathan die wereld voor haar wat minder merkwaardig en onbekend gemaakt.
Annabelle moest toegeven dat ze door haar contact met hem veranderd was. En Jonathan DeHaven mocht dan stevig verschanst zijn geweest achter de behoudende kant van het leven, toch was hij een eindje haar kant opgeschoven, en misschien had hij door haar wel geleerd om van het leven te genieten op een manier waarvan hij zich vroeger geen voorstelling had kunnen maken. Hij was een goed mens geweest en ze vond het heel verdrietig dat hij dood was.
Boos veegde ze een traan weg, een ongebruikelijk en ongewenst blijk van emotie. Ze huilde niet meer tegenwoordig. Er was niemand meer om wie ze kon huilen. Zelfs om de dood van haar moeder vergoot ze geen tranen meer. Ze had Tammy Conroy dan wel gewroken, maar daarmee had ze zichzelf ook een heleboel geld bezorgd. Zou ze het ene

hebben gedaan zonder het andere? Daar was ze niet helemaal zeker van. Maakte dat iets uit? Ach, ze had bijna zeventien miljoen redenen op een buitenlandse bankrekening staan die zeiden dat het er niet toe deed.

Ze zag een grijze Nova voor Jonathans huis tot stilstand komen. Er stapten vier mannen uit. Het waren die rare types van het kerkhof die hadden gezegd dat er geen officiële doodsoorzaak was vastgesteld. Nou, ze had afscheid van Jonathan genomen en nu zou ze nog even door zijn huis lopen. Daarna zou ze op het vliegtuig stappen en maken dat ze wegkwam. Wanneer Jerry Bagger tot de ontdekking kwam dat hij veertig miljoen dollar armer was geworden, wilde Annabelle niet op hetzelfde continent als hij verkeren. Hij zou tot uitbarsting komen op een veel grotere schaal dan zijn valse vulkaan.

En de lavastroom zou makkelijk tot in Washington kunnen reiken.

Ze stapte de auto uit en liep naar het huis toe, en naar een leven dat heel goed het hare had kunnen zijn als het allemaal anders was gelopen.

30

Nadat Annabelle een korte rondleiding door het huis had gekregen, stonden ze allemaal in de boekenkluis. De kleine safe achter het schilderij maakte Caleb niet open. Hij was niet van plan haar het *Bay Psalm Book* te laten zien. Toen ze de collectie had bekeken, liepen ze weer de trap op. Annabelle wandelde met meer belangstelling door de ruime kamers dan ze liet blijken.

'Dus u bent hier al eerder geweest?' vroeg Stone.

Ze keek hem uitdrukkingsloos aan. 'Ik kan me niet herinneren dat ik daar iets over heb gezegd.'

'Ik nam het aan omdat u wist dat Jonathan in Good Fellow Street woonde.'

'Mensen moeten niet zo gauw iets aannemen.' Ze bleef rondkijken. 'Het huis is niet veel veranderd,' zei ze, en daarmee had ze zijn vraag indirect beantwoord. 'In elk geval heeft hij het lelijkste meubilair weggedaan. Na de dood van zijn moeder waarschijnlijk, want van haar had hij nooit toestemming gekregen.'

'Waar hebt u Jonathan ontmoet?' vroeg Caleb, maar ze gaf geen antwoord. 'Hij zou uw naam genoemd kunnen hebben, maar ik weet niet hoe u heet,' drong hij aan, wat hem een waarschuwende blik van Stone opleverde.

'Susan Farmer. We hebben elkaar ontmoet in het westen.'

'Bent u daar ook met hem getrouwd?' vroeg Stone.

Hij was onder de indruk toen ze geen spier vertrok. Maar ze gaf ook geen antwoord.

Stone besloot zijn troefkaart uit te spelen en haalde de foto uit zijn zak. 'We hebben gehoord dat Jonathan ooit getrouwd is geweest. Ik weet dat u het niet prettig vindt als mensen zomaar iets aannemen, maar uit de manier waarop u over zijn moeder spreekt, valt af te leiden dat zij op de scheiding heeft aangedrongen. Hij heeft deze foto bewaard. Die vertoont opmerkelijk veel gelijkenis met u.'

Hij zag dat haar hand een beetje trilde toen ze de foto aannam. 'Jonathan was een aantrekkelijke man,' zei ze weemoedig. 'Lang, met dik bruin haar en ogen die je een prettig gevoel gaven.'

'En ik kan met de hand op mijn hart verklaren dat u nog net zo mooi bent als toen,' zei Rueben.

Annabelle leek hem niet gehoord te hebben en deed iets wat ze al heel lang niet had gedaan: ze glimlachte oprecht. 'Die foto is genomen op onze huwelijksdag,' zei ze. 'Ik was niet in het wit, maar het had wel gekund. Het was mijn eerste huwelijk en ook mijn enige.'

'Waar zijn jullie getrouwd?' vroeg Caleb.

'In Vegas, waar anders?' zei ze zonder haar ogen van de foto af te wenden. 'Jonathan was in de stad voor een conventie van boekverzamelaars. We leerden elkaar kennen, konden het goed met elkaar vinden en trouwden. Allemaal binnen een week. Ongewoon, ik weet het, en dat vond zijn moeder ook.' Ze streek met haar vinger over Jonathans verstarde glimlach. 'Maar we waren gelukkig. De eerste tijd wel in elk geval. We hebben zelfs een tijdje hier bij zijn ouders gewoond, totdat we een eigen huis hadden gevonden.'

'Het is er groot genoeg voor,' zei Caleb.

'Gek, destijds leek het veel te klein,' zei ze droogjes.

'Was u ook in Vegas voor de conventie?' vroeg Stone beleefd.

Ze gaf de foto aan hem terug. 'Moet ik daar echt antwoord op geven?'

'Mag ik dan vragen of u de afgelopen jaren contact met Jonathan hebt gehad?'

'Waarom zou ik u dat vertellen?'

'Dat is ook helemaal niet nodig,' zei Rueben met een boze blik op Stone. 'Dit wordt allemaal wel erg persoonlijk.'

Enigszins uit het veld geslagen zei Stone: 'We proberen erachter te komen wat er met Jonathan is gebeurd en daar kunnen we alle hulp bij gebruiken.'

'Zijn hart hield op met kloppen en toen was hij dood. Dat komt toch wel vaker voor?'

'De patholoog-anatoom is er kennelijk niet in geslaagd de doodsoorzaak vast te stellen. En Jonathan had net een volledige check-up gehad in het Johns Hopkins. Hij heeft geen hartaanval gehad, en kennelijk ook niet iets wat erop leek.'

'Bedoelt u dat iemand hem heeft vermoord? Wie zou zoiets doen? Hij was bibliothecaris.'

'Ook bibliothecarissen kunnen vijanden maken,' zei Caleb gepikeerd. 'Ik heb een aantal collega's die na een paar glazen wijn heel onaangenaam kunnen worden.'

Ze keek hem ongelovig aan. 'Ja, dat geloof ik best, maar niemand pleegt een moord omdat hij een boete voor een te laat teruggebracht boek heeft gekregen.'

'Ik zal u iets laten zien,' zei Stone, en ze liepen naar de zolder.

'Die telescoop staat op het huis hiernaast gericht.'

'Ja,' zei Rueben. 'Op de slaapka...'

'Sorry, Rueben, maar vind je het goed dat ik het even uitleg?' zei Stone.

'Ja, hoor,' zei Rueben. 'Leg jij dan maar uit, Oliv... Ik bedoel, Frank...

154

Of was het Steve?'

'Dank je wel, Rueben!' snauwde Stone. 'Zoals ik al zei, de telescoop staat op het huis hiernaast gericht. Daar woont de eigenaar van Paradigm Technologies, een van de grootste wapenfabrikanten van het land. Hij heet Cornelius Behan.'

'Hij wordt graag CB genoemd,' voegde Caleb eraantoe.

'Zo, zo...' zei Annabelle langzaam.

Stone richtte de telescoop op de zijkant van Behans huis, dat door een smalle strook gras van dat van DeHaven werd gescheiden. 'Als ik het niet dacht.' Hij wenkte Annabelle dat ze zijn plek moest innemen. Ze stelde de scherpte bij en zei: 'Het is een kantoor of werkkamer.'

'Ja.'

'Denkt u dat Jonathan hem bespioneerde?'

'Mogelijk. Of hij heeft per ongeluk iets gezien wat tot zijn dood heeft geleid.'

'Dus die Cornelius Behan heeft Jonathan vermoord?'

Stone schudde zijn hoofd. 'We hebben geen enkel bewijs, maar er zijn wel een paar vreemde dingen gebeurd.'

'Zoals?'

Stone aarzelde. Hij was niet van plan haar over zijn ontvoering te vertellen. 'Laten we het er maar op houden dat er aanleiding is voor een onderzoek. Dat heeft Jonathan DeHaven wel verdiend.'

Annabelle nam hem even aandachtig op en keek toen nog eens door de telescoop. 'Vertel eens wat meer over die CB.'

Stone informeerde haar over de militaire contracten die Behan onder het vorige bewind binnen had weten te halen. Vervolgens vertelde hij over de moord op Bob Bradley, de voorzitter van het Huis van Afgevaardigden. 'Bradleys voorganger is veroordeeld wegens onethische praktijken, dus het is niet zo vergezocht om te denken dat Behan hem heeft omgekocht. Toen Bradley de bezem door het systeem wilde halen, had Behan wel het een en ander te verbergen. En daarom moest Bradley sterven.'

'Dus u denkt dat Jonathan op die samenzwering is gestuit en werd vermoord om te voorkomen dat hij het verder zou vertellen?'

'Twee onopgeloste sterfgevallen van overheidsmedewerkers, met Cornelius Behan als gemeenschappelijke factor.'

'En Behan was vandaag bij de begrafenis,' zei Caleb.

'Hoe zag hij eruit?' vroeg Annabelle scherp.

'Een kleine man met rood haar...'

'En een veel te hoge dunk van zichzelf,' vulde Annabelle aan. 'Dat was die man met die lange blonde vrouw die zo duidelijk van hem walgt.'

Er verscheen een geïmponeerde indruk op Stones gezicht. 'U weet mensen snel in te schatten.'

'Een heel nuttige eigenschap. Oké, wat is onze volgende stap?'

'Onze volgende stap?' zei Stone verbaasd.

'Als je me nu snel de informatie geeft die je hebt achtergehouden, dan komen we misschien nog ergens.'

'Mevrouw Farmer...' zei Stone.

'Zeg maar Susan.'

'Ik dacht dat je niet lang in de stad zou blijven?'

'Ik ben van plan veranderd.'

'Mag ik vragen waarom?'

'Ja, dat mag. Zullen we morgen afspreken?'

'Absoluut,' zei Rueben. 'En als je soms een slaapplaats nodig hebt?'

'Nee,' zei ze.

'We kunnen bij mij thuis afspreken,' zei Stone.

'Waar is dat?' vroeg ze.

'Op een kerkhof,' zei Milton behulpzaam.

Annabelle vertrok geen spier.

Stone schreef het adres op en gaf er een routebeschrijving bij. Toen ze het van hem aannam, struikelde ze en viel tegen hem aan, zodat ze zich aan zijn jasje moest vastgrijpen om niet te vallen.

'Sorry,' zei ze, terwijl haar hand zich om de foto in de zak van zijn jasje sloot. En toen gebeurde er iets wat haar nooit eerder was overkomen. Stone klemde zijn hand om haar pols.

'Je had er ook gewoon om kunnen vragen,' zei hij zo zacht dat alleen zij het kon horen. Hij liet haar pols los. Terwijl ze verbaasd naar Stones grimmige gezicht keek, liet ze de foto in haar zak glijden. Ze keek de anderen vriendelijk aan en zei: 'Tot morgen dan maar.'

Rueben pakte haar hand vast en gaf haar een handkus. 'Het was me een waar genoegen, Susan.'

Ze grijnsde. 'Dank je wel, Rueben. O, ik kan je aanraden de telescoop nu even op Behans slaapkamer te richten. Ik heb de indruk dat het er heet aan toe gaat.'

Rueben draaide zich razendsnel om. 'Waarom heb je daar niks van gezegd, Oliver!'

Annabelle keek naar Stones geërgerde gezicht. 'Geeft niet, Oliver. Ik heet ook geen Susan. Had je niet gedacht, hè?'

Even later hoorden ze de voordeur dichtslaan. Rueben stond alweer voor de telescoop. 'Verdomme, ze zijn weg.' Hij draaide zich om naar Stone en zei eerbiedig: 'God, wat een vrouw.'

Inderdaad, dacht Stone. Wat een vrouw.

Annabelle stapte in haar auto, startte en wreef over haar pols die 'Oliver Stone' had beetgegrepen. Hij had haar betrapt terwijl ze zijn zak rolde.

Zelfs als kind, toen haar vader haar op de toeristen in Los Angeles afstuurde, was ze nooit betrapt. Het zou morgen weleens een interessante dag kunnen worden.

Ze haalde de foto uit haar zak. Niet te geloven dat één enkel kiekje zoveel herinneringen kon oproepen. Dat jaar was het mooiste van haar leven geweest. Ze had een man ontmoet die verliefd op haar was geworden. Hij had geen heimelijke bedoelingen, geen verborgen agenda, en hij probeerde haar niet te manipuleren. Hij was gewoon verliefd op haar geworden. Een boekenwurm en een oplichtster. Een onwaarschijnlijk paar, en de kans dat ze bij elkaar zouden blijven was niet groot. Ze wist maar al te goed dat je nooit moest gokken als de kansen niet gunstig waren. Dat was iets voor sukkels.

Ze keek op naar het grote oude huis. Daar had ze met Jonathan en hun kinderen kunnen wonen. Wie zou het zeggen? Misschien was het maar goed dat het anders gelopen was. Ze zou vast geen goede moeder zijn geweest.

Ze dacht weer aan dringender zaken. Over twee dagen zou Jerry Bagger, de menselijke vulkaan, tot uitbarsting komen. Ze wist dat ze het land beter zo snel mogelijk kon verlaten, ongeacht wat ze net tegen de anderen had gezegd. Ze had niet lang nodig om tot een besluit te komen. Ze zou hier blijven totdat het onderzoek was afgerond. Dat was ze aan Jonathan verschuldigd en misschien ook aan zichzelf.

31

De volgende ochtend kwamen Annabelle en de Camel Club om zeven uur bij elkaar in Stones huisje op het kerkhof.

'Leuk optrekje,' zei ze terwijl ze haar blik over het interieur liet gaan. 'En zulke rustige buren.' Ze knikte naar de grafzerken.

'Ik vind de doden soms prettiger gezelschap dan de levenden,' zei Stone kortaf.

'Dat kan ik me voorstellen,' zei Annabelle opgewekt en ze ging voor de open haard zitten. 'Vooruit, aan de slag.'

Rueben ging naast haar zitten. Hij leek net een grote puppy die hoopte even achter zijn oren gekrabd te worden. Caleb, Milton en Stone gingen tegenover haar zitten.

'Mijn plan is het volgende,' zei Stone. 'Milton probeert zo veel mogelijk te weten te komen over Bob Bradley. Misschien zit er iets bij wat we kunnen gebruiken. Ik ga een kijkje nemen in Bradleys huis of wat ervan over is. Rueben is vroeger op het Pentagon gestationeerd geweest en zal zijn contacten aanspreken om te zien wat hij te weten kan komen over de militaire contracten die Bradleys voorganger mogelijk aan Behan heeft toegespeeld.'

Annabelle keek Rueben eens aan. 'Op het Pentagon?'

Hij probeerde een bescheiden indruk te maken. 'En drie keer in Vietnam. Ik heb zoveel medailles dat ik er een kerstboom mee vol zou kunnen hangen. Het draait toch allemaal om het vaderland, hè?'

'Ik zou het niet weten,' zei Annabelle en ze richtte zich weer tot Stone. 'Hoe komen we erachter of iemand Jonathan heeft vermoord?'

'Daar heb ik een theorie over, maar om die te verifiëren moet er iemand naar de Congresbibliotheek om daar de brandblusinstallatie te controleren. Het probleem is dat we niet weten waar in het bibliotheekgebouw het zich precies bevindt. Caleb komt er niet achter omdat het om de een of andere reden vertrouwelijke informatie is. Waarschijnlijk om te voorkomen dat onbevoegden de installatie saboteren, al is dat volgens mij precies wat er is gebeurd. Het gebouw is zo groot dat het veel te veel tijd kost het helemaal uit te kammen, als we daar al de gelegenheid voor zouden krijgen. En dan moeten we er nog achter zien te komen hoe het ventilatiesysteem van de ruimte waar Jonathan dood is aangetroffen in elkaar zit.'

'Wat heeft de brandblusinstallatie daarmee te maken?' vroeg Annabelle.

'Ik heb een theorie,' was alles wat Stone wilde loslaten.

'Zou de architect van het gebouw geen plattegronden hebben waarop het ventilatiesysteem en de brandblusinstallatie staan aangegeven?'

'Jazeker,' zei Stone. 'Het Jefferson-gebouw stamt uit het eind van de negentiende eeuw, maar is vijftien jaar geleden ingrijpend gerenoveerd. De architect van het Capitool heeft plattegronden, maar die mogen wij niet inzien.'

'Hebben particuliere architecten bij de renovatie geholpen?'

Caleb knipte met zijn vingers. 'Ja, dat is zo. Nu herinner ik het me weer. Het was een firma hier in D.C. De overheid wilde de plaatselijke economie stimuleren.'

'Dat is dus de oplossing,' zei Annabelle.

'Ik kan je niet volgen,' zei Stone. 'We kunnen nog steeds niet bij die bouwtekeningen komen.'

Ze keek Caleb aan. 'Kun je me de naam van die firma bezorgen?'

'Ik denk van wel.'

'De vraag is alleen of ze ons een kopie van de bouwtekeningen willen geven.' De Camel Club zat haar verbouwereerd aan te kijken. 'Ik loods ons die firma wel binnen, maar voor de brandblusinstallatie en het ventilatiesysteem hebben we toch een kopie van de bouwplannen nodig.'

'Ik heb een fotografisch geheugen,' zei Milton. 'Als ik die één keer te zien krijg, vergeet ik ze nooit meer.'

Ze keek hem ongelovig aan. 'Dat heb ik wel vaker gehoord, maar in de praktijk komt er niets van terecht.'

'Bij mij wel,' zei Milton verontwaardigd.

Ze trok een boek van de plank, sloeg het halverwege open en hield het Milton voor. 'Goed, lees deze bladzijde maar.' Hij deed wat hem gezegd was en knikte. Annabelle nam het boek terug en keek naar de pagina. 'Oké, begin maar.'

Milton las de bladzijde voor uit zijn geheugen, inclusief de leestekens, zonder ook maar één fout te maken.

Voor het eerst leek Annabelle onder de indruk. 'Ben je weleens in Vegas geweest?' vroeg ze. Hij schudde van nee. 'Moet je toch eens proberen.'

'Is kaarten tellen niet illegaal?' vroeg Stone, die meteen begreep wat ze bedoelde.

'Niet zolang je geen mechanische kaartenteller gebruikt.'

'Wauw!' riep Milton. 'Ik kan daar een fortuin verdienen.'

'Loop maar niet te hard van stapel. Het mag dan niet illegaal zijn, als ze in de gaten krijgen wat je aan het doen bent, word je nog steeds in elkaar geslagen.'

'O,' zei Milton. 'Nou, dan maar niet.'

Tegen Stone zei Annabelle: 'Vertel op, hoe is Jonathan volgens jou vermoord? En draai er nou niet omheen, anders ben ik meteen weg.'

Stone keek haar even strak aan en nam toen een besluit. 'Caleb heeft Jonathans lijk gevonden. Onmiddellijk daarna is hij bewusteloos geraakt. In het ziekenhuis zei de verpleegster dat hij er weer bijna helemaal bovenop was en dat zijn temperatuur aan het stijgen was, dus niet aan het dalen.'

'En?' vroeg Annabelle.

'De brandblusinstallatie in de bibliotheek maakt gebruik van een stof die Halon 1301 heet,' zei Caleb. 'Het stroomt als vloeistof door de leidingen, maar komt als gas de sproeiers uit. Het blust de brand door zuurstof uit de lucht te verdrijven.'

'Dus je bedoelt dat Jonathan misschien is gestikt! Goeie god, wil je zeggen dat de politie daar helemaal niet aan heeft gedacht?' zei Annabelle boos. 'Hebben ze niet eens gecontroleerd of de gascilinder leeg was?'

'Er was geen enkele reden om aan te nemen dat het systeem zelfs maar ingeschakeld was geweest,' zei Stone. 'De sirene is niet afgegaan en Caleb is te weten gekomen dat die wel degelijk functioneerde, al is het natuurlijk mogelijk dat hij eerst is losgekoppeld en daarna weer aangesloten. En het gas laat geen sporen achter.'

'En bovendien had Halon 1301 voor Jonathan niet dodelijk kunnen zijn,' zei Caleb. 'Niet met het niveau dat de brandblusinstallatie in de bibliotheek gebruikt. Dat heb ik nagetrokken.'

'Volgens mij zeggen jullie twee verschillende dingen. Het was het gas, maar het kan het gas niet geweest zijn,' zei Annabelle geërgerd. 'Wat is het nou?'

'Eén gevolg van het gebruik van Halon in een gesloten ruimte is dat de temperatuur daalt,' zei Stone. 'Caleb zegt dat hij Jonathan zag liggen, het plotseling heel koud kreeg en het bewustzijn verloor. Ik denk dat dat koude gevoel is veroorzaakt door het gas, en daarom zei de verpleegster dat Calebs temperatuur steeg. En ik denk dat Caleb bewusteloos is geraakt omdat de atmosfeer daar te weinig zuurstof bevatte, maar wel meer dan een halfuur daarvoor, toen Jonathan overleed.'

'Dan kan het dus niet dat Halon zijn geweest,' zei Annabelle. 'Maar wat dan wel?'

'Daar moeten we achter zien te komen.'

Annabelle stond op. 'Goed, dan moeten we nu voorbereidingen treffen.'

Stone stond op en ging tegenover haar staan. 'Susan, voordat je hierin verwikkeld raakt, moet je weten dat er uiterst gevaarlijke mensen bij betrokken zijn. Dat heb ik aan den lijve ondervonden. Het zou heel riskant kunnen worden.'

'Oliver, laat ik het zo stellen: het kan nooit gevaarlijker zijn dan wat ik vorige week heb gedaan.' Ze gaf Milton een arm. 'Oké, Milton, wij gaan samen op stap.'

'Waarom Milton?' vroeg Rueben teleurgesteld.

'Omdat hij mijn persoonlijke kopieerapparaat is.' Ze gaf Milton een kneepje in zijn wang en hij werd vuurrood. 'Maar eerst gaan we nieuwe kleren voor hem kopen. Hij moet de juiste stijl hebben.'

'Wat is er mis met mijn kleren?' vroeg Milton, terwijl hij omlaag keek naar zijn smetteloos schone spijkerbroek en rode trui.

'Niets,' zei ze, 'behalve dat ze helemaal fout zijn voor wat ik wil gaan doen.' Ze wees naar Caleb. 'Zodra je de naam van die firma weet, bel je Milton.' Ze knipte met haar vingers. 'Kom op, Miltie.'

Ze liep met lange passen de deur uit. Milton keek de anderen hulpeloos aan. 'Miltie?'

'Milton!' riep Annabelle, die al buiten stond. 'Nú!'

Terwijl Milton de deur uit rende, draaide Rueben zich om naar Stone. 'Laat je haar Milton zomaar meenemen?'

'Wat kan ik ertegen doen, Rueben?' zei Stone. 'Die vrouw is een wervelstorm en een aardbeving tegelijk.'

Rueben liet zich op een stoel vallen en gromde: 'Verdomme, waarom heb ik geen fotografisch geheugen?'

'Ben ik even blij dat je dat niet hebt,' zei Caleb vol weerzin.

'Hoezo?' vroeg Rueben.

'Omdat ze jou dan Ruby zou noemen. Daar moet je toch niet aan denken!'

32

Later op de dag, in de Congresbibliotheek, stuurde Caleb een mailtje naar de administratie. Een uur later wist hij welke architectenfirma betrokken was geweest bij de renovatie van het Jefferson-gebouw. Hij belde Milton.

'Hoe gaat het met die vrouw?' vroeg hij zachtjes.

'Ze heeft net een zwart pak voor me gekocht en een afgrijselijke das,' fluisterde Milton terug. 'En ze wil dat ik mijn haar anders doe. Ze wil me restylen.'

'Heeft ze gezegd waarom?'

'Nog niet.' Na een korte stilte voegde hij eraantoe: 'Caleb, eigenlijk ben ik een beetje bang voor dat mens. Ze heeft zoveel zelfvertrouwen.'

'Volhouden, Miltie,' zei Caleb grinnikend, en hij verbrak de verbinding. Daarna belde hij Vincent Pearl, hoewel hij wist dat hij het antwoordapparaat aan de lijn zou krijgen omdat het antiquariaat pas 's avonds openging. Eigenlijk wilde hij hem helemaal niet te spreken krijgen, want hij had nog niet besloten hoe hij de verkoop van Jonathans collectie ging aanpakken. Hij wist nog niet eens wat hij met het *Bay Psalm Book* ging doen. Als het bestaan daarvan eenmaal bekend was, zou het in het kleine wereldje van boekenverzamelaars enorme opschudding veroorzaken, met hemzelf als middelpunt. Hoewel hij die gedachte angstaanjagend vond, had die toch ook iets aantrekkelijks, bedacht hij. Het was zo erg nog niet om eens een tijdje in de schijnwerpers te staan.

Het enige wat hem ervan weerhield om met volle kracht vooruit te gaan en zijn ontdekking bekend te maken, was een knagende twijfel. Stel dat Jonathan het *Bay Psalm Book* op illegale wijze in handen had gekregen? Dat zou kunnen verklaren waarom hij er zo geheimzinnig over had gedaan. Caleb wilde niets doen wat de nagedachtenis van zijn vriend zou kunnen bezoedelen.

Hij zette die verontrustende gedachte van zich af en liep naar Jewell English toe, die net als Hemingway-liefhebber Norman Janklow een regelmatige bezoeker van de leeszaal was.

Jewell zette haar bril af, schoof haar aantekeningen in een geelbruine map en wenkte dat hij naast haar moest komen zitten. Toen pakte ze hem bij de arm en zei opgewonden: 'Caleb, ik heb de gelegenheid om een volkomen gave Beadle te kopen. *Maleska, de Indiaanse vrouw van de blanke jager.* Dat is een nummer één, Caleb.'

'Volgens mij hebben we daar een exemplaar van,' zei hij peinzend. 'Let goed op dat het echt een puntgaaf exemplaar is, Jewell. Die Beadles werden goedkoop gemaakt.'

Jewell English klapte in haar handen. ' Ja, maar Caleb, is het niet opwindend? Het is een nummer één.'

'Ja, heel opwindend, hoor. Als je wilt dat ik er eerst even naar kijk, dan doe ik dat met alle genoegen.'

'O, wat ben je toch een schat. Je moet echt een keer bij mij thuis een borreltje komen drinken. We hebben zoveel gemeen.' Ze gaf hem een klopje op zijn arm en trok veelbetekenend haar zorgvuldig met potlood bijgewerkte wenkbrauwen op.

Daar was Caleb niet op verdacht. 'Ja, leuk,' zei hij haastig. 'Moeten we zeker doen. Misschien. In de toekomst. Ooit.' Haastig liep hij terug naar zijn bureau. Een vrouw van in de zeventig die hem probeerde te versieren deed niet echt iets voor zijn ego. Het duurde niet lang voordat hij zijn goede humeur weer terug had, en toen hij de leeszaal rondkeek, vond hij het eigenlijk heel geruststellend om te zien hoe bibliofielen als Jewell English en Norman Janklow aan de mooie tafels in oude boeken zaten te lezen. De wereld leek zoveel prettiger en zachtmoediger dan hij werkelijk was. Caleb vond het heerlijk om weg te zinken in dit soort dagdromen, in elk geval een paar uur per dag. O, als ik toch eens terug kon keren naar de wereld van handgeschept papier en ganzenveren, al was het maar voor even...

Twintig minuten later was hij druk aan het werk toen hij de deur van de leeszaal hoorde opengaan. Hij keek op en verstarde. Cornelius Behan liep naar de balie. Hij zei iets tegen de vrouw die daar dienst had en ze wees naar Caleb. Terwijl Behan naar hem toe kwam, stond Caleb haastig op. Behan had zijn hand uitgestoken en nu pas drong het tot Caleb door dat de man zijn lijfwachten niet bij zich had. Misschien had de beveiliging ze niet door willen laten met al die pistolen op zak.

'Meneer Behan?'

'Zeg maar gewoon CB.' Ze gaven elkaar een hand en Behan keek de zaal rond. 'Ik wist niet van het bestaan van deze leeszaal af. Jullie zouden meer moeten adverteren.'

'We moeten inderdaad meer doen om de leeszaal onder de aandacht van het publiek te brengen,' gaf Caleb toe. 'Maar het budget wordt elk jaar kleiner en dan schieten zulke dingen er al snel bij in.'

'Daar kan ik me iets bij voorstellen, ja. Ik heb veel te maken met overheidsinstanties die krap bij kas zitten.'

'U hebt anders toch niet slecht geboerd,' zei Caleb, maar had er onmiddellijk spijt van toen Behan hem strak aankeek.

'Het was een mooie plechtigheid,' veranderde Behan abrupt van onderwerp. 'Voor zover een begrafenis natuurlijk mooi kan zijn.'

'Inderdaad. En het was me een genoegen uw vrouw te ontmoeten.'

'Ja, ja. Maar goed, ik had een vergadering met een paar mensen op Capitol Hill en ik vond dat ik maar eens langs moest komen. Ik heb zo lang naast Jonathan gewoond en al die tijd heb ik nooit gezien waar hij werkte.'

'Beter laat dan nooit.'

'Ik neem aan dat Jonathan veel van zijn werk hield.'

'Zeker. Hij was 's ochtends altijd de eerste.'

'Hij had hier vast ook veel vrienden. Iedereen mocht hem zeker graag.' Hij keek Caleb vragend aan.

'Inderdaad. Jonathan kon met iedereen goed opschieten.'

'Ik heb begrepen dat u gisteravond samen met een vrouw in Jonathans huis bent geweest?'

Dit was de tweede keer dat hij onverwacht van onderwerp veranderde, maar Caleb liet zich niet uit het veld slaan. 'Als u ons hebt gezien, had u even langs moeten komen.'

'Ik was druk bezig.'

Dat geloof ik meteen, dacht Caleb.

'Een paar van mijn beveiligingsmensen hebben u gezien. Ze houden alles altijd goed in de gaten. Wie was die vrouw?'

'Een deskundige op het gebied van zeldzame boeken. Ik heb haar langs laten komen om haar een paar van Jonathans boeken te laten zien. Dat maakt deel uit van het taxatieproces.' Caleb was trots dat hij dat zo snel bedacht had.

'Wat gaat er met Jonathans huis gebeuren?'

'Het zal wel verkocht worden, maar eigenlijk heb ik met dat deel van de nalatenschap niets te maken.'

'Ik dacht erover het zelf te kopen en er een gastenverblijf van te maken.'

'Is uw eigen huis nog niet groot genoeg?' Het was eruit voordat hij het wist.

Gelukkig moest Behan lachen. 'Ja, ik weet het. Dat zou je wel denken, hè? Maar we hebben altijd veel gasten. Ik dacht dat je misschien wist wat ze ermee van plan zijn.' Na een korte stilte voegde hij eraantoe: 'Je zult er zelf ook wel hebben rondgekeken.'

'Nee. Ik ben alleen in de kluis geweest.'

Behan nam hem even aandachtig op. 'Dan bel ik de notaris wel.' Hij aarzelde even en zei toen: 'Nu ik hier toch ben, kun je me misschien een rondleiding geven. Ik heb begrepen dat jullie hier heel zeldzame boeken bewaren.'

'Daarom heet het ook de leeszaal Zeldzame Boeken.' Plotseling kreeg Caleb een inval. Het was ongetwijfeld tegen de voorschriften, maar wat dan nog? Misschien zou het helpen om erachter te komen wie Jonathan had vermoord. 'Zal ik u de kluizen laten zien?' zei hij.

'Heel graag,' zei Behan snel.

Caleb gaf hem de standaardrondleiding en eindigde die niet ver van de plek waar Jonathan DeHaven was vermoord. Was het zijn verbeelding of bleven Behans ogen iets te lang rusten op de sproeier aan de muur? Zijn vermoeden werd bevestigd toen Behan ernaar wees.

'Wat is dat?'

Caleb legde uit hoe het systeem werkte. 'Binnenkort wordt het gas dat we hier gebruiken vervangen door een soort dat minder schadelijk is voor de ozonlaag.'

'Nou, bedankt voor de rondleiding.'

Toen Behan was vertrokken, belde hij Stone om hem over deze ontmoeting te vertellen.

'Die indirecte manier om te vragen of Jonathan vijanden had, is merkwaardig,' zei Stone. 'Tenzij hij een mogelijkheid zoekt iemand anders de moord in de schoenen te schuiven. En dat hij wilde weten of je Jonathans huis had bekeken, is ook veelzeggend. Zou hij weten dat zijn buurman voyeuristische neigingen had?'

Toen hij de verbinding had verbroken, pakte Caleb het boek dat hij had meegenomen uit het huis van DeHaven en liep ermee door een reeks ondergrondse tunnels naar het Madison-gebouw, waar de afdeling Conservatie en Verduurzaming was ondergebracht. De afdeling was verdeeld over twee grote ruimtes: één voor de boeken en één voor al het andere. Bijna honderd restaurateurs waren hier ijverig bezig om zeldzame en minder zeldzame geschriften op te lappen. Caleb stapte de boekenzaal binnen en liep naar een tafel waar een magere man met een groene voorschoot voorzichtig de bladzijden van een Duitse incunabel omsloeg. Om zich heen had hij een uitgebreide verzameling gereedschap, van ultrasone lasapparatuur en met teflon beklede spatels tot Exacto-mesjes en een ouderwetse schroefpers.

'Hallo, Monty,' zei hij.

Monty Chambers keek op en wreef met een gehandschoende hand over zijn kale hoofd. Hij was gladgeschoren en had een terugwijkende kin. Hij zei niets en liet het bij een knikje. Monty werkte hier sinds het eind van de jaren zestig en was al tientallen jaren de beste boekenconservator van de Congresbibliotheek. Hij kreeg de moeilijkste opdrachten en er was er nooit een mislukt. De zwaarst beschadigde en meest verwaarloosde boeken wist hij weer in oude glorie te herstellen.

'Ik heb een freelanceopdracht voor je, Monty, als je tijd hebt.' Caleb hield het boek omhoog. '*The Sound and the Fury* van Faulkner. Het voor- en achterplat hebben waterschade opgelopen. Het is van Jonathan DeHaven geweest. Ik regel de verkoop van zijn collectie.'

Monty bekeek de roman en zei met zijn hoge stem: 'Hoe snel?'
'O, je hebt alle tijd. We zijn nog maar in een heel vroeg stadium.'
Conservatoren op Monty's niveau werkten vaak aan verschillende projecten tegelijk. Ze maakten veel overuren en kwamen soms ook in het weekend naar hun werk omdat ze dan minder vaak gestoord werden. Caleb wist dat Monty ook thuis over een goed geoutilleerde werkplaats beschikte, waar hij zo nu en dan buiten werktijd klussen voor andere opdrachtgevers deed.
'Reversibel?' vroeg Monty.
Het was tegenwoordig een vereiste dat elke ingreep omkeerbaar werd gemaakt. Aan het eind van de negentiende en het begin van de twintigste eeuw waren veel oude boeken iets te ingrijpend gerestaureerd. De oorspronkelijke banden waren weggegooid en de losse katernen waren opnieuw gebonden en ingehangen in banden van felgekleurd en fraai bewerkt leer, waar soms zelfs slotjes op waren aangebracht. Het zag er indrukwekkend uit, maar van het oorspronkelijke boek was niets meer over, en er was geen enkele manier om zo'n zware ingreep nog ongedaan te maken.
'Ja,' zei Caleb. 'En ik wil graag dat je bijhoudt wat je eraan hebt gedaan. Als het boek geveild wordt doen we het erbij als documentatie.'
Monty knikte en ging door met zijn werk.
Caleb liep terug naar de leeszaal. Terwijl hij door de lange tunnels liep, begon hij te grinniken. 'Miltie,' mompelde hij. 'Met een heel nieuw kapsel.' Het zou een hele tijd duren voordat hij weer zo hartelijk kon lachen.

·33·

'Regina Collins,' zei Annabelle kortaf, en ze overhandigde de vrouw haar kaartje. 'Ik heb een afspraak met de heer Keller.' Milton en zij stonden bij de receptie van Keller & Mahoney, Architecten, gevestigd in een hoog bakstenen gebouw niet ver van het Witte Huis. Annabelle droeg een elegante zwarte pantalon met bijpassend jasje dat haar inmiddels rode haar goed deed uitkomen. Milton stond achter haar. Hij trok verlegen zijn das recht en voelde aan het staartje dat Annabelle in zijn lange haar had gevlochten.

Even later liep een rijzige man van in de vijftig met lange passen op hen af. Hij had golvend grijs haar en droeg een gestreept overhemd met opgerolde mouwen. Zijn broek werd opgehouden met groene bretels.

'Mevrouw Collins?' Ze gaven elkaar een hand en Annabelle gaf hem haar visitekaartje.

'Meneer Keller. Heel vriendelijk van u dat u op zo'n korte termijn tijd voor ons hebt kunnen vrijmaken. Mijn assistent had u moeten bellen voordat we uit Frankrijk vertrokken, maar dat heeft hij niet gedaan. Tja, laten we het er maar op houden dat ik op zoek moet naar een nieuwe assistent.' Ze maakte een handgebaar naar Milton. 'Dit is mijn compagnon, Leslie Haynes.'

Milton gaf de man een hand. Het was duidelijk dat hij zich slecht op zijn gemak voelde.

Op Kellers kantoor gingen ze aan een kleine vergadertafel zitten.

'Ik weet dat u een drukbezet man bent, dus ik zal meteen terzake komen. Zoals ik u telefonisch al zei ben ik hoofdredacteur van een nieuw vakblad dat zich gaat richten op de Europese architectenwereld.'

Keller keek even naar het visitekaartje dat Annabelle die ochtend had laten drukken. '*Le Balustrade*. Slim gevonden.'

'Dank u wel. Het heeft het reclamebureau veel tijd en ons veel geld gekost om die titel te ontwikkelen. U begrijpt wel hoe dat gaat.'

Keller lachte. 'Reken maar. Wij zijn er ook een tijd mee zoet geweest, en hebben toen besloten het bedrijf gewoon naar onszelf te noemen.'

'Konden wij dat ook maar.'

'Maar u bent geen Française?'

'Nee, ik ben een overgeplante Amerikaan. Toen ik tijdens mijn studietijd een tijdje in Frankrijk zat in het kader van een studentenuitwisselingsprogramma, ben ik verliefd geworden op Parijs. Ik spreek de taal net goed genoeg om in een restaurant een maaltijd en een goede fles wijn te bestellen en me zo nu en dan in de nesten te werken.' Ze zei iets in het Frans. Keller lachte gegeneerd. 'Ik spreek de taal helaas niet,' zei hij.

Ze maakte een leren diplomatenkoffertje open en haalde er een notitieboekje uit. 'Voor het eerste nummer willen we een artikel over de renovatie van het Jefferson-gebouw, waarvoor uw firma verantwoordelijk was, samen met de officiële architect van het Capitool.'

Keller knikte. 'Dat was een hele eer voor ons.'

'En u bent er ook behoorlijk lang mee bezig geweest. Van 1984 tot 1995, is het niet?'

'U hebt uw huiswerk goed gedaan. Maar dat was inclusief de renovatie van het Adams-gebouw aan de overkant, en het reinigen en conserveren van de wandschilderingen in het Jefferson. Tien jaar lang ben ik bijna nergens anders mee bezig geweest.'

'En u hebt briljant werk geleverd. Naar ik heb begrepen was het al een gigantisch project om de hoofdleeszaal te restaureren. De structuur van het gebouw heeft veel problemen opgeleverd, vooral de pilaren die de koepel dragen. En het schijnt dat het oorspronkelijke gebint ook niet al te best was?'

Al die informatie had Milton diezelfde ochtend op internet gevonden en uitgeprint. Het waren minstens honderd velletjes geweest. Hij was stomverbaasd dat ze die gegevens nu zo achteloos rondstrooide.

'Het was inderdaad een uitdaging, ja. Natuurlijk gaat het wel om een gebouw van meer dan honderd jaar oud, en als je dat in aanmerking neemt dan hebben ze destijds voortreffelijk werk geleverd.'

'Maar dat u de Fakkel der Kennis op het hoogste punt van de koepel opnieuw hebt laten bekleden met 23 1/2-karaats bladgoud is toch wel een blijk van inspiratie.'

'Daar kan ik de eer niet voor opeisen, maar ik moet zeggen dat het wel heel fraai afsteekt tegen het kopergroen van de koepel.'

'Maar kunt wel de eer opeisen voor de geavanceerde constructietechnieken.'

'Dat is waar. Het gaat nu weer minstens honderd jaar mee. Maar dat mag ook wel als je bedenkt dat het meer dan tachtig miljoen dollar heeft gekost.'

'We mogen zeker geen fotokopie van de bouwtekeningen maken?'

'Ik ben bang van niet. Dat is een kwestie van beveiliging en zo.'

'Dat begrijp ik volkomen, maar ik moest het toch even vragen. Mogen we er wel naar kijken? Als ik het artikel ga schrijven wil ik volledig recht kunnen doen aan de ongelooflijke vindingrijkheid waarmee uw firma dit project heeft verwezenlijkt. En terwijl u ons erover vertelt, is het voor uzelf misschien wel prettig de tekeningen bij de hand te hebben. Ons tijdschrift verschijnt in acht landen. Niet dat uw firma die publiciteit nodig heeft, maar het kan ook zeker geen kwaad.'

Keller glimlachte. 'Nou, als ik het zo hoor dan zal uw artikel ons zeker geen windeieren leggen. We zaten er zelf ook al over te denken om het eens in het buitenland te proberen.'

'Kijk eens aan,' antwoordde Annabelle.

'Had u een bepaalde fase willen bekijken?'

'Eigenlijk wil ik het liefst alles zien, maar als ik moet kiezen dan gaat mijn voorkeur uit naar de kelder en de eerste verdieping, want ik heb gehoord dat die de grootste uitdaging vormden.'

'Het was allemaal even uitdagend, mevrouw Collins.'

'Zeg maar Regina. En het aanleggen van de verwarming en airconditioning?'

'Ja, dat was buitengewoon gecompliceerd.'

'Ik weet nu al dat dit een geweldig artikel wordt,' koerde Annabelle.

Keller pakte de telefoon, en een paar minuten later zaten ze naar de bouwtekeningen te kijken. Milton ging zo staan dat hij elke vierkante centimeter kon bestuderen en sloeg alle details zorgvuldig op in diepe spelonken in zijn hersenen. Intussen bleef Keller vertellen en stelde Annabelle vooral vragen over de brandblusinstallatie en het ventilatie-, verwarmings- en airconditioningsysteem in de kluizen van de leeszaal Zeldzame Boeken.

'Dus de brandblusapparatuur bevindt zich op een centraal punt en het gas wordt door de muren heen geleid?' vroeg ze, terwijl ze naar een bepaalde plek op de tekening wees.

'Precies. We zijn erin geslaagd het hele systeem op een centraal punt onder te brengen vanwaar we het brandblusmiddel via een uitgebreid buizenstelsel door het hele gebouw heen kunnen pompen. Overigens gaan ze op een ander middel overstappen.'

'Halon 1301 is enorm schadelijk voor de ozonlaag,' zei Milton. Het leverde hem een warme glimlach van Annabelle op. 'Aan de andere kant van de oceaan zitten we met hetzelfde probleem.'

'Hoe kan het anders?' zei Keller instemmend.

'En het leidingsysteem gaat via de kluizen rondom de leeszaal?' vroeg Annabelle.

'Ja, dat was nog een ingewikkeld karwei, want er was maar heel weinig ruimte, maar de belangrijkste leidingen hebben we over de pilaren van de boekenkasten heen laten lopen.'

'Terwijl ze toch nog steeds dragend zijn. Dat is echt heel slim gedaan,' zei Annabelle bewonderend.

Ze bekeken de bouwtekeningen nog een halfuur totdat Annabelle aankondigde dat ze tevreden was. 'Leslie?' zei ze tegen Milton. 'Heb jij nog vragen?'

Hij schudde zijn hoofd en zette glimlachend zijn gestrekte wijsvinger tegen zijn slaap. 'Het zit er allemaal in.'

Annabelle lachte en Keller lachte mee.

Ze nam een foto van Keller en zijn compagnon Mahoney voor bij het artikel, en beloofde een exemplaar van het tijdschrift te sturen.

Toen ze afscheid namen, zei Keller: 'Als u nog meer vragen hebt, belt u dan gerust.'

'U hebt ons heel goed geholpen,' zei Annabelle naar waarheid.

Terwijl ze in de huurauto stapten, zei Milton: 'Goddank, dat zit erop. Het water staat me in de handen.'

'Je hebt het prima gedaan, Milton. Die opmerking over Halon kwam precies op het juiste moment om het doelw... Keller op zijn gemak te stellen.'

'Ik vond het eigenlijk best leuk, al had ik een paar keer het gevoel dat ik moest overgeven.'

'Dat hoort er nou eenmaal bij. En je hebt ook stijl. Dat bleek wel uit die andere opmerking van je: "Het zit er allemaal in".'

Milton straalde. 'Vond je dat goed? Het ging helemaal vanzelf.'

'Je bent een natuurtalent, geloof me.'

Hij keek haar even zijdelings aan. 'Jij bent hier anders ook behoorlijk goed in.'

Ze reed weg. 'Gewoon beginnersgeluk.'

Terwijl Annabelle en Milton bij de architecten op bezoek waren, waagde Stone zich voorzichtig in de buurt van het huis waar Bob Bradley had gewoond. Hij droeg een breedgerande hoed, een overjas die hem te groot was en een ruimvallende pantalon. En hij had Goff meegenomen, Calebs hondje, dat was vernoemd naar de eerste directeur van de afdeling Zeldzame Boeken. Dat was een truc die hij vroeger wel vaker had gebruikt. De mensen koesterden zelden argwaan tegen een wandelaar die zijn hondje uitliet. Terwijl hij door de straat liep, zag hij dat er van Bradleys huis niet veel meer over was dan een zwartgeblakerde massa balken. Alleen de schoorsteen stond nog overeind. Het was het middelste van een drie-onder-een-kapwoning, en ook de twee aangrenzende huizen hadden aanzienlijke schade opgelopen. Langzaam keek Stone om zich heen. Dit was een minder welvarend deel van de stad. Een Amerikaanse parlementariër verdiende minder dan veel mensen dachten. En de huizenprijzen in D.C. waren torenhoog gestegen. Sommige congresleden, vooral de nieuwelingen, deelden vaak een huis in Washington, of overnachtten zelfs op hun kantoor. Maar Bradley had alleen gewoond.

Milton had wat achtergrondinformatie over hem kunnen vinden en zelf had hij zijn plakboeken geraadpleegd. Al met al had hij nu een globaal beeld van Bradley. Hij was in Kansas geboren en had een doorsnee politieke carrière doorlopen. Hij was twaalf keer gekozen in het Huis van Afgevaardigden en geleidelijk aan opgeklommen tot voorzitter van de commissie voor de Inlichtingendiensten. Die positie had hij tien jaar bekleed voordat hij tot voorzitter van het Huis was benoemd. Toen hij op zijn negenenvijftigste werd vermoord, liet hij een vrouw en twee volwassen kinderen achter, die alledrie in Kansas woonden. Stone had de indruk dat Bradley in zijn hele loopbaan nooit bij een schandaal betrokken was. Door nadrukkelijk te verklaren dat hij het Congres van corruptie zou zuiveren, had hij waarschijnlijk machtige vijanden gemaakt, wat mogelijk tot zijn dood had geleid.

Officieel was het onderzoek nog steeds niet afgesloten. Misschien begon de politie te vermoeden dat de terreurgroep niet werkelijk bestond en dat de dood van Bradley een veel gecompliceerdere zaak was dan het werk van een stelletje racistische en gewelddadige halvegaren.

Hij bleef staan bij een boom om Goff te laten plassen. Stone voelde gewoon dat hij werd geobserveerd. Hij was lang genoeg in de spionagebranche actief geweest om te weten dat de aan het andere eind van de straat geparkeerde truck een verkenningswagen was en dat de twee mannen die erin zaten opdracht hadden het huis van het slachtoffer in de gaten te houden. Een van de huizen eromheen was waarschijnlijk gevorderd door de FBI, die daar vierentwintig uur per etmaal en zeven dagen per week een onderzoeksteam op de uitkijk had staan. Op dit moment waren er ongetwijfeld verrekijkers en camera's op hem gericht. Hij trok zijn hoed nog wat dieper over zijn ogen, alsof hij bang was dat die van zijn hoofd zou waaien.

Toen hij weer om zich heen keek, merkte hij iets op. Hij draaide zich onmiddellijk om en liep zo snel de andere kant op dat hij Goff achter zich aan sleurde. Een witte bestelwagen met het opschrift OPENBARE WERKEN was net om de hoek verschenen en reed nu zijn kant uit. Hij was niet van plan uit te zoeken of er mensen in zaten die folteren tot hun specialiteit hadden gemaakt.

Bij de volgende kruising ging hij rechtsaf. Twee straten verder hield hij zijn pas iets in en keek voorzichtig achterom, terwijl hij Goff bij een struik liet rondscharrelen. De bestelbus was nergens te bekennen. Toch kon het een list zijn om hem om de tuin te leiden. Hij pakte zijn mobieltje en belde Rueben. Die was nog in de haven, maar had net uitgeklokt.

'Ik ben over vijf minuten bij je, Oliver,' zei hij. 'Twee straten verderop is een politiebureau. Loop maar vast die kant op. Als die klootzakken iets proberen dan zet je het gewoon op een schreeuwen.'

Stone volgde zijn advies op. Je kon veel van Rueben zeggen, maar hij was een trouwe en moedige kameraad.

Even later kwam Rueben aanscheuren in zijn pick-uptruck, en Stone en Goff stapten haastig in.

'Waar is je motor?' vroeg Stone.

'Die eikels hebben hem gezien. Ik dacht dat ik die maar beter even thuis kon laten.'

Toen ze een heel eind van Bradleys huis verwijderd waren, minderde Rueben vaart en parkeerde de wagen langs de stoeprand.

'Ik heb voortdurend in mijn spiegel gekeken,' zei hij, 'maar ik heb geen bestelbus gezien.'

Stone was niet overtuigd. 'Ze moeten me over straat hebben zien lopen.'

'Je vermomming heeft gewerkt. Ze hebben je niet herkend.'

Stone schudde zijn hoofd. 'Dat soort mensen laten zich niet zo makkelijk bedonderen.'

'Nou, misschien houden ze je in de gaten in de hoop dat je ze naar de pot met goud zal leiden.'

'Dan kunnen ze lang wachten.'

'O, dat had ik nog willen zeggen. Dat maatje van het Pentagon heeft me teruggebeld. Hij had niet veel te melden over Behan en dat militaire contract, maar hij kwam wel met iets anders. Er heeft al het een en ander in de krant gestaan over gestolen geheimen en lekken, maar het schijnt in werkelijkheid nog veel erger te zijn. Volgens die vriend van mij wordt er geheime informatie verkocht aan onze vijanden in het Midden-Oosten en Azië.'

Stone frunnikte aan Goffs halsband en zei: 'Rueben, hebben je vrienden bij de recherche en de FBI al van zich laten horen?'

'Nee, nu je het zegt. Vreemd. Ik snap er niets van.'

O, ik snap het best, dacht Stone. Ik snap het maar al te goed.

•35•

Later op de avond kwamen ze bij elkaar in Stones huisje, waar Annabelle en Milton verslag uitbrachten van hun bezoek aan de architecten. Met behulp van zijn verbazingwekkende geheugen had Milton gedetailleerde plattegronden gemaakt van de ruimte waar niet alleen de brandblusinstallatie was ondergebracht, maar ook het verwarmings- en aircosysteem.

Caleb zat er aandachtig naar te kijken. 'Ik weet precies waar het is. Ik dacht dat het gewoon een opslagruimte was.'

'Is het afgesloten?' vroeg Stone.

'Dat zou best kunnen.'

'Ik heb vast wel een paar sleutels die erop passen,' zei Stone.

Caleb keek hem verbaasd aan. 'Wat bedoel je?'

'Volgens mij bedoelt hij dat hij van plan is om in te breken,' zei Annabelle.

'Oliver, dat meen je toch niet,' sputterde Caleb. 'Dat je je uitgeeft voor een Duitse geleerde om de kluis in te komen is tot daar aan toe, maar bij inbreken trek ik de grens.'

Annabelle keek Stone nieuwsgierig aan. 'Jij een Duitse geleerde? Indrukwekkend.'

'Ga hem nou niet nog aanmoedigen ook,' snauwde Caleb. 'Oliver, ik ben ambtenaar.'

'Dat zullen we nooit tegen je gebruiken, hoor,' zei Rueben.

'Caleb, als we die ruimte niet binnenkomen, dan hebben Milton en Annabelle al die moeite voor niets gedaan.' Stone wees naar de plattegrond. 'Je ziet dat de leiding naar de kluis ook door de ruimte loopt waar de brandblusinstallatie is ondergebracht. We kunnen ze allebei in één keer bekijken.'

Caleb schudde zijn hoofd. 'Het is vlak bij een gang waar altijd mensen rondlopen. We worden vast gepakt.'

'Niet als we doen alsof we daar horen.'

'Hij heeft gelijk, Caleb,' zei Annabelle.

'Ik ga mee,' voegde Rueben eraantoe. 'Ik wil ook weleens mee als het leuk wordt.'

'Ik ga ook mee,' zei Milton.

'Ik kan daar niet met een heel leger naar binnen lopen,' jammerde Caleb.

'Wij zijn de back-up, Milton,' zei Annabelle. 'Bij elk plan moet je reke-

174

ning houden met onverwachte omstandigheden.'

Stone keek haar verwonderd aan. 'Prima, dan zijn jullie de back-up. Vanavond gaan we.'

'Vanavond!' riep Caleb. 'Ik heb minstens een week nodig om moed te verzamelen. Ik heb heel zwakke zenuwen. Ik ben begonnen in de bibliotheek op een basisschool, maar ik was niet bestand tegen de druk.'

'Maak je geen zorgen, Caleb,' zei Milton. 'Ik voelde me vandaag net zo, maar het is helemaal niet moeilijk om mensen voor de gek te houden. Als ík een paar architecten om de tuin kan leiden, dan kun jij het toch ook op je eigen werkplek? Wat kunnen ze je in hemelsnaam vragen dat je niet weet?'

'Misschien vragen ze hoe ik het in mijn hoofd heb gehaald hieraan te beginnen,' zei Caleb nijdig. 'En trouwens, tegen de tijd dat we er zijn, gaat het gebouw al bijna dicht.'

'Kun je ons dan nog naar binnen loodsen met je pasje?'

'Ik weet het niet,' zei hij ontwijkend. 'Misschien wel, misschien niet.'

'Caleb,' zei Stone rustig, 'we moeten dit doen.'

Caleb zuchtte. 'Ik weet het. Ik weet het.' Nijdig voegde hij eraantoe: 'Gun me dan in elk geval het genoegen om te doen alsof ik me met hand en tand verzet.'

Annabelle legde glimlachend haar hand op zijn schouder. 'Je doet me denken aan een vriend van me. Hij heet Leo. Die vindt het heerlijk om te zeuren en te klagen, maar uiteindelijk komt hij altijd zijn afspraken na.'

'Dat zal ik dan maar als een compliment opvatten,' zei Caleb stijfjes.

Stone sloeg een van zijn plakboeken open. 'Ik denk dat ik weet waar we mee te maken hebben, in elk geval voor een deel.'

Alle aandacht was nu op hem gericht. Voordat hij begon te vertellen, zette hij zijn draagbare radio aan, zodat er luide klassieke muziek door de kamer schalde. 'Voor het geval we worden afgeluisterd.' Hij schraapte zijn keel en vertelde over zijn uitstapje naar de ruïne van Bradleys huis. 'Ze hebben hem vermoord en vervolgens zijn huis opgeblazen. Eerst dacht ik dat ze daarmee dat verhaal over die terroristen geloofwaardiger wilden maken, maar nu denk ik dat er een andere reden voor is. Hoewel Bob Bradley bekend stond als onkreukbaar, vermoed ik dat hij corrupt is geweest. En door die explosie is het bewijsmateriaal voor die corruptie verdwenen.'

'Onmogelijk,' zei Caleb. 'Zijn voorganger was een schurk, maar híj niet. Ze hebben hem juist tot voorzitter benoemd om de zaak daar eens grondig uit te mesten.'

Stone schudde zijn hoofd. 'In mijn ervaring met de politiek in Washington word je geen voorzitter van het Huis van Afgevaardigden door te beloven de corruptie aan te pakken. Je wordt benoemd tot voorzitter door in de loop der jaren veel steun te winnen en veel nuttige bondgenootschappen te sluiten. Maar Bradleys benoeming was wel een bijzonder geval. Als de fractieleider van de grootste partij niet tegelijk met de vorige voorzitter veroordeeld was, dan zou hij die baan hebben gekregen. En na de fractieleider was er altijd nog de *whip*, zijn adjunct, een soort ordebewaarder binnen de fractie. Het hele leiderschap van de partij was zo besmet door het schandaal dat Bradley als de spreekwoordelijke sheriff van buiten de stad werd binnengehaald om de rotzooi op te ruimen. Maar over dat soort corruptie heb ik het niet.

Doordat Bradley zo'n belangrijke rol had als voorzitter zijn we geneigd te vergeten dat hij nog een belangrijke functie bekleedde. Hij was voorzitter van de commissie voor de Inlichtingendiensten. In die hoedanigheid moet hij op de hoogte zijn geweest van alle geheime operaties van de Amerikaanse inlichtingendiensten, waaronder de CIA, de NSA en het Pentagon. Hij en zijn stafmedewerkers moeten toegang hebben gehad tot geheimen en geheime documenten die onze vijanden heel wat waard zijn.' Stone bladerde zijn plakboek door. 'De afgelopen jaren zijn er verschillende artikelen in de pers verschenen over infiltratie in Amerikaanse inlichtingendiensten, en in sommige gevallen heeft dat geleid tot de dood van geheim agenten. In het meest recente geval ging het om vier verbindingsmedewerkers van het ministerie van Buitenlandse Zaken. En volgens Ruebens bronnen is het nog veel erger dan de media beweren.'

'Dus jij denkt dat Bradley een spion was?' vroeg Milton.

'Ik zeg alleen dat het een mogelijkheid is.'

'Maar als Bradley samenwerkte met vijanden van Amerika,' zei Caleb, 'waarom zouden die hem dan vermoorden?'

'Er zijn twee mogelijkheden,' zei Stone. 'Ten eerste kan hij meer geld geëist hebben en besloten ze daarom hem uit de weg te ruimen, of...'

'Of wij hebben hem vermoord,' zei Annabelle.

Stone keek haar aan en knikte.

'Wij?' riep Caleb. 'De Amerikaanse overheid, bedoel je?'

'Waarom zouden ze hem vermoorden? Waarom slepen ze hem niet gewoon voor de rechter?' zei Milton.

'Omdat het dan allemaal op straat komt te liggen,' zei Stone.

'Misschien willen de CIA en het Pentagon niet dat het algemeen bekend wordt dat ze zich hebben laten bespioneren,' voegde Rueben eraantoe.

'En de CIA staat niet bekend om zijn mededogen,' zei Stone droogjes.

'Maar als onze eigen overheid erachter zat, Oliver, wie waren dan de mensen die je hebben ontvoerd en gemarteld?' vroeg Milton.

Annabelle keek hem verbaasd aan. 'Ben je gemarteld?'

'Laten we zeggen dat ik nogal hardhandig ben verhoord,' zei Stone. 'Om antwoord te geven op je vraag, Milton, ik weet niet welke rol mijn ontvoerders in dit geheel spelen. Het lijkt me nogal onzinnig dat onze overheid geïnteresseerd is in wat wij hebben ontdekt als ze Bradley zelf hebben laten vermoorden. Dan wisten ze dat natuurlijk al veel eerder dan wij.'

'Misschien heeft een overheidsdienst Bradley op eigen houtje laten vermoorden, en probeert een andere dienst er nu achter te komen wat er is gebeurd,' zei Annabelle. 'In dat geval heeft de ene dienst het met de andere aan de stok.'

Stone keek haar bewonderend aan. 'Dat is een interessante theorie.'

'Denk je nog steeds dat dit iets met Jonathans dood te maken heeft?' vroeg Annabelle.

'De gemeenschappelijke factor is Cornelius Behan,' zei Stone. 'Dat hij de Congresbibliotheek binnen kwam lopen en zo'n belangstelling had voor de brandblusinstallatie lijkt onze achterdocht te rechtvaardigen. En om te weten te komen wat er nu eigenlijk aan de hand is, moeten we erachter zien te komen hoe Jonathan gestorven is.'

'En daarom moeten we inbreken in de Congresbibliotheek,' kreunde Caleb.

Stone legde zijn hand op zijn schouder. 'Als het je geruststelt, ik heb wel vaker bij overheidsgebouwen ingebroken.'

36

De bewakers kenden Caleb en geloofden hem toen hij zei dat hij in belangrijk gezelschap was dat hij na sluitingstijd een rondleiding had beloofd.

In de lift naar de kelder klaagde Caleb: 'Ik heb er geen goed gevoel bij. Het lijkt wel of ik een misdrijf heb gepleegd!'

'O, dat misdrijf komt nog, Caleb,' zei Stone, en hij liet zijn sleutelbos zien. 'Dat van daarnet was hooguit een overtreding.'

Caleb keek hem woedend aan.

Ze liepen naar de ruimte die ze zochten. Het duurde niet lang voordat Stone een sleutel had gevonden waarmee de grote dubbele toegangsdeuren geopend konden worden. Een ogenblik later stonden ze in een grote zaal. De brandblusinstallatie bevond zich tegen een van de wanden.

'Nu snap ik waarom die deuren zo groot zijn,' zei Stone.

De gascontainers wogen zo te zien bijna een ton. Ze hadden nooit door een gewone deur gekund. Enkele waren verbonden met pijpleidingen in het plafond.

Op alle containers zat een etiket met het opschrift HALON 1301. 'Fire Control, Inc.,' las Stone hardop. Dat was kennelijk de naam van het bedrijf dat de apparatuur had geïnstalleerd, en die stond ook op de containers. Vervolgens keek hij eens goed naar de pijpleidingen. 'Dit hier is een schakelaar waarmee de gastoevoer wordt opengedraaid. En de buizen lopen waarschijnlijk niet alleen naar de boekenkluizen, maar ook naar andere ruimtes. Het is me niet duidelijk welke container is aangesloten op de leiding naar de kluis waar jij bent flauwgevallen, Caleb.'

Rueben keek mee over Stones schouders. 'En er valt niet te zien of er gas uit is verbruikt of niet.'

Stone liep naar de leidingen, haalde de plattegrond tevoorschijn die Milton had gemaakt en keek naar een stel buizen die loodrecht naar het plafond oprezen.

'Waarom heb je zoveel belangstelling voor die buizen, Oliver?' vroeg Rueben.

'Als Jonathan met dit gas is vermoord, dan moet de moordenaar geweten hebben waar hij zich bevond toen hij de gastoevoer openzette.'

'Je hebt gelijk,' zei Caleb. 'Daar had ik nog niet aan gedacht. Omdat er geen brand was die automatisch de blusinstallatie inschakelde, moet die met de hand zijn ingeschakeld. Maar daarvoor moet je hier in deze ruimte zijn. Hoe kon de moordenaar dan weten in welk deel van de kluis Jonathan zich bevond?'

'Ik denk dat hij Jonathans dagelijkse routine kende. Jonathan was altijd de eerste die 's ochtends de kluis binnenging, en daar volgde hij altijd een vast patroon.'

Rueben schudde zijn hoofd. 'Oké, maar Caleb heeft gezegd dat DeHaven een meter of zes van de sproeier lag, dus op een plek waar hij niet aan het gas kon ontsnappen. Hoe kon de moordenaar dat weten terwijl hij in de kelder zat?'

Stone keek naar Miltons plattegrond en wees naar het buizenstelsel. 'Deze leiding hier gaat rechtstreeks naar de boekenkluis en doorloopt alle verdiepingen.'

'Dus?'

Stone liep onderzoekend om de installatie heen en bleef ineens staan. Hij wenkte Rueben en Caleb en wees naar een plek op de zijkant.

'Waarom zou er een luikje in zitten?' wilde Rueben weten.

Stone opende het kleine paneel en keek naar binnen. 'Caleb, herinner je je dat rooster nog waarvan de spijlen waren verbogen?'

'Ja, hoezo?'

'Stel dat iemand een camera met een lange kabel in de luchtkoker heeft geschoven die van de kluis naar de installatie hier loopt. Dan moet hij de spijlen van het rooster uit elkaar hebben gebogen. De camera zou registreren waar DeHaven zich precies bevond. En als hier beneden iemand naar een monitor zat te kijken die via die kabel met de camera verbonden was, dan kon hij al Jonathans bewegingen volgen.'

'Wel verdomme,' zei Rueben. 'En ze hebben de verwarmingsleiding gebruikt...'

'...om vanaf hier een kabel naar de kluis te leggen,' zei Stone. 'Het signaal van een draadloze zender zou nooit door al dat beton heen komen. Als we achter dat verbogen rooster in de kluis kijken, zullen we waarschijnlijk weten hoe de camera is aangebracht. De moordenaar wacht tot hij Jonathan op zijn beeldscherm ziet, en zet dan de schakelaar om. Het alarmsysteem heeft hij van tevoren uitgeschakeld, en nog geen tien seconden nadat hij de schakelaar heeft omgezet, is de kluis gevuld met gas en even later is Jonathan gestikt.'

'Maar de dader moet daarna de camera zijn gaan halen,' zei Rueben. 'Waarom heeft hij het rooster niet meteen recht gebogen?'

'Dat heeft hij misschien geprobeerd, maar verbogen spijlen krijg je moeilijk weer in model.' Hij keek naar Caleb. 'Gaat het wel?'

Caleb zag asgrauw. 'Als dat allemaal waar is, dan is Jonathan door iemand van de Congresbibliotheek vermoord. Niemand anders komt zonder begeleiding de kluis in.'

'Stil!' siste Rueben.

Geschrokken keek Stone naar de deur. 'Er komt iemand aan. Snel, hierachter.'

Haastig verscholen ze zich achter de grote installatie. Caleb stond te trillen op zijn benen. Ze waren maar net op tijd voordat de dubbele deuren opengingen en vier mannen in overall binnenkwamen. Achter hen reed een vorkheftruck met een vijfde man de ruimte binnen. De zesde die binnenkwam was duidelijk de baas. Hij hield een klembord in de hand, en de andere mannen gingen om hem heen staan.

'Oké, we nemen deze, deze en deze,' zei hij, en hij wees naar drie gascontainers, waarvan twee waren aangesloten op de pijpleidingen. 'En die vervangen we door de drie op de truck.'

Terwijl Stone en de anderen vanuit hun schuilplaats toekeken, begonnen de mannen zorgvuldig de reusachtige gevaartes los te koppelen.

Rueben keek even naar Stone, die hoofdschuddend zijn wijsvinger voor zijn lippen hield. Caleb stond zo hevig te trillen dat Stone en Rueben hem bij een arm pakten om hem overeind te houden.

Een halfuur later tilde de vorkheftruck de drie containers op, en nadat die waren vastgesjord, werden de drie nieuwe aangesloten. Vervolgens reed de vorkheftruck de ruimte uit en liepen de andere mannen erachteraan. Zodra de deuren zich achter hen sloten, liep Stone op de nieuwe containers af en las het opschrift. 'FM-200. Dit is het nieuwe brandblusmiddel, Caleb.'

'Dat zal wel, ja,' zei Caleb.

'Oké, we moeten ze volgen,' zei Stone.

'Nee,' jammerde Caleb. 'Oliver, nee, alsjeblieft.'

'Caleb, we moeten wel.'

'Ik... wil... niet... dood!'

Stone schudde hem door elkaar. 'Caleb, rustig. Nú!'

Caleb stond hem even sprakeloos aan te staren, en zei toen boos: 'Ik wil niet dat je me zo beetgrijpt.'

Stone besteedde er geen aandacht aan. 'Waar is het laadperron?'

Caleb vertelde het hem. Op het moment dat ze de kamer uit liepen, begon Stones mobieltje te piepen. Het was Milton, en Stone vertelde hem wat er aan de hand was. 'We moeten achter die gascontainers aan,' zei hij. 'We houden jullie op de hoogte.'

Milton verbrak de verbinding en keek op naar Annabelle. Ze zaten in haar hotelkamer. Hij vertelde wat hij zojuist van Stone had gehoord.

'Dat kan nog gevaarlijk worden,' zei ze. 'Ze hebben geen idee waar ze in verwikkeld kunnen raken.'

'Maar wat gaan we doen?'

'Wij zijn hun back-up, weet je nog?'

Ze rende naar de kast en trok een kleine doos uit een tas. Milton werd vuurrood toen hij zag dat het een tampondoos was.

'Niet zo verlegen, Milton. Als een vrouw iets wil verstoppen, verbergt ze het hierin.' Ze maakte de doos open, haalde er iets uit en stopte het in haar zak. 'Fire Control zeiden ze, hè? Ze zullen wel naar de opslagloods van dat bedrijf gaan. Weet jij die te vinden?'

'Je hebt hier internetaansluiting, dus ik kan het zo opzoeken,' zei Milton. Zijn vingers vlogen al over het toetsenbord.

'Mooi. Is hier ergens een feestwinkel in de buurt?'

Hij dacht even na. 'Ja, ze hebben er ook goochelspullen. En ze zijn 's avonds open.'

'Precies wat ik zoek.'

37

De truck van Fire Control, Inc. werd op discrete afstand gevolgd door een oude Chevy Nova. Caleb zat achter het stuur, Stone zat naast hem en Rueben zat op de achterbank.

'Waarom bellen we niet gewoon de politie?' jammerde Caleb. 'Laat die het toch opknappen.'

'Wat moeten we dan zeggen?' zei Stone. 'We weten niet beter of die mannen hebben oude gascontainers verwisseld voor nieuwe. Je hebt zelf gezegd dat de Congresbibliotheek ze wilde vervangen. En bovendien moeten we omzichtig te werk gaan, dus geen politie.'

'Geweldig!' snauwde Caleb. 'Dus nu moet ík de risico's lopen in plaats van de politie? Waar betaal ik verdomme nog belasting voor?'

De truck sloeg linksaf en meteen daarna rechtsaf. Ze hadden de omgeving van Capitol Hill inmiddels verlaten en bevonden zich nu in een vervallen deel van de stad.

'Afremmen,' zei Stone toen de truck stopte.

Caleb parkeerde de wagen langs de stoeprand. De truck was gestopt bij een hek dat door een bewaker van binnenuit werd geopend.

'Dit is de opslag,' zei Stone.

De truck reed het terrein op en het hek ging weer dicht.

'Nou, verder kunnen we hier niets meer doen,' zei Caleb opgelucht. 'Laten we gaan. God, wat een nachtmerrie. Ik ben hard aan een cappuccino toe.'

'We moeten op het terrein gaan kijken,' zei Stone.

'Mee eens,' zei Rueben.

'Zijn jullie nou helemaal gek geworden!' riep Caleb.

'Jij kunt in de auto wachten Caleb,' zei Stone. 'Maar ik wil zien wat ze daar uitspoken.'

'En als jullie gepakt worden?'

'Dan worden we gepakt,' zei Stone. 'Dat risico moeten we maar nemen.'

'En ik kan in de auto blijven,' zei Caleb langzaam. 'Maar het lijkt me niet eerlijk dat jullie meer risico...'

Stone viel hem in de rede. 'Het is beter dat jij achter het stuur blijft zitten, zodat we in geval van nood meteen weg kunnen rijden.'

'Zo is het, Caleb,' zei Rueben instemmend.

'Nou, als jullie denken dat dat het beste is...' Caleb klemde zijn handen stevig om het stuur en er verscheen een vastberaden uitdrukking op zijn gezicht.

Stone en Rueben stapten de auto uit en liepen naar de omheining. Vanachter een stapel oude planken buiten het hek zagen ze de truck aan de achterkant van het terrein tot stilstand komen. De mannen stapten uit en liepen het hoofdgebouw binnen. Een paar minuten later kwamen ze in hun gewone kleren weer naar buiten en reden in hun eigen auto weg. Toen de laatste het terrein af was gereden, sloot een bewaker het hek af en liep het hoofdgebouw in.

'Waarschijnlijk kunnen we beter proberen aan de andere kant over het hek te klimmen,' zei Rueben. 'Bij de truck. Dan staat die tussen ons en het gebouw in en kan de bewaker ons niet zien als hij weer naar buiten komt.'

'Goed plan,' zei Stone.

Snel liepen ze naar de andere kant van het terrein. Voordat ze begonnen te klimmen gooide Stone een stok tegen het hek. 'Ik wil even zeker weten dat het niet onder stroom staat.'

'Heel goed.'

Toen ze tegen het harmonicagaas op waren geklommen, lieten ze zich aan de andere kant op de grond zakken en liepen toen gehurkt naar de truck. Halverwege bleef Stone staan en gebaarde Rueben dat hij plat op de grond moest gaan liggen. Ze speurden de omgeving af maar zagen niemand. Ze wachtten nog een minuut en gingen toen verder. Plotseling liep Stone in de richting van een betonnen gebouwtje vlak bij het hek. Rueben kwam haastig achter hem aan.

Er zat een slot op de deur, maar Stone kreeg het met een van zijn sleutels open.

De kleine ruimte stond vol met gascontainers. Stone haalde zijn zaklamp tevoorschijn en keek om zich heen. Ze zagen een met gereedschap bezaaide werkbank. In een hoek lag een verfspuit met daaromheen een paar blikken verf en flessen terpentine. Aan de muur hingen een draagbare zuurstoffles en een persluchtmasker. Stone liet de lichtbundel over de containers strijken en las FM-200. INERGEN. HALON 1301. CO2, FE-25. Hij keek nog eens aandachtig naar de opschriften op de container met kooldioxide.

Rueben gaf hem een por in zijn zij. 'Moet je kijken.' Hij wees naar een bordje aan de muur.

'Fire Control, Inc. Dat wisten we al,' zei Stone ongeduldig.

'Nee, wat eronder staat.'

Stone haalde diep adem. 'Fire Control is een onderdeel van Paradigm Technologies, Inc.'

'Dat is het bedrijf van Cornelius Behan,' zei Rueben opgewonden.

'En dat wil zeggen dat hij tegen Caleb heeft gelogen toen hij deed alsof hij niet wist wat dat sproeistuk in de kluis precies was.'

Caleb zat in de Nova zenuwachtig naar het omheinde terrein te kijken. 'Schiet op,' prevelde hij. 'Wat zijn jullie toch aan het doen?'

Ineens dook hij opzij. Er kwam een auto langs die duidelijk op weg was naar het opslagterrein. Toen de auto voorbij was, ging hij weer rechtop zitten en voelde zijn hart bijna overslaan. Het was een surveillancewagen van een particuliere beveiligingsdienst met een grote Duitse herder op de achterbank.

Caleb haalde zijn mobieltje tevoorschijn om Stone te bellen, maar de batterij was leeg. Hij had zo de pest aan het ding dat hij voortdurend vergat het op te laden.

'O god,' kreunde hij. Toen haalde hij diep adem. 'Je kunt het, Caleb Shaw. Je kunt het.' Hij concentreerde zich en citeerde een dramatische passage uit een van zijn favoriete gedichten: 'Een halve mijl, een halve mijl verder, tot in de Vallei des Doods reden de zeshonderd. Voorwaarts de Lichte Brigade! Op naar de kanonnen! Tot in de Vallei des Doods reden de zeshonderd.' Hij zweeg en keek voor zich uit naar de plek waar het echte drama zich voltrok, met gevaarlijke honden en gewapende mannen. De moed zakte hem in de schoenen toen hij zich realiseerde dat die moedige cavaleristen van de Lichte Brigade bijna allemaal gesneuveld waren.

'Tennyson had geen flauw benul van het echte gevaar,' gromde hij.

Hij stapte de auto uit en liep aarzelend naar het hek.

Stone en Rueben waren inmiddels weer buiten en liepen naar de truck.

'Jij houdt de wacht,' zei Stone, 'en ik ga even kijken.' Hij klauterde de laadbak in en liet het licht van zijn zaklamp over de etiketten schijnen. Op één na hadden ze allemaal het opschrift Halon 1301. Op het andere etiket stond FM-200. Stone had een fles terpentine en wat poetskatoen uit het gebouwtje meegenomen en wreef nu wat terpentine op het etiket.

'Schiet op, schiet op!' zei Rueben, terwijl hij snel om zich heen keek.

Toen de verf begon op te lossen, zag Stone wat er eerder had gestaan. CO_2, las hij. 5000 PPM.

'O, christus,' siste Rueben. 'Wegwezen, Oliver!'

Stone keek over de zijkant van de laadbak. Niet ver van het hek aan de voorkant van het terrein sprong de herdershond uit de surveillancewagen.

Stone haastte zich de laadbak uit. Tussen de truck en de surveillancewagen in renden ze gebukt naar het hek. Maar de hond had hen in de gaten. Met woedend gejank rende het dier op hen af, met de twee bewakers achter zich aan.

Stone en Rueben sprongen tegen het hek op, maar de hond had zijn kaken al om Ruebens broekspijp geklemd.

Aan de andere kant van het hek stond Caleb machteloos toe te kijken en probeerde moed te verzamelen om in actie te komen.

'Geen beweging!' riep een stem. Rueben probeerde zijn been te bevrijden, maar de hond liet niet los. Stone keek omlaag en zag dat de bewakers hun pistool op hen gericht hielden.

'Kom naar beneden of de hond bijt je been eraf,' snauwde een van de bewakers. 'Nu!'

Langzaam lieten Stone en Rueben zich omlaag zakken. De bewaker riep zijn hond terug. De herder liet los, maar liet nog steeds grommend zijn tanden zien.

'Dit is allemaal een simpel misverstand,' zei Stone.

'Vertel dat maar aan de politie,' grauwde de andere bewaker.

'Wij nemen het verder wel over, jongens,' riep een vrouwenstem.

Ze keken allemaal om. Voor het hek, bij haar zwarte personenauto, stond Annabelle. Naast haar stond Milton in een blauw windjack en met een honkbalpetje op met het opschrift FBI.

'Wie zijn jullie nou weer, verdomme?' zei een van de bewakers.

'FBI. Agent McCallister en agent Dupree.' Ze hield haar badge op en trok haar jasje wat verder open, zodat ze haar penning konden zien en het pistool in de holster aan haar riem. 'Maak het hek open en hou die hond uit de buurt!' snauwde ze.

'Wat heeft de FBI hier te zoeken?' zei dezelfde bewaker zenuwachtig terwijl hij haastig het hek opendeed.

Annabelle en Milton stapten het terrein op. 'Wijs ze op hun rechten en doe ze handboeien om.' Milton haalde twee paar handboeien tevoorschijn en liep naar Stone en Rueben toe.

'Hé, wacht eens even,' zei de andere bewaker. 'We hebben opdracht om alle indringers over te dragen aan de politie.'

Annabelle ging vlak voor de nogal dikke jongeman staan en nam hem eens aandachtig op. 'Hoe lang zit jij al in de beveiliging, jongen?'

'Dertien maanden. Ik heb een wapenvergunning,' zei hij uitdagend.

'Dat geloof ik best, maar stop dat verdomde pistool van je nou maar snel weg voordat er ongelukken gebeuren.' Terwijl hij met duidelijke tegenzin zijn pistool in de holster schoof, hield Annabelle haar identiteitsbewijs op. 'Dit hier gaat altijd boven de plaatselijke politie, oké?' Ze had het Freddy voor alle zekerheid laten maken en in haar tamponhouder verborgen totdat het van pas kwam, zoals nu.

De bewaker slikte nerveus. 'Maar we hebben vaste procedures.' Hij wees naar Stone en Rueben die inmiddels door Milton in de handboeien waren geslagen. Op de rug van Miltons windjack stonden eveneens de letters FBI te lezen. Dat hadden ze gekocht bij de feestwinkel, net als hun neppistolen, badges en handboeien. 'En ze bevonden zich zonder permissie op privéterrein.'

Annabelle lachte. 'Hebben jullie ook maar enig benul wie jullie zojuist hebben opgepakt? Nou?'

De twee bewakers keken elkaar aan. 'Twee ouwe zwervers?' zei de ene.

'Hé, akelig onderkruipsel dat je bent!' brulde Rueben met gespeelde woede en hij sprong naar voren. Onmiddellijk trok Milton zijn pistool en zette het tegen Ruebens hoofd. 'Bek houden, vetzak, of ik schiet je kop eraf!'

Rueben bleef onmiddellijk doodstil staan.

Annabelle zei: 'Dit fors uit de kluiten gewassen, o zo vriendelijke heerschap is Randall Weathers. Hij wordt gezocht wegen drugshandel, fraude, twee moorden, waarvan één met voorbedachten rade, en een bomaanslag op het huis van een federale rechter in Georgia. De ander is Paul Mason, ook bekend als Peter Dawson en nog zestien andere valse namen. Deze hufter heeft rechtstreekse connecties met een terroristencel uit het Midden-Oosten die actief is in de naaste omgeving van het Capitool. Vanavond zijn we hem op het spoor gekomen en tot hier gevolgd. Zo te zien waren ze bezig met een verkenningsmissie en zijn ze van plan om explosief gas te stelen. We denken dat ze het deze keer op het Hooggerechtshof gemunt hebben. Je parkeert een vrachtwagen vol met dat spul voor de deur, met een tijdklok erbij, en dan kun je op veilige afstand toekijken hoe negen rechters de lucht in vliegen.' Ze keek Rueben en Stone vol weerzin aan. 'Deze keer krijgen jullie echt een douw, jongens.' En onheilspellend voegde ze eraantoe: 'De allerzwaarste straf die er is.'

'Verdomme, Earl,' zei de ene bewaker opgewonden tegen de andere. 'Terroristen!'

Annabelle haalde een notitieboekje tevoorschijn. 'Ik zal jullie namen even noteren. Op het hoofdkwartier zullen ze wel willen weten wie ze een eervolle vermelding moeten toekennen vanwege hulp en bijstand bij deze arrestatie.' Ze glimlachte. 'En volgens mij staat jullie een flinke opslag te wachten.'

De twee bewakers keken haar breed grijnzend aan. Nadat ze Annabelle hadden verteld hoe ze heetten, zei ze tegen Milton: 'Zet ze maar snel in de auto, Dupree. Hoe eerder we met deze klootzakken op het WFO zitten, hoe beter.' Daarna richtte ze zich weer tot de bewakers. 'We halen de plaatselijke politie er nog wel bij, maar eerst gaan we deze heren zelf verhoren. Op de FBI-manier.' Ze knipoogde. 'Maar dat hebben jullie niet van mij, hoor.'

Ze grijnsden haar allebei veelbetekenend toe. 'Schop ze maar helemaal verrot,' zei Earl.

'Doen we. Jullie horen nog van ons.'

Ze zetten Stone en Rueben op de achterbank en reden weg.

Caleb bleef wachten totdat de bewakers uit het zicht waren, rende toen terug naar zijn auto en reed achter Annabelle aan.

In de auto maakte Milton de handboeien los.

'Goh, Milton, wat kan jij grof zijn,' zei Rueben bewonderend.

Milton straalde. Hij deed zijn honkbalpetje af, zodat zijn lange haar naar beneden viel.

'Bedankt,' zei Stone tegen Annabelle. 'Dat was geen half werk.'

'Als je iets doet, moet je het goed doen,' zei ze. 'En waar gaan we nu naartoe?'

'Naar mijn huis,' zei Stone. 'We hebben een hoop te bespreken.'

·38·

Langzaam reed Roger Seagraves met zijn huurauto door de stille straten van een dure buurt in Washington. Bij Good Fellow Street sloeg hij linksaf. Op dit uur was het in bijna alle huizen donker. Toen hij langs het huis van Jonathan DeHaven kwam, leek hij niet eens opzij te kijken. Er was weer een onweersbui zijn kant op gekomen. Hij begon een beetje genoeg van al dat onweer te krijgen. Toch was het echt een perfect plan, en dat kon hij gewoon niet voorbij laten gaan. Hij bleef langzaam rijden alsof hij op z'n gemak een ritje langs de oude herenhuizen maakte. Hij reed een blokje om, draaide daarna een straat in die evenwijdig liep aan Good Fellow Street en nam intussen de omgeving zorgvuldig in zich op.

De omgeving in je opnemen was één ding, maar een plan bedenken iets heel anders. Daar had hij tijd voor nodig. Er was hem één ding opgevallen: in het huis tegenover dat van Behan stond iemand door een verrekijker te turen. Waar keek hij naar? Wat het ook mocht zijn, hij zou er rekening mee moeten houden bij het opstellen van zijn plan. En met toeschouwers erbij was er maar één manier om te doden en je daarna uit de voeten te maken.

Toen hij klaar was met zijn verkenningstocht parkeerde hij zijn huurauto bij een hotel. Hij pakte zijn diplomatenkoffertje en liep de bar binnen, dronk iets en nam toen de lift alsof hij naar zijn kamer ging. Hij wachtte een uur en ging toen via de trap naar beneden. Nadat hij het hotel door een andere deur had verlaten, stapte hij in een auto die voor hem gereed stond op een ander parkeerterrein, niet ver van het hotel. Hij moest vandaag niet alleen een nieuwe moord voorbereiden, maar had ook nog iets anders te doen.

Hij reed naar een motel, stapte de auto uit en haalde een speciale sleutel uit zijn zak. In tien snelle stappen stond hij voor de deur van een kamer op de eerste verdieping, met uitzicht op het parkeerterrein. Hij deed de deur open, maar liet het licht uit. Vervolgens liep hij snel naar de deur die deze kamer verbond met de kamer ernaast, deed hem open en ging naar binnen. Zodra hij over de drempel was, voelde hij de aanwezigheid van iemand anders. Hij trok zijn kleren uit en ging naast haar in bed liggen. Ze was zacht en warm, met aangename rondingen, en wat het belangrijkste was: ze was teamsupervisor bij de NSA.

Een uur later, toen ze allebei bevredigd waren, trok hij zijn kleren weer aan en rookte een sigaret terwijl zij onder de douche stond. Hij wist dat de vrouw dezelfde maatregelen had genomen als hij om te voorkomen dat ze werd gevolgd, en de NSA had zoveel werknemers dat het simpelweg niet mogelijk was die allemaal voortdurend in de gaten te houden. Ze had niemand ooit reden gegeven om achterdochtig te worden. Dat was een van de redenen dat hij haar voor deze operatie had gerekruteerd. En ze waren allebei single, dus zelfs als hun ontmoeting werd ontdekt, zou niemand er meer achter zoeken dan seks tussen twee volwassenen die toevallig allebei in dienst waren van de federale overheid. En dat was niet illegaal in Amerika, nog niet in elk geval.

Het water in de douchecel hield op met stromen. Hij klopte op de deur van de badkamer en duwde die open. Hij hielp haar uit de douchecel, kneep in haar billen en gaf haar nog een kus.

'Ik hou van je,' zei ze, en ze knabbelde even aan zijn oor.

'Je houdt van geld, bedoel je,' antwoordde hij.

'Ook dat.' Ze legde haar hand op zijn kruis en drukte zich tegen hem aan.

'Eén keer per avond is genoeg,' zei hij. 'Ik ben geen achttien meer.'

Ze greep hem bij zijn gespierde schouders. 'Dat zou je niet zeggen.'

'Volgende keer,' zei hij, en hij gaf haar een harde klap op haar billen zodat een rode plek achterbleef.

'Doe dat nog eens,' zei ze, en hij voelde haar warme adem in zijn oor. 'Vooruit, doe me pijn.'

Ze duwde hem tegen de muur. Haar natte borsten lieten vochtige plekken achter op zijn overhemd. Ze trok aan zijn haar en duwde haar tong in zijn mond. 'God, wat ben jij toch sexy,' kreunde ze.

'Dat zeggen ze allemaal.'

Hij probeerde zich los te maken, maar ze wilde hem niet laten gaan. 'Wordt het geld volgens schema overgemaakt?' vroeg ze.

'Zodra ik mijn geld krijg, krijg jij het ook, schat.' Hij gaf haar opnieuw een klap op haar billen, waarna ze hem losliet.

Terwijl ze zich stond af te drogen in de badkamer, stapte hij de kamer weer in, deed het licht aan, pakte haar tas van het nachtkastje en trok de digitale camera uit een van de vakken. Met zijn duim wipte hij de 20-gigabyte harde schijf uit de gleuf, en met zijn vinger schraapte hij een klein stukje zwart vernis van de achterkant van het tweeënhalve centimeter lange schijfje. Een paar seconden stond hij naar het minuscule zwarte dingetje te staren. Hoe klein het ook mocht zijn, een gretige koper in het Midden-Oosten had er graag tien miljoen voor over, en misschien nog wel meer, omdat het hem niet aanstond dat Amerika wist wat hij aan dood en verderf in petto had voor degenen die het waagden het tegen hem op te nemen.

De informatie op dit zwarte dingetje zou de krachtsverhoudingen weer wat gelijker maken, in elk geval totdat de NSA erachter kwam dat het nieuwe observatieprogramma was verraden en zou aanpassen. Dan zou Seagraves weer gebeld worden en vervolgens zou hij op zijn beurt ook weer iemand bellen. Een paar dagen later zou hij dan naar een ander motel gaan, opnieuw met de dame de koffer in duiken, weer een stukje vernis van de camera schrapen, en opnieuw een bedrag met zeven nullen incasseren. Hij verdiende het meest aan zijn vaste klanten, en dat zou zo blijven totdat het tot de NSA doordrong dat het lek ergens dichtbij zat. Dan zou hij de operatie bij de NSA stoppen, al was het misschien maar voorlopig, want bureaucraten waren over het algemeen kort van memorie. En in de tussentijd zou hij zich gewoon op een ander doelwit richten. Er waren er zoveel.

Hij gebruikte kauwgum om het stukje vernis met de digitale gegevens van het NSA-observatieprogramma achter een van zijn voortanden te plakken. Daarna liep hij naar de hotelkamer waar hij een uur geleden naar binnen was gegaan en waar een ander stel kleren in de kast hing. Hij nam een douche, kleedde zich om en verliet het motel. Een paar straten verderop nam hij de bus en een tijdje later stapte hij uit bij een autoverhuurbedrijf. In een andere huurauto reed hij naar huis.

Het kostte hem een uur de informatie uit het apparaatje op te diepen, en nog een uur om die in een vorm te gieten die geschikt was om door te sturen. Als spion had Seagraves zich enthousiast beziggehouden met geheime codes en de geschiedenis van de cryptologie. Tegenwoordig waren computers in staat om berichten automatisch te versleutelen en te ontcijferen. De best beveiligde systemen maakten gebruik van sleutels van duizenden cijfers lang, wat veel langer was dan de berichten zelf. Het kraken van de sleutels zou op zijn minst enorm veel rekenvermogen en duizenden of misschien wel miljoenen jaren kosten. Moderne cryptologen gingen ervan uit dat hun codeberichten onderschept zouden worden en hielden daar bij het opzetten van hun systemen rekening mee. Je zou kunnen zeggen dat hun mantra luidde: je kunt het wel onderscheppen, maar je kunt het niet lezen.

Seagraves had voor een veel ouderwetsere vorm van versleuteling gekozen, een code die door de wijze waarop de berichten werden overgebracht misschien nog moeilijker te breken waren dan al die hedendaagse, computergegenereerde monsters, en wel om één enkele reden: als je een bericht niet kon onderscheppen, kon je het ook niet lezen. Er viel toch wel iets te zeggen voor de ouderwetse methoden, dacht hij peinzend. Zelfs de NSA, met al zijn enorme technologische vermogens, kon daar misschien nog wel iets van leren.

Toen hij klaar was met zijn werk liet hij zich op bed vallen. Hij kon de slaap echter niet vatten. Hij kon alleen maar denken aan de volgende moord. Daarmee zou hij weer een nieuw object aan zijn 'verzameling' kunnen toevoegen.

Terug in zijn huisje op het kerkhof bracht Stone de anderen snel op de hoogte van hun ontdekking. Toen hij vertelde over het overgeschilderde opschrift CO_2 5000 PPM pakte Milton onmiddellijk zijn laptop waarop hij een aantal relevante internetbestanden had gedownload. Toen Stone was uitgesproken, zei Milton: 'Met kooldioxide kun je branden blussen doordat het de zuurstof uit de lucht verdringt, maar het wordt bijna nooit gebruikt in ruimten waar zich mensen bevinden, want die zouden er heel snel in stikken. "5000 PPM" betekent vijfduizend delen per miljoen. Zo'n hoge concentratie is al heel gauw dodelijk voor omstanders. Die liggen binnen de kortste keren bewusteloos op de grond. Het is geen prettige manier om dood te gaan.'
Annabelle begon te hoesten en liep naar het raam.
'En ik neem aan dat het ook een afkoelende werking heeft,' zei Stone haastig, terwijl hij haar zorgelijk opnam.
Zonder zijn ogen van het beeldscherm af te wenden, gaf Milton een knikje. 'Bij hogedruksystemen vindt er een ontlading van droge ijsdeeltjes plaats. Dat noemen ze een "sneeuweffect". Koolzuursneeuw staat erom bekend dat het heel snel hitte absorbeert, de omgevingstemperatuur laat dalen en voorkomt dat het vuur opnieuw oplaait of ontbrandt. Onder normale temperaturen gaat de sneeuw snel over in gas, zonder een residu achter te laten.'
Stone nam het van hem over. 'Tegen de tijd dat Caleb en DeHaven in de kluis werden gevonden, was het zuurstofniveau waarschijnlijk weer normaal, en als er nog iets van kou te merken was, dan hebben ze dat waarschijnlijk toegeschreven aan het koelsysteem van de kluis zelf.'
'Maar als DeHaven is gestikt door kooldioxide, dan zou de patholooganatoom daar toch iets van gemerkt moeten hebben,' zei Rueben.
Onder het praten bleven Miltons vingers over het toetsenbord bewegen. 'Dat hoeft niet per se. Dit is informatie die ik eerder heb gedownload van een site die wordt gesponsord door een nationale organisatie van patholoog-anatomen. Hoewel koolmonoxidevergiftiging bij een lijkschouwing kan worden opgemerkt door de donkerrode verkleuring van de huid, laat kooldioxide niet zulke opvallende sporen na.' Hij las voor wat er op het scherm stond. 'De enige wijze waarop een laag zuurstofniveau in iemands lichaam kan worden opgemerkt is door middel van een arterieel bloedgasonderzoek, waarbij de verhouding tussen zuurstof en kooldioxide in iemands bloed wordt gemeten. Dat soort onderzoek wordt alleen gedaan bij levende personen om te bepalen of het zuurstofniveau in het bloed verhoogd dient te worden. Het wordt nooit gedaan

bij een lijkschouwing, en wel om de eenvoudige reden dat de betrokkene dan al dood is.'

'Naderhand heb ik begrepen,' voegde Caleb eraantoe, 'dat Jonathan in de kluis al dood is verklaard. Hij is niet eens naar de eerste hulp gebracht.'

'Het leek me nogal logisch om me op de container met het opschrift FM-200 te richten,' zei Stone.

'Dat snap ik niet,' zei Rueben. 'Wat bedoel je?'

'De Congresbibliotheek gaat Halon vervangen. Als ik het bij het rechte eind heb en er inderdaad een container met kooldioxide naar binnen is gesmokkeld met een verkeerd opschrift, dan zullen ze er niet opgezet hebben dat het Halon was, want daarmee zouden ze argwaan hebben gewekt.'

'Precies,' zei Caleb. 'Dan hadden ze FM-200 moeten brengen, het gas waarmee ze Halon gaan vervangen. En vanavond hebben ze die gascontainer weer weggehaald, samen met die met Halon. Als wij er niet waren geweest had niemand het in de gaten gehad.'

'En ik weet zeker dat de container die vanavond op het leidingsysteem werd aangesloten met Halon was gevuld,' zei Stone. 'De container waar kooldioxide in heeft gezeten, is waarschijnlijk onmiddellijk toen hij leeg was van de pijpleiding losgekoppeld. Als de politie de inhoud toevallig gecontroleerd zou hebben, zouden ze niets bijzonders hebben aangetroffen. Bovendien gaat de politie echt niet alle gascontainers in het gebouw controleren. En zelfs als ze het wel deden, dan hadden ze die naar Fire Control, Inc. moeten sturen, want dat zijn de deskundigen. En denk maar niet dat die een betrouwbaar onderzoek zouden instellen. Want wie deze aanslag ook heeft geënsceneerd, het is duidelijk dat hij voor dat bedrijf werkt.'

'De perfecte moord,' zei Annabelle grimmig terwijl ze weer ging zitten. 'Maar de vraag is waarom. Waarom zou iemand Jonathan willen vermoorden?'

'En dat brengt ons weer bij Cornelius Behan,' zei Stone. 'We weten nu dat de container met kooldioxide waarmee Jonathan is vermoord daarna is vervangen door een met Halon. En we weten ook dat Fire Control, Inc. het eigendom is van Cornelius Behan. Het is duidelijk dat Behan DeHaven heeft laten vermoorden. En net op de dag waarop de containers uit de bibliotheek werden weggehaald, kwam hij ineens de leeszaal binnenwandelen om met Caleb te praten. Ik weet zeker dat hij erachter probeerde te komen of dat sproeistuk de aandacht had getrokken. En er moet een connectie zijn tussen Behan en Bob Bradley.'

'Misschien maakten Bradley en Behan deel uit van de spionagegroep die volgens ons actief is,' zei Rueben aarzelend. 'Bradley gaat bij Behan thuis op bezoek, en Jonathan ziet of hoort iets wat hij niet had mogen zien of horen. Of hij heeft iets gezien wat Behan in verband kan brengen met de moord op Bradley. Behan is het te weten gekomen en heeft hem laten vermoorden voordat DeHaven het verder kon vertellen.'

'Dat zou kunnen,' zei Stone. 'We hebben een hoop te doen, dus moeten we ons opsplitsen. Caleb, jij gaat morgenochtend meteen naar de kluis en kijkt achter dat airconditioningrooster. Misschien vind je iets waaruit valt op te maken dat daar ooit een camera heeft gestaan. En daarna bekijk je de banden van de videocamera om te zien wie in de kluis zijn geweest.'

'Wát!' riep Caleb. 'Waarom?'

'Je hebt zelf gezegd dat Jonathans moordenaar toegang gehad moet hebben tot zowel de bibliotheek als de kluis. Ik wil weten wie er een paar dagen voor en na de DeHavens dood in de kluis zijn geweest.'

'Ik kan niet zomaar bij de beveiliging naar binnen stappen en zeggen dat ik die videobanden wil bekijken. Wat moet ik daar in godsnaam als reden voor opgeven?'

'Samen bedenken we wel wat, Caleb,' zei Annabelle.

'O, geweldig,' mompelde Rueben. 'Eerst mag Milton met het meisje spelen en nu Caleb. Maar ik? Nee, hoor.'

'Rueben,' ging Stone verder, 'jij belt de politie en geeft ze een anonieme tip over die container met kooldioxide. Bel vanuit een telefooncel zodat ze het gesprek niet kunnen traceren. Ik weet niet of ze zo'n tip serieus zullen nemen, en tegen de tijd dat ze bij Fire Control gaan kijken is het waarschijnlijk te laat, maar het valt in elk geval te proberen.'

'Maar laten we de moordenaars zo niet weten dat we ze op het spoor zijn?' zei Caleb.

'Misschien wel,' zei Stone. 'Maar dit ogenblik is dat het enige bewijs dat DeHaven is vermoord. 'Rueben, jij houdt vanavond een oogje in het zeil in Good Fellow Street.'

'Niet de beste plek om mensen te bespioneren, Oliver. Waar moet ik me opstellen?'

'Caleb kan je de sleutel en de toegangscode van het huis van DeHaven geven. Als je door de achterdeur naar binnen gaat, ziet niemand je.'

'En wat doe ik?' vroeg Milton.

'Jij probeert zo veel mogelijk te weten te komen over alle mogelijke connecties, hoe onwaarschijnlijk ook, tussen Bob Bradley en Cornelius Behan.'

'En wat ga jij doen, Oliver?' vroeg Annabelle.

'Ik ga nadenken.'

Terwijl de anderen het huis uit liepen, nam Annabelle Caleb even apart. 'In hoeverre vertrouw jij Oliver?'

Caleb verbleekte. 'Ik zou hem mijn leven toevertrouwen. Sterker nog, ik héb mijn leven aan hem toevertrouwd.'

'Ik moet toegeven dat hij schijnt te weten wat hij doet.'

'En of hij dat weet,' zei Caleb loyaal. 'Nou, je zei dat je me ging helpen met die videobanden. Hoe dan?'

'Zodra ik iets heb bedacht ben je de eerste die het hoort.'

•39•

Die ochtend om 10.15 Eastern Standard Time werd de staat New Jersey getroffen door zijn eerste aardbeving sinds mensenheugenis. Het epicentrum was Atlantic City, precies op de plek waar het Pompeï Casino oprees uit de Boardwalk. Jerry Baggers uitbarsting was langzaam begonnen. De eerste rookpluimen stegen op toen zijn achtenveertig miljoen dollar niet exact om tien uur waren overgemaakt. Om tien over tien, toen hij te horen kreeg dat niet duidelijk was waar het geld was gebleven, hielden zelfs zijn lijfwachten wat meer afstand. Vijf minuten later, toen zijn financiële man contact had opgenomen met El Banco, kreeg de gokmagnaat te horen dat hij niet alleen naar zijn acht miljoen rente maar ook naar de hoofdsom van veertig miljoen kon fluiten, omdat de bank die nooit had ontvangen.

Baggers eerste reactie was een serieuze poging om de boodschapper van het slechte nieuws dood te slaan, en dat zou hem ook zeker zijn gelukt als zijn lijfwachten hem niet hadden tegengehouden. Daarna pakte hij de telefoon en dreigde in een vliegtuig naar El Banco te stappen en alle personeelsleden daar een voor een het hart uit hun lijf te rukken. De bankdirecteur zei dat hij dat vooral moest proberen, maar verklaarde ook dat hij over een heel leger beschikte om zijn bank te bewaken, compleet met tanks en artillerie.

Ze stuurden hem wel een rekeningoverzicht waaruit bleek dat de eerste drie overboekingen inderdaad waren ontvangen, en dat van een andere rekening bedragen naar het Pompeï waren overgeboekt met tien procent rente over een periode van twee dagen. De vierde overboeking had El Banco echter nooit bereikt. Toen het elektronische ontvangstbewijs wat nauwkeuriger onder de loep werd genomen, bleek de autorisatiecode niet helemaal volledig te zijn, al was er een uitgebreid onderzoek voor nodig om de zeer subtiele afwijkingen op te merken.

Toen hij dat hoorde, ging Bagger het onfortuinlijke hoofd van zijn afdeling Elektronische Overboekingen met een kantoorstoel te lijf. Na intensieve evaluatie kwam twee uur later aan het licht dat er uiterst geavanceerde spyware op het computersysteem van het casino was geïnstalleerd, waardoor een buitenstaander overboekingen van het casino kon manipuleren. Toen Bagger dat hoorde vroeg hij om een gesteriliseerd pistool en sommeerde het hoofd van zijn IT-afdeling naar zijn kantoor. De ten dode opgeschreven man was zo slim om ervandoor te gaan, maar in Trenton kregen Baggers mannen hem te pakken. Na een verhoor waar de CIA trots op geweest zou zijn, was het duidelijk dat de man niet bij de oplichting betrokken was, maar om de tuin was geleid. Het enige wat hem dat opleverde, was dat Bagger hem eigenhandig een kogel door het hoofd schoot. Later die avond werd het lijk gedumpt op een vuilstortplaats en bedolven onder een dikke laag afval. Maar ook nadat al die moordlustige energie was vrijgekomen, bleef het met onverminderde kracht rommelen.

'Ik maak die hoer af!' brulde Bagger. Hij stampte terug naar zijn bureau en haalde haar visitekaartje tevoorschijn. PAMELA YOUNG, INTERNATIONAL MANAGEMENT, INC. Hij scheurde het kaartje aan stukken en keek met een wilde blik naar zijn chef Beveiliging. 'Ik moet iemand mollen. Ik moet nú iemand mollen, verdomme!'

'Alstublieft, we moeten dit een beetje in de hand zien te houden. De financieel manager ligt in het ziekenhuis, net als die jongen van Overboekingen. En die IT'er hebt u eigenhandig afgemaakt. Dat is wat veel voor één dag. De advocaat zegt dat het toch al een hele toer gaat worden de politie erbuiten te houden.'

'Ik weet haar te vinden,' zei Bagger terwijl hij uit het raam keek. 'Ik zal haar weten te vinden. En ga ik haar heel langzaam doodmaken.'

'U zegt wat u denkt, chef, en u doet wat u zegt,' zei de beveiligingsman bemoedigend.

'Veertig miljoen dollar. Van mijn geld. Veertig miljoen dollar!' zei Bagger op zo'n angstaanjagende toon dat de stevig gebouwde beveiligingsman een paar stappen naar achteren deed.

'We krijgen haar wel, chef. Dat zweer ik.'

Eindelijk leek Bagger een beetje tot rust te komen. 'Alles wat jullie over die vuile hoer en die stomme rukker te weten kunnen komen, wil ik hier op mijn bureau hebben. Trek alle banden uit de camera's en laat de beelden aan iedereen zien. Dit is niet zomaar een huis-, tuin- en keukenoplichtster. En laat een paar van die smerissen die we op de loonlijst hebben staan haar kamer afzoeken op vingerafdrukken.'

'Komt voor elkaar.' De man wilde de kamer uit lopen.

'Wacht!' zei Bagger. 'Niemand mag weten dat ik ben opgelicht, begrepen? Jerry Bagger laat zich niet oplichten. Door niemand. Duidelijk?'

'Heel duidelijk, chef.'

'Nou, opschieten dan!'

De man vluchtte de kamer uit.

Bagger ging aan zijn bureau zitten en keek naar de flarden van Annabelles visitekaartje die op de vloer lagen. Zij ziet er straks net zo uit, dacht hij. Als ik klaar met haar ben.

•40•

'Je ziet er vanochtend ongewoon opgewekt uit, Albert,' zei Seagraves terwijl ze in Trents kantoor op Capitol Hill koffie zaten te drinken uit plastic bekertjes.

'De aandelenkoersen zijn gisteren flink gestegen. Mijn pensioenvoorziening ziet er patent uit.'

Seagraves schoof een stapel papier over tafel. 'Fijn voor je. Hier is het laatste nieuws van de CIA. Twee hoge functionarissen zullen een officiële briefing geven. Jullie hebben een week om het verslag te verwerken, daarna maken we een persoonlijke afspraak.'

Trent trok de stapel naar zich toe en knikte. 'Ik zal de agenda van de congresleden doornemen en dan stuur ik je wel een paar data.' Hij tikte even op de stapel. 'Staat er nog iets verrassends in?'

'Lees zelf maar.'

'Dat zal ik zeker doen.'

Trent zou de papieren mee naar huis nemen en niet lang daarna zou hij de gestolen NSA-geheimen naar het volgende stadium kunnen leiden.

Even later liep Seagraves in looppas de trappen van het Capitool af. Niet te geloven dat spionnen vroeger hun spullen gewoon achterlieten in het park en hun geld contant ophaalden op dezelfde plek waar ze hun informatie achterlieten, of uit een postbus! Dat waren dan ook doorgaans de plekken waar ze werden opgepakt. Seagraves schudde zijn hoofd. Hij was niet van plan om net zo te eindigen als Aldrich Ames en al die andere spionnetje spelende katvangers. Hij had in zijn loopbaan voor de allerkleinste details de grootste inspanningen verricht. En als spion zag hij geen reden iets aan die werkwijze te veranderen.

Op dit moment was hij obsessief bezig met zo'n detail. Zijn infiltrant bij Fire Control had gebeld met onwelkome informatie. Twee mannen waren betrapt toen ze de afgelopen nacht hadden geprobeerd de opslag binnen te dringen, maar de beveiligingsmensen hadden ze moeten overdragen aan de FBI. Seagraves had het nagetrokken bij een paar van zijn contacten, maar volgens hen had die arrestatie nooit plaatsgevonden. De infiltrant had ook verteld dat de bewakers een andere man hadden zien wegrennen. Hij was in een oude Chevrolet Nova gestapt en weggereden. Zowel de beschrijving van de auto als het signalement van de man kwamen hem bekend voor, al had hij hem nooit ontmoet. Hij besloot dat dit een goed moment was om daar iets aan te doen. In Seagraves' wereld van zorgvuldig uitgewerkte

197

details kon elke kennismaking nog eens van pas komen.

Toen Caleb die ochtend vroeg op zijn werk kwam, zag hij dat Kevin Philips, de waarnemend directeur, de deuren van de leeszaal aan het openen was. Ze maakten een praatje en spraken over Jonathan en over de lopende projecten. Caleb vroeg of Jonathan had geweten dat er zou worden overgestapt op een nieuw brandblusmiddel, maar Philips dacht van niet. 'Volgens mij werd Jonathan niet van dat soort dingen op de hoogte gehouden. Waarschijnlijk wist hij niet eens wat voor soort gas er werd gebruikt.'
'Dat denk ik ook niet,' fluisterde Caleb bij zichzelf.
Toen Philips weg was, haalde Caleb een schroevendraaiertje en een kleine zaklamp uit zijn bureaula. Met zijn rug naar de beveiligingscamera liet hij die in de zak van zijn jasje glijden en liep toen naar de kluis. Op de bovenste verdieping bleef hij staan bij het luchtrooster en schroefde het los. De schroeven kwamen er makkelijk uit, alsof iemand ze kortgeleden nog had losgedraaid. Hij zette het rooster neer en scheen met zijn zaklamp in de opening. Aanvankelijk zag hij niets ongebruikelijks, maar toen hij voor de derde keer de lichtbundel door de leiding liet glijden, zag hij een gaatje in de achterwand. Misschien had daar de schroef gezeten waarmee de camera was opgehangen. Hij tilde het rooster op en bekeek het eens goed. Door de verbogen spijlen zou de camera een onbelemmerd uitzicht op de hele ruimte hebben gehad.
Caleb schroefde het rooster weer terug en liep de kluis uit. Toen hij even later weer aan zijn bureau zat, belde hij Stone en vertelde wat hij gevonden had. Hij was net aan het werk gegaan toen er iemand binnenkwam.
'Hallo, Monty.'
Monty Chambers, de beste conservator van de Congresbibliotheek, stond in zijn groene voorschoot en hemdsmouwen bij de balie.
'De *Doctrina* en het *Constable's Pocket-Book*,' zei hij kort.
'Je hebt het druk gehad. Ik wist niet eens dat de *Doctrina* het magazijn uit was om gerestaureerd te worden.' De *Doctrina Breve* was geschreven door Juan de Zumarraga, de eerste bisschop van Mexico. Het boek dateerde uit 1544 en was het oudste complete boek dat op het westelijk halfrond bewaard was gebleven. De *Constable* dateerde uit 1710.
'Het was een opdracht van Kevin Philips,' zei Chambers. 'Drie maanden geleden. De *Constable* ook. Er moesten een paar kleine dingen aan gebeuren. Ga jij de kluis in of ik?'
'Wat? O, ik doe het wel. Bedankt.' Voorzichtig nam Caleb de ingepakte boeken over en legde ze op zijn bureau. Hij probeerde er niet aan te denken dat de *Doctrina* en de *Constable* samen een klein fortuin vertegenwoordigden.

'De Faulkner komt eraan,' mompelde Chambers. 'Maar dat kan wel even duren. Waterschade is altijd lastig.'

'Best. Dat is prima. Dank je wel.' Toen Chambers zich omdraaide en weg wilde lopen, zei Caleb: 'Eh, Monty.'

'Ja?' klonk het ongeduldig

'Heb je ons exemplaar van het *Bay Psalm Book* kortgeleden nog gezien?' Terwijl hij in de kluis bezig was, was er een afschuwelijke gedachte bij Caleb opgekomen en nu, door die twee andere kostbare boeken die hij net in ontvangst had genomen, moest hij het wel vragen.

Chambers keek hem achterdochtig aan. 'Het *Bay Psalm Book*? Hoezo? Is er iets mee?'

'O, nee, nee, Ik bedoel alleen dat ik het al een tijd niet heb gezien. In geen jaren eigenlijk.'

'Nou, ik ook niet. Je loopt niet zomaar de kluis binnen om even naar het *Bay Psalm Book* te kijken. Het ligt op de afdeling met nationale schatten.'

Caleb knikte. Hij was bevoegd om vrijwel alle boeken in de kluis te bekijken, maar het *Bay Psalm Book* en enkele andere waren tot 'nationale schatten' bestempeld en golden als de belangrijkste bezittingen van de bibliotheek. Deze werken waren genummerd en ondergebracht in een speciale afdeling. In geval van een oorlog of natuurramp zouden ze direct worden weggehaald om op van tevoren aangewezen beveiligde locaties te worden opgeborgen.

Chambers, ongewoon spraakzaam voor zijn doen, vervolgde: 'Ik heb lang geleden al gezegd dat we de band moeten repareren, dat we het naaiwerk moeten overdoen en dat we de rug moeten versterken, allemaal reversibel natuurlijk, maar ze hebben er nooit iets mee gedaan. Vraag me niet waarom. Maar als we er niet snel iets aan doen, dan valt het vandaag of morgen uit elkaar. Kun jij het niet eens aankaarten?'

'Zal ik doen. Dank je wel, Monty.' Toen Chambers weg was, vroeg Caleb zich af wat hij moest doen als het *Bay Psalm Book* vermist bleek. Mijn god, dat kon toch niet? Hij had het al minstens een jaar of drie niet gezien, en het leek exact op het exemplaar dat hij in Jonathans collectie had aangetroffen. Zes van de elf bestaande *Bay Psalm Books* waren incompleet en beschadigd. Jonathans editie was wel compleet geweest, zij het hier en daar wat versleten, net als het exemplaar van de Congresbibliotheek. De enige manier om zekerheid te krijgen, was om het te gaan checken. Dat zou Kevin Philips wel toestaan. Hij zou wel een smoes verzinnen. Misschien moest hij gewoon zeggen wat hij zojuist van Monty had gehoord. Ja, dat zou wel lukken.

Toen hij de boeken die Chambers was komen brengen weer als aanwezig had geregistreerd, legde hij ze terug in de kluis. Daarna belde hij Philips. Hoewel de directeur een beetje verbaasd klonk, gaf hij Caleb toestemming om het *Bay Psalm Book* te bekijken. Om veiligheidsredenen, en om te voorkomen dat iemand hem er achteraf van kon beschuldigen dat hij het boek had beschadigd, nam Caleb een andere bibliotheekmedewerker mee. Nadat hij het boek had bekeken, kon hij bevestigen dat het waar was wat Chambers had gezegd en dat het inderdaad nodig gerestaureerd moest worden. Hij kon echter niet zeggen of dit hetzelfde exemplaar was dat hij drie jaar geleden had gezien. Het zag er wel zo uit. Maar het leek ook sterk op het boek in Jonathans collectie. Als Jonathan er op de een of andere manier in was geslaagd het *Bay Psalm Book* van de Congresbibliotheek te verruilen voor een vervalsing, dan was het boek dat Caleb drie jaar geleden had bekeken, misschien ook niet het echte exemplaar geweest.

Wacht eens even... Hoe kon hij zo stom zijn! De Congresbibliotheek gebruikte een geheime code in zijn zeldzame boeken. Die code werd in elk boek op dezelfde pagina aangebracht om aan te geven dat het eigendom was van de bibliotheek. Hij sloeg de pagina op en slaakte een zucht van opluchting. De code was er. Maar zijn opluchting was van korte duur. Ook die code kon natuurlijk vervalst zijn. Dat had iemand in Jonathans positie makkelijk kunnen doen. En was het exemplaar in Jonathans collectie ook gecodeerd? Dat moest hij eerst controleren. En stel dat Jonathan zijn exemplaar uit de bibliotheek had gestolen? Wat moest hij dan beginnen? Caleb vervloekte de dag dat hij tot DeHavens literair executeur was benoemd. Ik dacht dat je me graag mocht, Jonathan, dacht hij.

De rest van de middag was hij bezig met leenaanvragen van verschillende geleerden en een verzoek om informatie van een belangrijke verzamelaar. Tussendoor handelde hij een paar telefoontjes van universiteiten in Engeland en Zwitserland af en hielp hij de cliënten in de leeszaal.

Jewell English en Norman Janklow waren vandaag allebei aanwezig. Hoewel ze van dezelfde leeftijd en allebei gedreven verzamelaars waren, spraken ze nooit een woord tegen elkaar en gingen ze elkaar zelfs nadrukkelijk uit de weg. Caleb wist hoe de vete was begonnen. Het was een van de pijnlijkste ogenblikken uit zijn leven geweest. Op een dag had English Janklow verteld over haar hartstocht voor *Beadle's Dime Novels*. De reactie van de oude man was op z'n zachtst gezegd verrassend geweest. Caleb kon zich zijn woorden nog herinneren. 'Rotzooi is het! Hersenverwekende troep voor de grote massa!'

Jewell English had het verpletterende commentaar op haar grote passie niet goed opgenomen. En ze had het er niet bij laten zitten. Wetend dat het Janklows favoriete auteur was, had ze hem toegebeten dat Hemingway op zijn best een tweederangs schrijver was die alleen eenvoudige taal gebruikte omdat hij geen moeilijke woorden kende. En dat hij de Nobelprijs voor die rommel had gekregen, maakte die prijs er niet gezaghebbender op. Om nog een trap na te geven had ze eraan toegevoegd dat Hemingway het nog niet waard was F. Scott Fitzgeralds patentleren schoenen te likken en – Caleb kromp in elkaar bij de herinnering – ze had ook gesuggereerd dat die macho jager en visser meer van jongens dan van meisjes had gehouden, en hoe jonger hoe liever.

Janklow was zo rood aangelopen dat Caleb bang was dat hij erin zou blijven. Het was de eerste en enige keer dat hij twee bezoekers van de leeszaal Zeldzame Boeken uit elkaar had moeten trekken, en beiden waren toen al in de zeventig geweest. Hij had de zeldzame boeken van hun tafel gegrist voordat ze die als wapen konden gebruiken. Hij had ze streng de les gelezen en gedreigd hen de toegang tot de leeszaal te ontzeggen als ze zich niet fatsoenlijk konden gedragen. Janklow had erbij gestaan alsof hij hem een dreun wilde verkopen, maar Caleb had voet bij stuk gehouden. Hij kon de oude man tenslotte makkelijk aan.

Hij keek regelmatig naar hen op om er zeker van te zijn dat ze het niet opnieuw aan de stok kregen. Maar Janklow zat rustig te lezen en aantekeningen te maken. Af en toe onderbrak hij zijn werk om zijn dikke brillenglazen schoon te vegen. En Jewell English zat met haar neus in haar boek verdiept. Toen ze merkte dat Caleb naar haar keek, wenkte ze dat hij naar haar toe moest komen.

Toen hij naast haar ging zitten, fluisterde ze: 'Die *Beadle* waar ik je over heb verteld, hè?'

'Ja, die nummer één?'

'Ik heb hem! Ik heb hem!' Ze klapte zachtjes in haar handen.

'Gefeliciteerd, dat is geweldig. Dus hij was in goede staat?'

'O, ja, anders had ik jou erbij geroepen. Ik bedoel, jij bent écht een deskundige.'

'Nou...' zei Caleb bescheiden. Ze klemde haar gerimpelde hand verrassend stevig om de zijne.

'Wil je niet eens komen kijken?'

Hij probeerde onopvallend zijn hand terug te trekken, maar ze liet niet los. 'O, eh, dan moet ik even in mijn agenda kijken. Weet je wat, volgende keer dat je hier bent, dan noem je maar een datum en dan zal ik zien of ik kan.'

'O, Caleb,' zei ze koket, 'voor jou kan ik altijd.' Ze knipoogde hem met haar valse wimpers toe.

Opnieuw probeerde hij zijn hand los te trekken, maar ze bleef hem stevig vasthouden.

'Laten we nu meteen maar een datum prikken,' zei ze poeslief.

Wanhopig keek Caleb naar Janklow, die hen vol argwaan zat aan te kijken. Over het algemeen vochten Jewell en hij altijd om Calebs tijd en aandacht. Voordat hij naar huis ging, zou hij een paar minuten met Janklow moeten praten om het evenwicht te herstellen, anders zou de oude man er nog weken over klagen. Ineens kreeg hij een inval.

'Jewell, als je het hem vriendelijk vraagt zal Norman vast graag je nieuwe *Beadle* komen bekijken. Ik weet zeker dat het hem verschrikkelijk spijt dat hij zo tegen je is uitgevallen.'

Onmiddellijk liet ze zijn hand los. 'Ik praat niet met Neanderthalers,' zei ze geërgerd. Ze maakte haar tas open zodat hij kon zien dat er geen zeldzame boeken in zaten, en liep toen boos de leeszaal uit.

Glimlachend wreef Caleb over zijn hand. Daarna maakte hij een praatje met Janklow, maar steeds dwaalden zijn gedachten af, van het geheimzinnige *Bay Psalm Book* naar de dode Jonathan DeHaven, en van de dode Bob Bradley naar Cornelius Behan.

En dan te bedenken dat hij bibliothecaris was geworden omdat hij niet tegen druk bestand was. Misschien moest hij bij de CIA gaan werken om af en toe wat rust te krijgen.

Annabelle had roomservice een avondmaaltijd naar haar kamer laten brengen. Na het eten sloeg ze een handdoek om en begon haar haar te kammen. Terwijl ze voor de kaptafel zat, bedacht ze dat Jerry Bagger inmiddels wist dat hij veertig miljoen lichter was gemaakt. Ze had nu minstens tienduizend kilometer van hem vandaan moeten zijn. Dit was voor het eerst dat ze van een vluchtplan was afgeweken, maar er was dan ook nooit eerder een voormalige echtgenoot van haar vermoord.

Ze vond Oliver en Milton intrigerend. Rueben was vooral grappig met zijn aanhankelijke puppygedrag. En Caleb was een nummer apart. Ze moest toegeven dat ze het leuk vond met dit zooitje ongeregeld op te trekken. Ondanks haar eenzelvige karakter had ze altijd deel van een team uitgemaakt, en ergens had ze er nog steeds behoefte aan. Het teamwork was begonnen met haar ouders en in haar volwassen leven had ze die traditie voortgezet. Met Oliver en de anderen vormde ze ook een soort team. Toch had ze hier beter niet kunnen zijn.

Ze liet de handdoek van haar schouders vallen en trok een lang T-shirt aan. Daarna liep ze naar het raam en keek naar de drukke straat tien verdiepingen beneden haar. Terwijl ze naar de verkeersstroom stond te staren, dacht ze aan wat ze de afgelopen dagen had gedaan. Ze had zich voorgedaan als tijdschriftredactrice en Oliver Stone geholpen bij de inbraak in de Congresbibliotheek. Bovendien had ze zich uitgegeven voor FBI-agent, wat een misdrijf was. Nu moest ze een manier bedenken om Caleb aan de banden van de beveiligingscamera's te helpen, zodat ze konden zien wat er met Jonathan was gebeurd. En als Oliver gelijk had, kregen ze te maken met mensen die misschien nog gevaarlijker waren dan Jerry Bagger.

Ze draaide zich om, ging op bed zitten en wreef haar benen in met bodylotion. 'Dit is gekkenwerk, Annabelle,' zei ze tegen zichzelf. 'Bagger zal hemel en aarde bewegen om je te kunnen vermoorden, en je bent nog niet eens het land uit.' Maar ze had beloofd dat ze de anderen zou helpen. Ze had er zelfs op aangedrongen. 'Zal ik dan maar hier blijven en het risico nemen dat Jerry's radar Washington D.C. over het hoofd ziet?' zei ze hardop. Iemand had Jonathan vermoord. En ze wilde wraak. Ze werd woedend bij de gedachte dat iemand Jonathans leven had beëindigd terwijl zijn tijd nog lang niet gekomen was.

Plotseling viel haar iets in en ze keek even op haar horloge. Ze had geen idee in welke tijdzone Leo zich nu bevond, maar ze moest iets weten. Ze nam haar mobieltje van het bureau, toetste een nummer in en wachtte ongeduldig. Ze had hem een internationaal werkend mobieltje met dit nummer gegeven zodat ze nog een tijdje contact konden houden. Als een van hen iets over Jerry hoorde, moest hij de ander bellen.

Eindelijk nam Leo op. 'Hé.'

'Jij ook hé. Ik dacht al dat je niet op wilde nemen.'

'Ik lag in het zwembad.'

'In het zwembad. Lekker. Waar in het zwembad?'

'In het diepe.'

'Nee, ik bedoel waar in de wereld?'

'Sorry, maar dat kan ik niet zeggen. Misschien staat Bagger wel naast je.'

'Ik snap wat je bedoelt. Heb je nog iets van de anderen gehoord?'

'Helemaal niks.'

'En van Bagger?'

'Nee, die heb ik uit mijn Rolodex gehaald.'

'Ik bedoel of je iets gehoord hebt over zijn reactie.'

'Wel iets, niet veel. Ik hou me liever afzijdig, weet je. Reken maar dat die gast nu zwaar over de rooie is.'

'Hij zal de rest van zijn leven naar ons blijven zoeken.'

'Laten we dan maar hopen dat hij snel een zware hartaanval krijgt. Dan is hij uit zijn lijden verlost.' Leo zweeg even en zei toen: 'Er is iets wat ik je al eerder had moeten zeggen, Annabelle. Niet boos worden.'

Ze ging rechtop zitten. 'Zeg het maar.'

'Ik heb me tegenover Freddy iets over je leven laten ontglippen.'

Ze stond op. 'Wat?'

'Je achternaam, dat je met Paddy hebt samengewerkt.'

'Ben je goddomme krankzinnig geworden!' schreeuwde ze in de telefoon.

'Sorry, het was stom van me. Het ging gewoon vanzelf. Ik wilde hem duidelijk maken dat je anders was dan je vader. Maar ik heb niets tegen Tony gezegd. Zo achterlijk ben ik ook weer niet.'

'Nou, je wordt bedankt, Leo. Heel erg bedankt.'

Ze verbrak de verbinding en bleef roerloos in het midden van de kamer staan. Freddy kende nu haar achternaam en wist dat Paddy Conroy haar vader was, de doodsvijand van Jerry Bagger. Als Jerry Freddy in handen kreeg, zou hij hem ongetwijfeld aan het praten krijgen. Daarna zou Bagger achter haar aangaan, en ze kon redelijk goed voorspellen hoe het dan met haar zou aflopen.

Ze begon haar koffer te pakken. Sorry, Jonathan.

Toen Caleb later die avond thuiskwam, stond iemand hem op te wachten op het parkeerterrein.

'Meneer Pearl, wat doet u hier?'

Vincent Pearl zag er vanavond niet uit als professor Perkamentus. In plaats van de lange paarse mantel droeg hij een tweedelig pak en een overhemd zonder das. Zijn schoenen waren glanzend gepoetst en zijn dikke lange haar en baard waren zorgvuldig gekamd. Zonder mantel zag hij er veel slanker uit. De mollige Caleb nam zich voor nooit dat soort gewaden aan te trekken. Pearls bril zat halverwege zijn neus terwijl hij Caleb zo minachtend aankeek dat de bibliothecaris er een beetje nerveus van werd.

'Nou?' vroeg Caleb na een tijdje.

Op gekwetste toon zei Pearl: 'U hebt niet de moeite genomen op mijn telefoontjes te reageren. Met een persoonlijk bezoek hoop ik wat meer vaart in de zaak te krijgen.'

'Juist, ja.'

'Ik wil graag het een en ander met u bespreken.' Hij keek om zich heen. 'Een parkeerterrein lijkt me niet de aangewezen plek om over een van de zeldzaamste boeken ter wereld te praten.'

Caleb zuchtte. 'Goed, komt u maar mee naar boven.'

Ze namen de lift naar de verdieping waar Caleb woonde en gingen tegenover elkaar in de kleine woonkamer zitten.

'Ik was bang dat u had besloten met het *Bay Psalm Book* rechtstreeks naar Sotheby's en Christie's te gaan.'

'Nee, dat is het niet. Na uw bezoek ben ik niet eens meer in Jonathans huis geweest. Ik heb u niet gebeld omdat ik nog niet weet wat ik met het boek zal doen.'

Pearl keek hem opgelucht aan. 'In elk geval lijkt het me zaak eerst een definitief authenticiteitsonderzoek te laten uitvoeren. Ik ken een paar firma's met een onberispelijke reputatie. Ik zie geen reden er nog langer mee te wachten.'

'Nou...' zei Caleb aarzelend.

'Hoe langer u aarzelt, hoe groter de kans dat het bestaan van een twaalfde *Bay Psalm Book* in de openbaarheid komt.'

'Wat bedoelt u?' vroeg Caleb scherp.

'Misschien beseft u het belang van uw ontdekking niet helemaal, meneer Shaw.'

'Dat besef ik maar al te goed.'

'Ik bedoel dat er lekken kunnen zijn.'

'Hoe dan? Ik heb het er met niemand over gehad.'

'Ook niet met uw vrienden?'

'Die zijn volstrekt betrouwbaar.'

'Neemt u me niet kwalijk dat ik uw vertrouwen niet helemaal kan delen. Maar als er gelekt wordt, dan zouden er beschuldigingen kunnen volgen die Jonathans reputatie aanzienlijke schade toebrengen.'

'Wat voor beschuldigingen?'

'Godallemachtig, man,' zei Pearl ongeduldig. 'Moet ik het dan echt voor je uitspellen? Dat het boek gestolen is, natuurlijk.'

Caleb dacht onmiddellijk aan zijn eigen theorie dat het exemplaar van de Congresbibliotheek een vervalsing was. Toch zei hij zo oprecht mogelijk: 'Gestolen? Dat gelooft u toch zelf niet.'

Pearl haalde diep adem. 'Er zijn elf exemplaren van het *Bay Psalm Book* waarvan het bestaan bekend is. In de lange en roemruchte geschiedenis van boekverzamelingen is er nog nooit iemand geweest die het bezit van een *Bay Psalm Book* geheim heeft gehouden. Tot nu toe.'

'Omdat u denkt dat Jonathan het gestolen heeft? Dat is onzinnig. Jonathan was net zomin een dief als ik.' Laat het in hemelsnaam waar zijn, dacht Caleb.

'Misschien heeft hij het zonder het te weten gekocht van iemand die het wél had gestolen. Maar dat kan ik me bijna niet voorstellen. Anders had hij het nooit al die tijd geheimgehouden.'

'En waar zou het dan gestolen moeten zijn? U zei dat u bij alle bezitters navraag hebt gedaan.'

'Wat hadden ze anders kunnen zeggen,' snauwde Pearl. 'Denkt u dat ze tegenover mij zouden toegeven dat hun *Bay Psalm Book* gestolen was? En misschien weten ze het zelf niet eens. Misschien hebben ze er wel een heel goede vervalsing voor in de plaats gekregen. Dat soort instellingen gaat echt niet elke dag hun bezittingen op authenticiteit controleren.'

Hij zweeg even en vroeg toen: 'Hebt u documenten aangetroffen die betrekking hadden op het *Bay Book*? Een kwitantie? Iets waaruit blijkt waar het vandaan kwam?'

'Nee,' zei Caleb, en hij voelde de moed in zijn schoenen zinken. 'Maar ik heb me niet in zijn persoonlijke archieven verdiept. Mijn taak beperkt zich tot zijn collectie.'

'Nee, het is ook uw taak te bewijzen dat de boeken van die collectie zijn eigendom waren. U denkt toch niet dat Christie's of Sotheby's het *Bay Psalm Book* gaan veilen als ze er niet honderd procent zeker van zijn dat het niet alleen authentiek is, maar ook dat de erven van Jonathan DeHaven gerechtigd zijn het te koop aan te bieden?'

'Natuurlijk weet ik dat.'

'Nou, meneer Shaw, als ik u was, zou ik daar zo snel mogelijk bewijzen voor gaan zoeken. Anders wordt de indruk gewekt dat Jonathan het op niet naspeurbare wijze in zijn bezit heeft gekregen, wat in ons wereldje betekent dat hij het heeft gestolen of willens en wetens heeft gekocht van degene die het gestolen heeft.'

'Ik zal zijn notaris vragen of ik zijn persoonlijke documenten mag doorzoeken. Misschien kan hij het zelf doen als ik hem vertel waar hij naar moet zoeken.'

'Hij zal willen weten waarom. En als u hem de reden vertelt, dan geeft u de regie uit handen.'

'Dus ik moet het helemaal alleen uitzoeken.'

'Ja! U bent zijn literair executeur, dus gedraagt u zich ernaar.'

'Uw toon staat me helemaal niet aan,' zei Caleb boos.

'Krijgt u een percentage van de opbrengst?'

'Daar hoef ik geen antwoord op te geven.'

'Ja dus. Luister. Stel dat u probeert dit *Bay Psalm Book* te veilen zonder overtuigend bewijs dat DeHaven er eerlijk aan is gekomen. Als achteraf blijkt dat het niet het geval is, dan gaat niet alleen zijn reputatie naar de haaien, begrijpt u waar ik heen wil? Als het om grote bedragen gaat, denken de meesten altijd het ergste.'

Zwijgend liet Caleb dat tot zich doordringen. Hoezeer Pearls opmerkingen hem ook tegenstonden, hij kon niet ontkennen dat de man gelijk had. Het was een vreselijke gedachte dat de nagedachtenis aan zijn vriend Jonathan averij zou oplopen, maar hij voelde er niets voor zijn eigen reputatie te grabbel te gooien.

'Ik zal nog eens in Jonathans huis gaan zoeken.' Hij wist dat Oliver en de anderen het huis al hadden doorzocht, maar die waren niet op zoek geweest naar eigendomsbewijzen van zijn collectie.

'Gaat u vanavond nog?'

'Het is al laat.' En hij had Rueben de sleutel gegeven.

'Morgen dan?'

'Ja, morgen.'

'Uitstekend. Laat me weten of u iets vindt. Of niets vindt.'

Toen Pearl weg was, schonk Caleb zich een glas sherry in en nam er een schaaltje chips bij, zijn lievelingssnack. Hij stond nu onder zo'n zware druk dat hij zich niet om zijn dieet kon bekommeren. Hij liet zijn blik over zijn eigen bescheiden verzameling in de boekenkast gaan.

Wie had ooit kunnen denken dat boeken verzamelen zo ingewikkeld kon worden?

•42•

De volgende ochtend bracht Rueben al vroeg verslag uit over zijn obser-vaties vanuit het huis van DeHaven. Net als de avond ervoor meldde hij dat hij niets bijzonders had gezien.

'Niets?' vroeg Stone sceptisch.

'Geen actie in de slaapkamer, als je dat bedoelt. Ik heb Behan en zijn vrouw om een uur of twaalf zien thuiskomen, maar kennelijk gebruiken ze die slaapkamer niet, want daar heb ik geen licht zien aangaan. Mis-schien gebruikt hij die alleen voor strippers.'

'Geen witte bestelbus gezien?'

'Nee. En volgens mij heeft niemand me naar binnen of naar buiten zien gaan. De achtertuin wordt omheind door een drie meter hoge heg. En het alarmpaneel zit vlak naast de binnenkant van de achterdeur, dus dat was geen probleem.'

'Weet je zeker dat je helemaal niets hebt gezien wat ons kan helpen?'

Rueben aarzelde. 'Misschien heeft het niets te betekenen, maar om een uur of een 's nachts zag ik iets glinsteren in het raam aan de overkant.'

'Misschien waren de bewoners laat op.'

'Dat is het nou juist. Dat huis ziet er onbewoond uit. Geen auto en geen vuilnisbak voor de deur. En vandaag wordt het vuilnis opgehaald, want bij alle andere huizen stond er vanochtend een vuilnisbak op de stoep.'

Stone keek hem nieuwsgierig aan. 'Zou het de glinstering van een lens geweest kunnen zijn?'

'Niet de lens van een telescoopvizier, lijkt me. Maar misschien wel van een verrekijker.'

'Hou dat huis ook maar in de gaten. Heb je de politie nog gebeld?'

'Ja, vanuit een telefooncel, zoals je had gezegd. De vrouw die ik aan de lijn kreeg, zei dat ik de tijd van de politie niet met flauwekul mocht ver-spillen.'

'Oké, bel me morgenochtend om opnieuw verslag uit te brengen.'

'Allemaal goed en wel, maar wanneer kan ik eindelijk eens gaan slapen? Ik ben de hele nacht op geweest en moet nu naar mijn werk.'

'Wanneer ben je daar klaar?'

'Om twee uur.'

'Dan kun je slapen tot tien uur 's avonds. Dan hoef je pas weer in het huis van DeHaven te zijn.'

'Reuze bedankt. Mag ik wel iets uit zijn koelkast halen?'

'Ja, als je maar vervangt wat je gebruikt.'

Rueben snoof. 'Wat voer jij eigenlijk uit terwijl ik me het apelazerus werk?'
'Ik denk na.'
'Nog iets van Susan gehoord?' vroeg Rueben hoopvol.
'Geen woord.'

Een halfuur later was Stone aan het werk op het kerkhof toen er een taxi voor de toegangspoort tot stilstand kwam en Milton uitstapte. Stone kwam overeind en nadat hij het stof van zijn handen had geveegd, liepen de mannen het huisje in. Terwijl Stone koude citroenlimonade inschonk, klapte Milton zijn laptop open en legde er een dossiermap naast.
'Ik ben een heleboel te weten gekomen over de Congresbibliotheek en Robert Bradley,' zei hij. 'Maar ik vraag me af of we er iets mee opschieten.'
Stone ging aan zijn bureau zitten en trok de map naar zich toe. Twintig minuten later keek hij op en zei: 'Hieruit maak ik op dat Behan en Bradley bepaald geen vrienden waren.'
'Eerder vijanden. Hoewel Behans bedrijf die twee grote overheidsopdrachten heeft binnengesleept, heeft Bradley verhinderd dat er drie andere werden toegewezen, onder andere door Behan van omkoping te beschuldigen. Dat heb ik gehoord van een paar stafmedewerkers van het Congres die ik toevallig ken. Ze wilden het natuurlijk niet met zoveel woorden zeggen, maar ze lieten er geen misverstand over bestaan dat Bradley echt moeite heeft gedaan om de leiding over de aanval op Behan te krijgen. En het is ook maar al te duidelijk dat hij dacht dat Behan parlementsleden had omgekocht. Dat klinkt niet of die twee samen deel uitmaakten van een groep spionnen.'
'Tenzij dat natuurlijk een dekmantel was. Maar ik ben het met de overleden voorzitter eens: ik verdenk Behan ook van omkoping. Is hij corrupt genoeg om iemand te doden? In het geval van DeHaven denk ik van wel.'
'Misschien heeft Behan ook Bradley laten vermoorden omdat hij hem in de weg zat.'
Stone sloeg met zijn vlakke hand op zijn bureau. 'We hebben al vastgesteld dat DeHaven om het leven is gekomen door kooldioxidevergiftiging en dat het dodelijke gas is geleverd door een van Behans bedrijven. Caleb heeft me gisteren gebeld. Hij is naar de kluis gegaan en heeft in de luchtkoker van de airconditioning gekeken. Er zit een gaatje in de achterwand van de koker dat afkomstig kan zijn van een schroef, dus er zou een camera gehangen kunnen hebben. En hij vertelde ook dat de schroeven waarmee dat luchtrooster was bevestigd heel makkelijk los-

kwamen, alsof ze er kortgeleden nog uit waren gedraaid. Maar dat is niet genoeg om te bewijzen dat daar ook werkelijk een camera heeft gehangen.'

'Dus als Bradley en Behan niet hebben samengespannen om Jonathan te vermoorden, dan kan Jonathan hen ook niet samen bij Bagger thuis hebben gezien. Waarom moest hij dan vermoord worden?'

Stone schudde zijn hoofd. 'Ik zou het echt niet weten, Milton.'

Toen Milton weg was, ging Stone weer aan het werk op het kerkhof. Hij haalde een grasmaaier uit de schuur, startte de motor en reed ermee over het veld naast zijn huis. Toen hij klaar was en de motor had uitgezet, draaide hij zich om en zag dat de vrouw naar hem stond te kijken. Ze zette haar zonnebril af.

'Hoe gaat het, Oliver?'

Hij nam haar zwijgend op. 'Je ziet eruit alsof je op reis gaat.'

'Daarom kom ik langs. Ik wilde je laten weten dat mijn plannen veranderd zijn. Ik moet de stad uit. Het vliegtuig vertrekt over een paar uur en ik kom niet meer terug.'

'Is dat zo?'

'Dat is zo,' zei ze.

'Ik kan het je niet kwalijk nemen. Het begint hier een beetje gevaarlijk te worden.'

Ze keek hem recht in de ogen. 'Als je denkt dat dat de reden is dat ik ervandoor ga, dan ben je heel wat minder slim dan ik dacht.'

Hij keek haar onderzoekend aan. 'Degene die achter je aanzit, moet wel heel gevaarlijk zijn.'

'Jij lijkt me anders ook iemand die vijanden heeft.'

'Niet omdat ik ze zelf maak, maar omdat ze me vanzelf weten te vinden.'

'Ik wilde dat ik dat ook kon zeggen.'

'Ga je het de anderen vertellen?'

Ze schudde van nee. 'Dat moet jij maar doen.'

'Ze zullen erg teleurgesteld zijn. Vooral Rueben. Maar ook Milton heb ik in geen jaren zo gelukkig gezien, en Caleb zal natuurlijk niet toegeven dat hij het leuk vond om jou om zich heen te hebben, maar hij zal het langst blijven mokken.'

'En jij?' zei ze met neergeslagen ogen.

Met zijn schoen schraapte hij het gras van de wielen van de grasmaaier. 'Je beschikt in elk geval over een paar opmerkelijke vaardigheden.'

'Jij ook. Je hebt me betrapt terwijl ik je zak rolde. Dat is me in acht jaar niet meer overkomen.' Ze keek hem vragend aan.

'Je was vast een heel vroegrijp kind,' zei hij.

Er speelde een flauwe glimlach om haar lippen. 'Maar goed, het is leuk geweest. Passen jullie maar goed op jezelf.'

Ze draaide zich om en wilde weglopen.

'Eh, Susan, als we er achterkomen wat zich hier heeft afgespeeld, wil je dan dat we je het laten weten?'

Ze draaide zich weer om en keek hem recht in de ogen. 'Ik denk dat ik het verleden maar gewoon moet laten rusten.'

'Ik dacht dat je het misschien zou willen weten. Als je op zo'n manier een dierbaar iemand verliest, dan kom je daar niet makkelijk overheen.'

'Spreek je uit ervaring?'

'Mijn vrouw. Het is lang geleden.'

'Waren jullie gescheiden?'

'Nee.'

'Met Jonathan en mij lag het anders. Hij heeft ons huwelijk laten ontbinden. Ik weet niet eens waarom ik hier eigenlijk heen ben gekomen.'

'O. Nou, mag ik de foto dan terug?'

'Wat?' zei ze verbaasd.

'De foto van jou en Jonathan. Die wil ik weer bij hem thuis neerzetten.'

'O, ik... die heb ik niet bij me.'

'Nou, misschien kun je hem terugsturen.'

'Je bent te goed van vertrouwen, Oliver. Er is geen enkele reden waarom ik die terug zou sturen.'

'Inderdaad. Daar is geen enkele reden voor.'

Ze keek hem nieuwsgierig aan. 'Jij bent een van de opmerkelijkste mensen die ik ooit ben tegengekomen, en dat wil heel wat zeggen.'

'Als je niet oppast, mis je het vliegtuig nog.'

Ze keek om zich heen naar de grafzerken. 'Je wordt hier aan alle kanten omringd door de dood. Is dat niet deprimerend? Je zou echt eens moeten proberen een andere baan te vinden.'

'Jij ziet hier dood en verdriet, maar ik zie welbestede levens en goede daden van vorige generaties die weer van invloed zijn op daden van komende generaties.'

'Dat is mij te altruïstisch.'

'Zo dacht ik vroeger ook.'

'Veel geluk.' Ze draaide zich weer om.

'Als je ooit een vriend nodig hebt, dan weet je me te vinden.'

Haar schouders spanden zich even bij die woorden. Toen liep ze snel weg.

Stone zette de grasmaaier weer in de schuur en ging op de veranda zitten. Terwijl er een kille wind opstak bleef hij peinzend naar de grafzerken staren.

· 43 ·

Caleb stond op om de bezoeker te begroeten.

'Waarmee kan ik u van dienst zijn?'

Roger Seagraves liet Caleb zijn bibliotheekkaart zien. In het Madison-gebouw aan de overkant van de straat kon iedereen die een paspoort of rijbewijs overlegde zo'n kaart krijgen. De naam op de kaart was William Foxworth en de man op het pasfotootje was duidelijk dezelfde die Caleb voor zich zag staan. De informatie in het paspoort was inmiddels vastgelegd in het computersysteem van de Congresbibliotheek.

Seagraves keek om zich heen naar de tafels waar hier en daar wat mensen zaten. 'Ik ben op zoek naar een bepaald boek.' Hij noemde de titel die hij zocht.

'Dat hebben we. Hebt u belangstelling voor die periode?'

'Ik heb belangstelling voor een heleboel perioden,' zei Seagraves. Hij nam Caleb even aandachtig op, alsof hij nadacht over wat hij nu zou gaan zeggen. In werkelijkheid had hij goed zijn huiswerk gemaakt over Caleb Shaw en het hele script zorgvuldig voorbereid. 'Ik ben verzamelaar, maar wel een beginner. Ik heb de afgelopen tijd een paar aankopen gedaan op het gebied van de Engelse literatuur, en ik wil dat iemand die voor me taxeert. Misschien had ik dat moeten doen voordat ik ze kocht, maar zoals ik al zei ben ik een beginner. Een tijdje geleden heb ik wat geld geërfd, en mijn moeder heeft jarenlang in een bibliotheek gewerkt. Ik heb altijd veel belangstelling voor boeken gehad, maar ik begin erachter te komen dat serieus verzamelen iets heel anders is.'

'Dat is het zeker, en in dat wereldje kan het er meedogenloos aan toegaan,' zei Caleb. Na een korte stilte voegde hij er haastig aan toe: 'Op een nette manier natuurlijk. Toevallig is achttiende-eeuwse literatuur een gebied waar ik veel van afweet.'

'Dat komt goed uit,' zei Seagraves.

'Om welke boeken gaat het, meneer Foxworth?'

'Zeg maar Bill, hoor. Een eerste editie van Defoe.'

'*Robinson Crusoe*? *Moll Flanders*?'

'*Moll Flanders*,' zei Seagraves.

'En verder?'

'Goldsmiths *The Life of Richard Nash*. En een boek van Horace Walpole.'

'*The Castle of Otranto* uit 1765?'

'Dat is het.'

'Die zie je niet veel. Ik zal er met alle genoegen eens naar kijken. Er zijn veel verschillen tussen de afzonderlijke edities. Het komt voor dat mensen een boek kopen in de veronderstelling dat het om een eerste editie gaat, en dan blijkt het naderhand niet zo te zijn. Het overkomt zelfs de beste antiquairs.'

'Ik kan ze bij mijn volgende bezoek meenemen.'

'Ik weet niet of dat zo'n goed idee is, Bill. Als er van tevoren niet heel duidelijke afspraken worden gemaakt, kom je er niet mee langs de beveiliging. De beveiligingsmensen zouden kunnen denken dat je die boeken van ons hebt gestolen, begrijp je? Je zou zelfs gearresteerd kunnen worden.'

'O, daar had ik nog niet bij stilgestaan. Gearresteerd, goeie god. Ik heb nog nooit een verkeersboete gehad.'

'Rustig maar,' zei Caleb gewichtig. 'De wereld van het zeldzame boek kan heel gecompliceerd zijn en niet zonder gevaar. Maar als je serieus achttiende-eeuwse literatuur wilt verzamelen, dan mag een aantal schrijvers niet aan je collectie ontbreken. Jonathan Swift en Alexander Pope, om er maar eens een paar te noemen, worden beschouwd als de meesters van de eerste helft van de achttiende eeuw. En dan hebben we natuurlijk Henry Fieldings *Tom Jones,* en auteurs als David Hume, Tobias Smollett, Edward Gibbon, Fanny Burney, Ann Radcliffe en Edmund Burke. Het is geen goedkope liefhebberij.'

'Daar begin ik ook achter te komen,' zei Seagraves mismoedig.

'Het is niet hetzelfde als kroonkurken verzamelen, hè?' Caleb lachte om zijn eigen grapje. 'O, en natuurlijk moeten we de vierhonderd kilo zware gorilla van die periode niet vergeten, de meester van de tweede helft van de achttiende eeuw, Samuel Johnson. En dan is de lijst nog bij lange na niet compleet, maar het is wel een aardig beginnetje.'

'Je weet er inderdaad veel van.'

'Dag mag ook wel. Ik ben erop gepromoveerd. En als je wilt dat ik eens naar die boeken van je kijk, kunnen we altijd ergens afspreken.' Hij overhandigde Seagraves zijn visitekaartje met het telefoonnummer van de bibliotheek en klopte hem op de schouder. 'Dan ga ik nu je boek halen.'

Toen Caleb even later terugkwam met het boek, zei hij: 'Geniet ervan!' Seagraves keek glimlachend naar hem op. O, reken maar, meneer Shaw. Hier ga ik zeker van genieten.

Toen Caleb uit zijn werk kwam, reed hij samen met Rueben naar het huis van DeHaven. Daar waren ze twee uur bezig met zoeken. Hoewel ze voor alle andere boeken rekeningen en aankoopbewijzen in DeHavens bureau vonden, was nergens iets te bekennen wat erop wees dat

Jonathan de wettige eigenaar van het *Bay Psalm Book* was geweest. Caleb liep naar de kluis. Hij moest het boek op de geheime code van de Congresbibliotheek controleren. Dat zou bewijzen of Jonathan het gestolen had of niet. Toch maakte hij geen aanstalten de kluis binnen te gaan. Stel dat de code wél aanwezig was? Hij moest er niet aan denken. Dus deed hij wat hij altijd deed als hij onder druk stond. Hij ging ervandoor. Dat boek kwam later wel. Hij had contact opgenomen met DeHavens notaris en advocaten, maar voor zover die wisten had Jonathan geen bankkluisje of iets dergelijks gehad.

'Ik snap het gewoon niet,' zei Caleb. 'Jonathan was een eerlijk mens.'

'Ja,' zei Rueben. 'Maar zoals je net al zei, verzamelen kan een obsessie worden. Misschien werd hij in de verleiding gebracht iets te doen wat niet door de beugel kon. Dat zou ook verklaren waarom hij het *Bay Book* altijd geheim heeft gehouden.'

'Vroeg of laat moest het toch uitkomen? Hij had toch niet het eeuwige leven?'

'Hij had nooit verwacht dat hij zo plotseling aan zijn einde zou komen. Misschien had hij nog plannen met dat boek en heeft hij die nooit kunnen uitvoeren.'

'Maar hoe kan ik een boek veilen als er geen eigendomsbewijs van is?'

'Caleb, ik weet dat Jonathan DeHaven een vriend van je was, maar het is nu eenmaal niet anders,' zei Rueben zacht.

'Dat wordt een enorm schandaal.'

'Daar valt niet aan te ontkomen. Pas maar op dat je er niet in wordt meegesleurd.'

'Je hebt gelijk, Rueben. En bedankt voor je hulp. Blijf je hier overnachten?'

Rueben keek op zijn horloge. 'Het is nog vroeg. Ik denk dat ik samen met jou wegga en later op de avond terugkom. Ik heb vanmiddag ook al een paar uur geslapen.'

Ze liepen het huis uit. Drie uur later, kort voor elven, kwam Rueben door de achterdeur weer binnen. Hij maakte iets klaar voor zichzelf in de keuken en ging toen naar boven. Op zolder had hij niet alleen een goed uitzicht op Cornelius Behans liefdesnestje, maar door het halvemaanvormig raampje kon hij ook Good Fellow Street in de gaten houden. Hij keek afwisselend door de telescoop naar het huis van Behan en door de verrekijker die hij had meegenomen naar het huis aan de overkant.

Toen er om een uur of een 's nachts voor het huis van Behan een auto tot stilstand kwam, zag Rueben een jonge vrouw in een lange leren jas met een paar van Behans lijfwachten uit een donkergroene Cadillac SUV stappen en het huis binnenlopen. De vrouw des huizes was zeker niet thuis, dacht Rueben terwijl hij door de telescoop tuurde.

Hij hoefde niet lang te wachten. Het licht ging aan en toen kwamen de grote wapenhandelaar en zijn liefje de slaapkamer binnen.

Behan ging in een stoel zitten, klapte in zijn handen en de dame kwam onmiddellijk in actie. Knoopje voor knoopje maakte ze de leren jas open. Hoewel hij wel wist wat er ging gebeuren, hapte Rueben toch naar adem toen ze haar jas opensloeg. Zwarte netkousen, een behaatje en een slipje. Hij zuchtte.

Een ogenblik later zag hij iets roods flitsen in het raam aan de overkant. Hij keek even op. Waarschijnlijk remlichten van een passerende auto. Hij tuurde weer door de telescoop. De vrouw had inmiddels haar beha op de grond laten vallen. Ze zat nu op een stoel en nam rustig de tijd om een netkous omlaag te trekken terwijl haar kunstmatig vergrote borsten over haar platte maag bolden.

Wat moet je met ecologisch en puur natuur als je ook opgepompte nep kunt krijgen? dacht Rueben. Hij keek weer even naar het raam aan de overkant, waar nu een felrode gloed was verschenen. Zijn mond viel open. Het stond goddomme in de fik! Hij luisterde aandachtig. Waren dat sirenes? Had iemand de brandweer gebeld?

Hij kreeg geen kans om het antwoord op die vraag te zoeken. De klap op zijn achterhoofd was zo hard dat hij languit tegen de vloer sloeg. Roger Seagraves stapte om hem heen en liep naar het raam. Ook zonder telescoop kon hij zien dat de dame naakt was en langzaam voor Cornelius Behan neerknielde.

Maar dat zou niet lang duren.

Toen Rueben bijkwam, had hij aanvankelijk geen idee waar hij zich bevond. Hij ging moeizaam rechtop zitten en zag het waas voor zijn ogen langzaam wegtrekken. Hij was nog steeds op de zolder. Hij kwam overeind en herinnerde zich wat er was gebeurd. Hij keek om zich heen en greep een oude plank die als wapen kon dienen. Maar er was niemand te bekennen. Hij was helemaal alleen. En toch had iemand hem zo hard op zijn hoofd geslagen dat hij buiten kennis was geraakt.

Nu pas viel hem het kabaal buiten op. Hij keek door het raam. Er stond een rij brandweerwagens in de straat en brandweerlieden waren druk bezig de brand te blussen. Hij zag ook politiewagens af en aan rijden.

Terwijl hij over zijn achterhoofd wreef, keek hij naar het huis van Behan. Overal brandde licht. Toen hij de politie het huis binnen zag lopen, kreeg hij een misselijk gevoel in zijn maag. Hij strompelde naar de telescoop. Ook in de slaapkamer brandde licht, maar daar gebeurden nu heel andere dingen dan daarnet.

Cornelius Behan lag languit op zijn buik op de vloer met al zijn kleren nog aan. Zijn haar was nu nog roder, maar dat kwam door het gat in zijn achterhoofd. De jonge vrouw zat met haar rug tegen het bed. Haar hoofd en borsten zaten onder de donkerrode plekken. Zo te zien had ze een kogel in haar gezicht gekregen. Agenten in uniform en in burger doorzochten het vertrek. Er zaten twee kogelgaten in de ruit van Behans slaapkamer. Ineens verbleekte hij. Er zaten ook twee gaten in het raam waar hij nu doorheen keek. 'O shit!' Hij rende naar de deur, maar hij struikelde. In zijn val greep hij zich vast aan het eerste wat hij te pakken kon krijgen. Toen hij weer opkrabbelde, hield hij een geweer in zijn hand waarvan hij heel zeker wist dat er zojuist twee mensen mee waren doodgeschoten. Hij liet het onmiddellijk vallen en rende met twee treden tegelijk de trap af. Toen hij de keuken door holde en het eten zag dat hij nog niet had opgeruimd, drong het tot hem door dat zijn vingerafdrukken overal op zouden zitten, maar hij had nu geen tijd om zich daar druk over te maken. Hij rende door de achterdeur naar buiten.

Het licht scheen recht in zijn gezicht. Beschermend hield hij zijn hand voor zijn ogen.

'Staan blijven! Politie!'

·44·

'Ik heb een advocaat voor hem gevonden,' zei Caleb. 'Hij is heel jong en ook heel goedkoop, dus ik weet niet of hij wat kan bereiken. Ik heb tegen hem gezegd dat Rueben in Jonathans huis overnachtte om op de collectie te passen, en dat hij daarom over de alarmcode en de huissleutels beschikte. En dat heb ik ook tegenover de politie verklaard. Ik heb ze de naam van Jonathans notaris gegeven en gezegd dat die mijn positie van literair executeur kan bevestigen.'

Milton en Caleb waren bij Stone thuis. Ze waren allemaal aangeslagen toen ze hoorden dat Rueben was gearresteerd wegens de moord op Cornelius Behan.

'Wordt hij op borgtocht vrijgelaten?' vroeg Milton.

Stone schudde zijn hoofd. 'Gezien de omstandigheden lijkt me dat niet waarschijnlijk. Maar je kunt niet weten. Na Calebs verklaring wordt hij misschien wel op borgtocht vrijgelaten.'

'Ik heb Rueben vanochtend even gesproken,' zei Caleb. 'Hij zei dat hij naar Behans huis zat te kijken toen hij plotseling zag dat het huis aan de overkant in brand stond. Direct daarna kreeg hij een klap op zijn achterhoofd en raakte hij bewusteloos. Toen hij weer bij kennis kwam, zag hij dat Behan en zijn vriendin dood waren. Hij probeerde ervandoor te gaan en is opgepakt.'

'De kranten zullen er wel van smullen. Wapenhandelaar dood aangetroffen met naakte maîtresse,' merkte Milton op. 'Kennelijk zat mevrouw Behan gisteren in New York.'

'We moeten de echte moordenaar zien te vinden,' zei Stone.

'Maar hoe?' vroeg Milton.

'Door ons onderzoek voort te zetten.' Met een scherpe blik op Caleb voegde Stone eraantoe: 'We moeten die banden van de beveiligingscamera's zien te krijgen.'

'Susan heeft beloofd dat ze me daarmee zou helpen, maar sindsdien heb ik niets meer van haar gehoord.'

'Dan moet je zelf maar wat bedenken.'

Caleb keek Stone verbaasd aan, maar sprak hem niet tegen.

'We kunnen ervan uitgaan dat Behan en Bradley niet met elkaar bevriend waren. Eerst dacht ik dat Behan Bradley had laten vermoorden, en dat lijkt me nog steeds niet onmogelijk, maar wie heeft Behan dan gedood, en waarom?'

'Wraak voor de moord op Bradley?' opperde Milton.

Stone keek Milton even aan. 'Ik moet weten wie Bradleys stafmedewerkers waren en met wie hij omging. Misschien had hij vrienden bij de strijdkrachten en de inlichtingendiensten.'

Milton knikte. 'Er bestaat zoiets wat de *unlisted directory* wordt genoemd. Misschien hebben we daar iets aan. Maar informatie over de strijdkrachten en de inlichtingendiensten zal meer tijd kosten.'

'Wie Behan ook vermoord hebben, ze hebben geweten dat Rueben in DeHavens huis was en nu proberen ze hem ervoor te laten opdraaien. Dat betekent dat ze Behans huis ook in de gaten hebben gehouden.'

'De mensen in het huis aan de overkant van de straat, waar Rueben het over had?' zei Caleb aarzelend.

Stone schudde zijn hoofd. 'De brand is waarschijnlijk gesticht door een medeplichtige van de moordenaar. Ze moeten geweten hebben dat iemand Behans huis in de gaten hield. De brand was een afleidingsmanoeuvre om hun de kans te geven het huis binnen te dringen, Behan dood te schieten en ervandoor te gaan.'

'Slim,' merkte Caleb op.

'Ik ga de stad in,' zei Stone. 'Rueben opzoeken.'

'Zullen ze je dan niet om je identiteitsbewijs vragen, Oliver?' vroeg Milton.

'Mogelijk, maar in de Verenigde Staten is het nog steeds geen overtreding om geen identiteitsbewijs bij je te hebben.'

'Ik durf te wedden dat Susan er wel een voor je kan regelen,' zei Milton. 'Ze had een FBI-pasje dat er heel echt uitzag.'

'Waar is onze onverschrokken collega eigenlijk?' vroeg Caleb.

'Die had andere plannen,' zei Stone.

Jerry Bagger zat verslagen in zijn kantoor. In het hele oplichtersnetwerk waren foto's van Leo en Annabelle rondgestuurd, maar niemand was met aanwijzingen naar hem toe gekomen. Hoewel zijn mensen hun best hadden gedaan om het te voorkomen, was toch uitgelekt dat Bagger zich had laten oplichten, en dat was heel wat erger dan wanneer hij dat meteen bekend had gemaakt, want nu gonsde het van de vermoedens en de geruchten. Het kwam erop neer dat de gokmagnaat zich onsterfelijk belachelijk had gemaakt, en dat maakte zijn wraakzucht nog sterker. Als hij die twee te pakken kreeg, zou hij ze langzaam met een cirkelzaag bewerken en hun laatste ijselijke ogenblikken met een videocamera vastleggen. Hun kamers waren zorgvuldig doorzocht, maar er was geen enkele vingerafdruk gevonden. De glazen waaruit de vrouw en haar hulpje hadden gedronken waren allang afgewassen. Het mobieltje dat ze tegen de muur had gesmeten was in de vuilnisbak gegooid en lag inmiddels ergens op een stortplaats. In de wachttijd van vier dagen was het spoor volkomen opgedroogd. Bagger sloeg zijn handen voor zijn gezicht en leunde met zijn ellebogen op zijn bureau. En híj was degene geweest die had voorgesteld om deze keer geen twee dagen te wachten, maar vier. In wezen had hij zichzelf opgelicht.

En dat was precies wat dat wijf al die tijd van plan was, dacht hij. Hij was er met volle vaart ingevlogen.

Hij stond op en liep naar de glazen wand. Hij ging er prat op dat hij alle oplichtingspogingen doorhad, lang voordat ze de kans kregen hem schade te berokkenen. Maar dit was de eerste oplichtingspoging die rechtstreeks tegen hemzelf was gericht. Alle andere oplichters hadden het op het casino gemunt met hun korte trucs aan zijn goktafels. Hier ging het om een lange truc die zorgvuldig in scène was gezet door een vrouw die precies wist wat ze deed en die alles in de strijd had geworpen, inclusief het aloude, altijd betrouwbare hulpmiddel: seks.

Maar wat was ze verschrikkelijk overtuigend geweest! Steeds opnieuw liet hij alles wat ze had gezegd in gedachten de revue passeren. Ze had net op het juiste moment aangedrongen of zich juist terughoudend opgesteld. Ze had hem ervan weten te overtuigen dat ze een spion was die voor de overheid werkte. En hij had haar geloofd.

Hij staarde uit het raam en dacht terug aan het telefoongesprek waarin ze had gezegd dat ze hem wilde spreken, toen ze had gemerkt dat hij haar had laten volgen. Hij had haar wijsgemaakt dat hij niet meer op kantoor was en de stad uit ging. Toen had ze ronduit gezegd dat hij loog en nog steeds op kantoor was. Dat had hem ervan overtuigd dat ze de waarheid sprak en dat de CIA hem echt in de gaten hield.

Hij staarde naar het hotel aan de overkant van de straat. Het had vierentwintig verdiepingen, precies evenveel als zijn eigen gebouw. De lange rij vensters bevond zich recht tegenover zijn kantoor. Wel godver... Dat was het! Direct belde hij zijn chef Beveiliging.

Na lang gezeur en een telefoontje met Ruebens advocaat kreeg Oliver Stone eindelijk toestemming om zijn vriend in de cel te bezoeken. Hij schrok even toen de celdeur achter hem werd dichtgesmeten. Hij had weleens gevangen gezeten, maar niet in Amerika. Nee, dat was niet helemaal waar, verbeterde hij zichzelf. Hij was kortgeleden op Amerikaans grondgebied nog gemarteld.

Stone en Rueben gingen ervan uit dat de ruimte werd afgeluisterd en praatten daarom heel zacht en met zo min mogelijk woorden. Stone begon met zijn voeten op de betonnen vloer te tikken.

Rueben had al snel in de gaten wat daar de bedoeling van was. 'Denk je dat je daarmee hun elektronische afluisterapparatuur verstoort?' fluisterde hij ongelovig.

'Niet echt, maar het kan zeker geen kwaad.'

Rueben glimlachte en begon ook met zijn voet op de vloer te tikken.

'Hoe is het nu?' vroeg Stone.

'Mijn advocaat gaat die klap op mijn kop gebruiken als onderdeel van mijn verdediging.'

'Staan je vingerafdrukken op dat geweer?'

'Ik heb het per ongeluk aangeraakt.'

'Caleb heeft de politie verteld dat jij daar op de boeken paste.'

Rueben knikte.

'Verder nog iets?'

Rueben schudde zijn hoofd. 'Niemand gezien. Behalve bij die peepshow dan.'

'Ik ga het natrekken. Het is maar dat je het weet.'

'Heeft het iets met de rest te maken?'

Stone gaf een nauwelijks waarneembaar knikje. 'Heb je nog iets nodig?'

'Ja, Johnny Cochran, de advocaat van O.J. Simpson. Jammer dat die nu in de grote rechtszaal in de hemel zit.' En na een korte stilte vroeg hij: 'En Susan?'

Stone aarzelde. 'Die is druk bezig.'

Toen Stone een tijdje later het gebouw verliet, merkte hij dat hij op discrete afstand werd gevolgd door twee mannen die duidelijk van de politie waren.

'Ik laat jullie wel een tijdje achter me aan lopen,' mompelde Stone. In gedachten was hij al bij de volgende die hij wilde spreken.

· 45 ·

Roger Seagraves las het nieuwsbericht op zijn computerscherm toen hij op kantoor zat. De verdachte was geïdentificeerd als Rueben Rhodes, een ex-militair en medewerker van de militaire inlichtingendienst die met een drankprobleem te kampen had en de afgelopen jaren alle schepen achter zich had verbrand. Hij werkte in de haven en woonde in een soort schuur ergens aan de rand van noordelijk Virginia. Het bericht liet duidelijk doorschemeren dat de man een wandelende tijdbom was. En deze oorlogshater had de man vermoord die een fortuin had verdiend met de fabricage van het dodelijke speelgoed dat elk leger nodig had. Het was te mooi om waar te zijn.

Toen Seagraves de grote, forsgebouwde man voor het eerst door de achterdeur het huis had zien binnenlopen, had hij gedacht dat het een inbreker was. Maar omdat het inbraakalarm niet was afgegaan en hij de volgende ochtend opnieuw uit het huis kwam, wist hij dat er iets anders gaande was. Toen de man de volgende avond terugkwam, had Seagraves geweten dat dit een buitenkans was, een mooie gelegenheid om een buffer aan te brengen tussen de politie en hemzelf.

Zijn werkdag zat erop. Hij duwde zijn kaart in de prikklok. Nu begon hij aan zijn eigen tijd. Eerst moest hij iets ophalen. Deze keer geen wip met de dame van de NSA, maar je kon nu eenmaal niet altijd het nuttige met het aangename verenigen. Het was belangrijk zijn bronnen tevreden te houden en er tegelijkertijd voor te zorgen dat ze niet verdacht werden. Gelukkig kon hij door zijn functie bij de CIA via informele kanalen inzicht krijgen in het onderzoek naar binnenlandse spionage. De FBI speelde daarbij natuurlijk een belangrijke rol, en daar had hij weinig contacten, maar toch was het nuttig om te weten welke personen door zijn organisatie 'van belang' werden geacht.

Het was een blijk van zijn vakmanschap dat hijzelf nooit onder verdenking had gestaan. Kennelijk kwam het niet bij de CIA op dat een van zijn vroegere beroepsmoordenaars ooit voor zichzelf zou beginnen. Waren ze echt zo naïef? Als dat zo was en de belangrijkste inlichtingendienst van het land zich zo makkelijk in de luren liet leggen, dan maakte hij zich zorgen over de veiligheid van zijn land. Aldrich Ames was natuurlijk gepakt. Maar Seagraves was een heel ander soort spion.

Seagraves had mensen gedood in opdracht van de regering, dus de normaal geldende wetten waren op hem niet van toepassing. Hij was als een profsporter die zich door de prestaties die hij leverde meer kon permitteren dan een ander. Maar dezelfde eigenschappen waardoor topsporters zo formidabel waren op de tennisbaan of het voetbalveld, konden hen daarbuiten gevaarlijk agressief maken. Doordat Seagraves jarenlang had gemoord en ermee weg had kunnen komen, had hij het gevoel gekregen dat hij onverslaanbaar was. En zelfs als hij in opdracht de trekker overhaalde, had hij nooit het gevoel dat hij voor iemand anders werkte. Hij was degene die zijn leven in de waagschaal stelde, of het nu in het Midden-Oosten was, in Azië, of waar ook ter wereld. In zijn psychologische profielschets stond dat hij een einzelgänger was, en dat was een van de redenen dat hij voor deze functie was geselecteerd.

Hij reed naar een sportschool in MacLean, Virginia, niet ver van Chain Bridge Road waar het hoofdkwartier van de CIA was gevestigd. Hij ging tennissen met zijn afdelingschef, een man die prat ging op zijn vaderlandsliefde, zijn efficiency en zijn topspin-backhand.

De eerste twee sets speelden ze gelijk en even overwoog Seagraves zijn chef de derde set te laten winnen, maar uiteindelijk werd het pleit beslecht door zijn competitiedrang, al zorgde hij er wel voor dat zijn voorsprong niet te groot werd. Ze scheelden tenslotte vijftien jaar.

'Je hebt me flink geklopt, Roger,' zei zijn chef.

'Ja, maar je hebt het me niet makkelijk gemaakt. Als we even oud waren geweest, had ik nooit tegen je op gekund.'

Deze vent had zijn hele leven kantoorfuncties in Langley bekleed. De enige actie die hij kende ontleende hij aan de thrillers die hij zo graag las. Om voor de hand liggende redenen was het bestaan van de 666-eenheid een goed bewaard geheim, maar zijn chef wist dat hij vele jaren veldwerk had gedaan in oorden die door de CIA consequent als 'risicovol' waren aangeduid. Daarom behandelde hij Seagraves met meer respect dan de pennenlikkers in de kamertjes naast hem.

In de kleedkamer, terwijl zijn chef onder de douche stond, deed Seagraves zijn kastje open, haalde er een handdoek uit en droogde daarmee eerst zijn gezicht af en daarna zijn haar. Zijn chef en hij reden naar het Reston Town Center en aten in Clyde's Restaurant. Daarna namen ze afscheid, en terwijl zijn chef wegreed, liep Seagraves door de hoofdstraat en bleef even staan voor de bioscoop.

Hier, op dit soort plekken, hadden spionnen in vroeger tijden hun spullen afgegeven en hun geld opgehaald. Seagraves zag voor zich hoe een emmertje popcorn met iets meer erin dan alleen gepofte maïskorrels onopvallend van eigenaar wisselde. Maar hoe onopvallend ook, het bleef onhandig en riskant. Hij had zijn spullen al opgehaald terwijl hij op stap was met zijn chef, en de kans dat iemand had gezien hoe dat in zijn werk ging, was nihil. Het kwam zelden voor dat de CIA twee van haar eigen werknemers liet schaduwen, en al helemaal niet als ze samen gingen tennissen en daarna een hapje eten. Ze waren totaal vastgeroest in het idee dat spioneren een solitaire bezigheid was, en dat was ook de reden dat hij zijn argeloze chef had uitgenodigd.

Hij reed naar huis, haalde de handdoek die hij uit de kleedkamer had meegenomen uit zijn tas en liep naar het geheime kamertje in zijn kelder. Hij legde de handdoek naast het stoomstrijkijzer dat op tafel stond. In de handdoek was het logo van de sportschool geweven. Althans, dat zou het zijn geweest als dit echt een handdoek van de sportschool was geweest, en niet een redelijke goede imitatie waarvan het logo niet was ingeweven maar op de stof was aangebracht. Met het stoomstrijkijzer wist hij het logo er snel af te krijgen. Op de achterkant zat de reden waarom Seagraves zich op de tennisbaan in het zweet had gewerkt: vier stukjes tape van vijf centimeter lang.

Met een geavanceerde microscoop van zijn werkgever die personeelsleden boven een bepaalde rang om onduidelijke redenen mee naar huis mochten nemen, ontcijferde hij de informatie en zette die over in een vorm die doorgespeeld kon worden aan Albert Trent. Hij was er tot middernacht mee bezig, maar dat vond hij niet erg. Als beroepsmoordenaar had hij vaak 's nachts gewerkt en oude gewoontes slijten langzaam. Daarna wilde hij nog één klusje doen voordat hij ging slapen. Hij liep naar zijn speciale bergkast, deed hem open, schakelde het alarmsysteem uit en stapte naar binnen. Hij kwam hier minstens één keer per dag om zijn verzameling te bekijken. En vanavond had hij er iets aan toe te voegen, al zat het hem dwars dat het maar één voorwerp was, want eigenlijk hadden het er twee moeten zijn. Hij haalde het uit zijn zak. Het was een manchetknoop van Cornelius Behan. Die had hij gekregen van een van zijn medewerkers die in dienst was van Fire Control, Inc. Kennelijk had Behan die laten vallen tijdens een bezoek aan de opslagplaats van dat bedrijf, een bezoek dat hem uiteindelijk zijn leven had gekost. Waarschijnlijk was Behan erachter gekomen hoe DeHaven was gestorven, en Seagraves kon niet toelaten dat hij die kennis met iemand anders deelde. Seagraves legde de manchetknoop op een plank aan de muur, naast het slabbetje. Hij had nog niets van de jonge vrouw die hij had doodgeschoten. Zodra hij tijd had, zou hij haar identiteit natrekken en zorgen dat hij iets te pakken kreeg wat van haar was geweest. Hij had Behan als eerste neergeknald. Toen die op de vloer was gezakt, had hij goed zicht op het meisje gekregen. Ze had op handen en knieën naar buiten gekeken door het raam waar de eerste kogel doorheen was gegaan. Seagraves had geen idee of ze hem had gezien of niet, maar dat deed ook niet ter zake. Hij had haar niet eens de kans gegeven het op een gillen te zetten. Van dat knappe smoeltje was weinig overgebleven, dus ze zou wel in een gesloten kist begraven moeten worden. Hij stond even naar de manchetknoop te staren en nam zich voor zo snel mogelijk iets van haar in zijn bezit te krijgen, zodat zijn collectie volledig was. Dat vond hij nu eenmaal prettig.

· 46 ·

Het kostte Stone enige moeite, maar uiteindelijk wist hij zijn schaduwen van zich af te schudden. Daarna ging hij naar een leegstaand huis niet ver van de begraafplaats dat hij als onderduikadres gebruikte. Daar kleedde hij zich om en wandelde toen naar Good Fellow Street. Hij liep langs het huis van DeHaven. Voor het huis van Behan stond een legertje verslaggevers te wachten tot de onfortuinlijke en diep vernederde weduwe zich zou vertonen. In het zwaargehavende huis aan de overkant was geen mens te bekennen.

Op de hoek van de straat bleef hij staan en deed alsof hij op een kaart keek, terwijl tegelijkertijd een verhuiswagen voor Behans huis tot stilstand kwam. Er stapten twee stevig gebouwde mannen uit. Toen het dienstmeisje opendeed, spitsten de verslaggevers hun oren en keken reikhalzend naar binnen. De twee verhuizers liepen het huis in en kwamen een paar minuten later weer naar buiten met een grote houten kist. Hoewel ze er allebei sterk uitzagen, hadden ze duidelijk moeite met het gewicht. Stone wist wat de verslaggevers dachten: mevrouw Behan had zich in die kist verstopt om aan de media te ontkomen. Wat een primeur zou dat zijn!

De mobieltjes kwamen tevoorschijn en de journalisten renden naar hun auto om achter de verhuiswagen aan te rijden. Twee auto's die aan de achterkant van het huis hadden gestaan, kwamen ook snel aangereden. Er bleven een paar verslaggevers achter die vermoedden dat het een list was. Ze deden alsof ze de straat uit liepen, maar bleven staan zodra ze uit het zicht van Behans huis waren. Een minuut later ging de voordeur weer open en verscheen een vrouw in diensteruniform en met een grote, breedgerande hoed op. Ze verdween snel in een auto en reed weg.

Ook nu weer kon Stone de collectieve gedachten van het journaille lezen. Dat gedoe met die verhuiswagen was een afleidingsmanoeuvre en de vrouw des huizes had zich als dienstmeisje vermomd. De achtergebleven verslaggevers renden naar hun auto en reden erachteraan. Twee andere verslaggevers kwamen een zijstraat uit rennen. Ongetwijfeld waren ze gewaarschuwd door hun collega's.

Stone liep de hoek om naar de steeg achter het huis van Behan en ging achter een heg staan. Enkele minuten later kwam Marilyn Behan aangelopen. Ze droeg een pantalon, een lange zwarte jas en een hoed met brede rand die ze diep over haar ogen had getrokken. Toen ze het eind van de steeg had bereikt, keek ze behoedzaam om zich heen.

Stone kwam achter de heg vandaan. 'Mevrouw Behan?'

Ze maakte een schrikachtige beweging en keek snel achterom.

'Wat moet je?' snauwde ze. 'Ben je journalist?'

'Nee, ik ben een vriend van Caleb Shaw. Hij werkt in de Congresbibliotheek. We hebben elkaar ontmoet bij de begrafenis van Jonathan DeHaven.'

Ze leek haar best te doen hem zich weer voor de geest te halen. Haar manier van doen wekte de indruk dat ze onder invloed was. Ze rook echter niet naar drank. Drugs misschien?

'O, ja, nou weet ik het weer.' Ze kreeg een hoestbui en zocht in haar tasje naar een zakdoek.

'Ik wilde u mijn deelneming betuigen,' zei Stone, en hij hoopte maar dat de vrouw zich niet zou herinneren dat Rueben, die van de moord op haar echtgenoot werd verdacht, ook deel van hun groepje had uitgemaakt.

'Dank u wel.' Ze keek weer over haar schouder. 'Dit hele gedoe moet wel een beetje vreemd overkomen.'

'Ik heb de verslaggevers gezien, mevrouw Behan. Dit moet echt een nachtmerrie voor u zijn. Maar u hebt ze om de tuin weten te leiden, en dat is niet eenvoudig.'

'Als je met een heel rijke man bent getrouwd die ook nog eens een omstreden figuur is, dan leer je wel hoe je uit de buurt van de media moet blijven.'

'Kan ik u een paar minuten spreken? Misschien kunnen we een kop koffie gaan drinken?'

'Ik weet het niet. Dit is een moeilijke tijd voor me.' Met een verwrongen gezicht voegde ze eraantoe: 'Ik heb net mijn man verloren, verdomme!'

Stone liet zich niet van de wijs brengen. 'Dit heeft met de dood van uw man te maken. Ik wil u iets vragen over wat hij tijdens de begrafenis heeft gezegd.'

Haar gezicht verstrakte. 'Wat weet u over zijn dood?' vroeg ze.

'Veel minder dan ik zou willen. Maar ik denk dat er verband bestaat tussen de moord op uw man en de dood van Jonathan DeHaven. Het is toch wel toevallig dat twee mensen die pal naast elkaar wonen kort na elkaar onder zulke... ongebruikelijke omstandigheden aan hun eind komen.'

Plotseling verscheen er een berekenende blik in haar ogen. 'U denkt zeker ook niet dat DeHaven een hartaanval heeft gehad, hè?'

Ook niet? 'Mevrouw DeHaven, kunt u een paar minuten voor me vrijmaken? Alstublieft, het is belangrijk.'

Ze gingen koffiedrinken bij een delicatessenwinkel niet ver daarvandaan. Toen ze aan een tafeltje achterin zaten, zei Stone zonder omhaal:

'Volgens mij heeft uw man u iets verteld over DeHavens dood.'

Ze nam een slokje koffie, trok haar hoed nog dieper over haar ogen en zei zacht: 'Neemt u maar van mij aan dat CB niet geloofde dat Jonathan een hartaanval had gehad.'

'Waarom niet? Wat wist hij ervan?'

'Dat weet ik niet. Hij heeft me er eigenlijk nooit rechtstreeks iets over verteld.'

'Hoe weet u dan dat hij twijfelde aan de doodsoorzaak?'

Marilyn Behan aarzelde. 'Ik weet eigenlijk niet waarom ik u dat zou vertellen.'

'Ik zal eerlijk tegen u zijn in de hoop dat u het dan ook tegen mij bent.'

Hij vertelde haar waarom Rueben in Jonathans huis was geweest, al was hij wel zo tactvol om niet over de telescoop te beginnen. 'Rueben heeft uw man niet vermoord, mevrouw Behan. Hij was daar alleen maar omdat ik hem opdracht heb gegeven de straat te observeren. Er gebeuren merkwaardige dingen in Good Fellow Street.'

'Zoals?'

'Zoals de man in het huis aan de overkant van de straat.'

'Daar weet ik niets van,' zei ze zenuwachtig. 'En CB heeft daar ook nooit iets over gezegd. Ik weet dat hij het gevoel had dat hij werd bespioneerd. Misschien probeerde de FBI wel iets belastends over hem te weten te komen. Dat is best mogelijk. Hij heeft de afgelopen jaren een hoop vijanden gemaakt.'

'U zei dat hij nooit rechtstreeks iets tegen u heeft gezegd over Jonathans dood, maar bij de begrafenis leek hij toch graag van ons te willen horen dat Jonathan inderdaad aan een hartaanval was overleden. Hij zei dat lijkschouwingen soms onjuiste resultaten opleveren.'

Ze zette haar kopje neer en wreef nerveus over de rode lippenstift op de rand. 'Ik heb CB een keer horen telefoneren. Ik luisterde hem niet af,' voegde ze er snel aan toe. 'Ik wilde een boek halen. Hij zat in de bibliotheek te bellen en de deur stond halfopen.'

'Ik weet zeker dat u het niet met opzet hebt gedaan,' zei Stone.

'Nou, hij vertelde iemand dat hij te weten was gekomen dat DeHaven kortgeleden een check-up had gehad in het Johns Hopkins, en dat hij in uitstekende conditie verkeerde. En toen zei hij dat hij via zijn contacten bij de politie van Washington te weten was gekomen dat ze daar helemaal niet blij waren met wat er in het autopsierapport stond. Het klopte gewoon niet. Hij klonk ongerust en zei dat hij een nader onderzoek wilde instellen.'

'En heeft hij dat ook gedaan?'

'Dat weet ik niet. Meestal vroeg ik nooit waar hij heen ging. Ik had haast omdat ik het vliegtuig naar New York moest halen, maar omdat

hij zo bezorgd keek, vroeg ik of er iets mis was. Ik wist trouwens niet eens dat dat klotebedrijf ook al van hem was.'
'Bedrijf? Welk bedrijf?'
'Fire Control heet het, geloof ik. Zoiets in elk geval.'
'Hij is naar Fire Control gegaan?'
'Ja.'
'Heeft hij u ook verteld waarom?'
'Hij zei alleen dat hij iets wilde natrekken. O, en hij zei ook iets over de Congresbibliotheek, of in elk geval over de plek waar Jonathan werkte. Het ging erom dat dat bedrijf van hem de brandbeveiliging daar regelde en zo. En dat hij te horen had gekregen dat daar kort voor Jonathans dood een paar gascontainers waren weggehaald. En hij vertelde dat er een fout was gemaakt bij de voorraadadministratie.'
'Weet u of hij iets heeft gevonden?'
'Nee. Zoals ik al zei, ben ik naar New York gegaan. Toen ik hem belde en hij er niets over zei, heb ik er ook niet meer aan gedacht.'
'Klonk hij uit zijn doen toen u hem aan de lijn had?'
'Nee. Hij klonk heel gewoon.' Na een korte stilte voegde ze eraantoe: 'O, hij zei dat hij de leidingen in ons huis ging controleren.'
'De leidingen? Welke leidingen?'
'Ik dacht dat hij het over de gasleidingen had. Als daar een lek in komt, kan de boel ontploffen.'
Zoals bij Bob Bradley thuis, dacht Stone, maar toen kwam er een andere gedachte bij hem op.
'Mevrouw Behan, hebt u thuis een sprinklerinstallatie?'
'O, nee. We hebben een grote kunstverzameling, dus we gaan niet met water spuiten. Maar CB was wel bang voor brand. Ik bedoel, kijk maar wat er aan de overkant is gebeurd. Hij heeft een andere brandblusinstallatie laten installeren, een die niet met water werkt. Ik weet niet hoe het precies zit.'
'Ik wel.'
'Dus u denkt dat Jonathans moordenaar ook degene is die CB heeft vermoord?'
Stone knikte. 'Ja. En als ik u was, dan zou ik maar in een van zijn andere huizen gaan wonen, liefst zo ver mogelijk hiervandaan.'
'Denkt u dat ik in gevaar ben?' vroeg ze met wijd opengesperde ogen.
'Ik denk dat iedereen in Good Fellow Street weleens in gevaar zou kunnen zijn.'
'Dan ga ik terug naar New York. Vanmiddag nog.'
'Dat lijkt me heel verstandig.'
'Ik hoop dat de politie er geen bezwaar tegen zal hebben. Ik heb mijn paspoort moeten inleveren. Misschien ben ik wel een verdachte. Per slot

van rekening ben ik de echtgenote. Ik heb een ijzersterk alibi, maar ik had natuurlijk iemand kunnen inhuren om hem te vermoorden terwijl ik in New York zat.'

'Dat is wel eerder gedaan,' gaf Stone toe.

Een paar minuten zaten ze zwijgend tegenover elkaar. 'Weet u, CB hield echt van me.'

'Dat neem ik direct aan,' zei Stone beleefd.

'Nee, ik weet wat u denkt, maar hij hield écht van me. Die andere vrouwen betekenden niets voor hem. Ze kwamen en gingen, maar ik had met hem voor het altaar gestaan. En hij heeft alles aan mij nagelaten.' Ze nam nog een slokje koffie. 'Het is merkwaardig, weet u. Hoewel hij een fortuin heeft verdiend met de fabricage van oorlogstuig had hij een enorme hekel aan vuurwapens. Hij heeft zelf nooit een wapen in huis gehad. Hij is opgeleid tot ingenieur. Hij was briljant en hij werkte harder dan wie dan ook.' Ze zweeg even. 'Hij hield van me. Dat weet een vrouw gewoon. En ik hield van hem. Met al zijn fouten. Ik kan nog steeds niet geloven dat hij er niet meer is. Een deel van mij is samen met hem gestorven.' Ze pinkte een traan weg.

'Mevrouw Behan, waarom zit u nou te liegen?'

'Wat?'

'Waarom zit u mij voor te liegen? U kent me niet eens, dus vanwaar al die moeite?'

'Waar hebt u het over? Ik lieg niet. Ik hield écht van hem.'

'Waarom hebt u dan een privédetective ingehuurd om vanaf de overkant uw huis in de gaten te houden en foto's te maken van de vrouwen met wie uw man het bed indook?'

'Hoe dúrft u! Daar had ik niets mee te maken. Ik heb u al gezegd dat CB waarschijnlijk in de gaten werd gehouden door de FBI.'

'Nee, de FBI zou zo slim zijn geweest een heel team in dat huis te stationeren. Op zijn minst een man en een vrouw, zodat het eruitzag alsof dat huis normaal werd bewoond. Ze zouden zo nu en dan het vuilnis buiten hebben gezet en andere doodgewone klusjes hebben gedaan. En waarom zouden ze uw huis in de gaten houden? Vanwege de mensen die uw man thuis uitnodigde? Zelfs het budget van de FBI is niet zo groot dat ze alles in de gaten kunnen houden.' Hij schudde zijn hoofd. 'Ik hoop niet dat u die firma veel geld hebt betaald, want dat waren ze echt niet waard.'

Ze kwam half overeind uit haar stoel. 'Klootzak!'

'U had ook gewoon van hem kunnen scheiden. Dan had u de helft van zijn vermogen gekregen en was u weer een vrij mens geweest.'

'Nadat hij me zo vernederd heeft? Nadat hij al die hoeren door míjn huis heeft laten paraderen? Ik wilde hem laten lijden. Het is waar. Ik heb een privédetective in dat huis gezet. En wat dan nog? Met de foto's die hij had genomen van mijn man en die goedkope snollen zou ik CB flink laten bloeden, zodat hij al zijn bezittingen aan mij zou overdragen. Anders had ik het allemaal aan de grote klok gehangen, en neemt u maar van mij aan dat de federale overheid het helemaal niet prettig vindt dat zijn wapenleveranciers in compromitterende situaties worden gesignaleerd. CB had toegang tot topgeheime informatie, en die had hij echt niet gekregen als de overheid had geweten dat hij zo chantabel was. En als hij alles op mijn naam had gezet, zou ik hem gedumpt hebben. Hij was niet de enige die vreemdging. Ik heb ook minnaars gehad en met een van hen ga ik de rest van mijn leven doorbrengen. Maar nu heb ik alles gekregen zonder dat ik hem heb hoeven chanteren. Het is de perfecte wraakneming.'

'Misschien kunt u beter niet zo hard praten. Zoals u net zelf hebt gezegd, beschouwt de politie u ongetwijfeld als verdachte. En het is niet slim om ze onnodige munitie te geven.'

Marilyn Behan keek om zich heen en zag dat de andere bezoekers haar aanstaarden. Ze trok wit weg en liet zich weer op haar stoel zakken.

Nu stond Stone op. 'Bedankt voor het gesprekje. Het heeft me heel nuttige informatie opgeleverd.' En met een uitgestreken gezicht voegde hij eraantoe: 'En nogmaals mijn oprechte deelneming.'

'Loop naar de hel,' siste ze.

'Misschien komen we elkaar daar nog tegen.'

· 47 ·

Annabelle zat te wachten op haar overstap vanuit Atlanta. Terwijl ze haar nieuwe reisplan doorlas, merkte ze dat ze nog steeds ziedend was over Leo's stupide gedrag. Hoe had hij dat kunnen doen? Als ze had gewild dat Freddy wist wie ze was, dan had ze het hem zelf wel verteld.

Haar vlucht werd omgeroepen, maar ze bleef zitten terwijl de passagiers in de rij gingen staan. Hoewel ze eersteklas had geboekt en dus meteen al aan boord had gekund, was het een oude gewoonte van haar om eerst goed te kijken wie er nog meer instapten. Toen de rij bijna verdwenen was, pakte ze haar weekendtas. Ze had het grootste deel van haar kleren in Washington achtergelaten. Ze checkte nooit bagage in als ze ging vliegen; ze wilde niet dat haar spullen werden doorzocht. Op haar bestemming zou ze wel nieuwe kopen.

Ze keek even naar de televisie die stond afgestemd op CNN, en bleef ineens stokstijf staan. Vanaf het scherm staarde Rueben haar aan. Haastig liep ze er dichter naartoe om de ondertitels te lezen. *Vietnam-veteraan Rueben Rhodes gearresteerd. Defensieleverancier Cornelius Behan en een vrouw doodgeschoten vanuit het huis van de buren. Rhodes werd in hechtenis...*

'Mijn god,' mompelde Annabelle.

'Laatste oproep voor vlucht 3457 naar Honolulu,' klonk het uit de luidspreker. 'Laatste oproep voor vlucht 3457 naar Honolulu.'

Annabelle keek naar de gate waar haar vliegtuig nu gereedstond voor vertrek. Het luchthavenpersoneel stond op het punt de deuren te sluiten. Ze draaide zich om en keek weer naar het scherm. Doodgeschoten vanuit het huis van de buren? Behan dood, Rueben opgepakt. Wat was er verdomme aan de hand? Ze moest het weten.

Toen dacht ze: dit gaat je niet aan, Annabelle. Je hebt er niets mee te maken. Je moet hier weg. Jerry Bagger zit achter je aan. Laat ze het zelf maar afhandelen. Rueben kan Behan gewoon niet vermoord hebben, en ze komen er heus wel achter wie het werkelijk heeft gedaan. En als het ze niet lukt, dan is het jouw probleem niet.

'Laatste oproep voor vlucht 3457. De gate wordt nu gesloten.'

'Verdomme, Annabelle,' fluisterde ze wanhopig. 'Gá nou toch. Je hebt dit niet nodig. Dit is jouw strijd niet. Je bent die mensen niets verschuldigd. Je bent Jonathan niets verschuldigd.'

Ze zag dat de deur naar het vliegtuig dat haar zou wegvoeren van Jerry Bagger dichtzwaaide en dat de grondstewardess naar een andere gate liep. Tien minuten later zag ze de Boeing 747 wegtaxiën. Terwijl het toestel precies op schema opsteeg, boekte Annabelle een vlucht naar het noorden die haar dicht bij Jerry Bagger zou brengen. En ze wist niet eens waarom. Maar misschien wist ze dat diep in haar hart eigenlijk wel.

In zijn kantoor thuis maakte Albert Trent een paar klusjes af. Nadat hij tot 's avonds laat had doorgewerkt, was hij vanochtend pas laat begonnen en hij had besloten eerst wat achterstanden in te lopen voordat hij naar zijn werk ging. Al die klusjes hadden te maken met zijn functie als senior stafmedewerker van de commissie voor de Inlichtingendiensten van het Huis van Afgevaardigden. Hij had die functie nu al jaren en was goed thuis in bijna alle aspecten van het inlichtingenwerk, of in elk geval in het deel waarover de inlichtingendiensten informatie wilden delen met hun toezichthouders in het Congres. Hij streek zijn haar glad, dronk zijn koffie op en werkte de laatste resten van zijn kaascroissant weg. Toen pakte hij zijn koffertje en reed in zijn tweedeurs Honda de straat uit. Over vijf jaar zou hij in iets veel leukers rondrijden, in Argentinië misschien, of anders ergens in Oceanië. Hij had gehoord dat het daar paradijselijk was.

Hij had inmiddels vele miljoenen op zijn geheime bankrekening staan en de komende vijf jaar moest hij dat bedrag minstens kunnen verdubbelen. De geheimen die Roger Seagraves te koop aanbood, waren de duurste die er maar waren. Het was niet zoals tijdens de Koude Oorlog, toen je ergens een pakje achterliet en in ruil daarvoor twintigduizend dollar kon komen ophalen. De mensen met wie Seagraves zaken deed, werkten alleen met bedragen van minstens zes cijfers, maar ze wilden wel waar voor al dat geld. Trent had Seagraves nooit vragen gesteld over zijn bronnen of afnemers. De man zou hem toch niets vertellen en eigenlijk wilde Trent het ook helemaal niet weten. Zijn enige, maar wel onmisbare rol in het hele proces was dat hij de informatie die Seagraves hem toespeelde, doorgaf aan de volgende schakel in de keten. En de manier die hij daarvoor had bedacht leverde een belangrijke bijdrage aan het hele proces en dat was ook de enige reden dat Seagraves hem zo goed betaalde. Toch vormden ze samen een briljant koppel. Het was aan hun te danken dat het bij de Amerikaanse inlichtingendiensten op het moment zo'n absolute puinhoop was.

Er waren veel energieke en goedopgeleide contraspionageagenten bezig om uit te zoeken hoe al die geheimen werden gestolen en aan de vijand toegespeeld. In zijn officiële rol werd Trent in zekere mate op de hoogte gehouden van het verloop van het onderzoek. De agenten die hem informeerden hadden geen enkele reden om te vermoeden dat een eenvoudige stafmedewerker, die in een acht jaar oude Honda reed, in een aftands huisje woonde en te maken had met dezelfde hoge rekeningen en hetzelfde lage inkomen als andere Amerikaanse ambtenaren, deel uitmaakte van een ervaren spionnenteam dat het werk van de Amerikaanse inlichtingendiensten ondermijnde.

De autoriteiten moesten inmiddels toch weten dat de verraderlijke bron zich ergens diep in de eigen gelederen bevond, maar met vijftien belangrijke inlichtingendiensten met een gezamenlijk budget van vijftig miljard dollar per jaar en meer dan 120.000 werknemers, waren de hooibergen gigantisch en de naalden microscopisch klein. En Trent was er inmiddels achter dat de ijskoude Roger Seagraves uiterst efficiënt was en nooit een detail over het hoofd zag, hoe triviaal het ook mocht lijken.

In het begin had Trent weleens geprobeerd wat meer over de man te weten te komen, maar hij had helemaal niets kunnen vinden. Voor een ervaren stafmedewerker als hij wilde dat zeggen dat Seagraves' professionele carrière zich volledig in het verborgene had afgespeeld en dat maakte hem tot iemand die je niet tegen je in het harnas moest jagen. En dat was Trent dan ook niet van plan. Hij wilde graag oud en rijk sterven in een oord ver van hier.

Terwijl hij in zijn gebutste Honda voorttufte, probeerde hij zich voor te stellen hoe dat nieuwe leven van hem eruit zou zien. Het zou in elk geval heel anders zijn, dat was zeker. Hoeveel mensen er door zijn hebzucht om het leven waren gekomen, was iets waar hij zich nooit mee bezighield. Landverraders werden nu eenmaal zelden gekweld door gewetenswroeging.

Stone was net terug van zijn gesprek met Marilyn Behan toen er op zijn voordeur werd geklopt.

'Hallo, Oliver,' zei Annabelle.

Zonder te laten merken dat hij verrast was liet hij haar binnen. Ze gingen voor de haard in twee nogal krakkemikkige stoelen zitten.

'Hoe was de reis?' vroeg hij vriendelijk.

'Schiet op jij! Ik ben niet gegaan.'

'O nee?'

'Heb je de anderen verteld dat ik weg was gegaan?'

'Nee.'

'Waarom niet?'

'Ik wist wel dat je terug zou komen.'

'Nou moe,' zei ze boos. 'Daar word ik nou echt nijdig van. Je kent me helemaal niet.'

'Ik ken je duidelijk wel, want daar ben je weer.'

Ze keek hem strak aan en schudde haar hoofd. 'Jij bent de merkwaardigste kerkhofklusjesman die ik ooit heb ontmoet.'

'Je kent er vast een hoop, hè?'

'Ik heb gehoord wat Rueben is overkomen.'

'De politie heeft het natuurlijk mis, maar dat weten ze nu nog niet.'

'We moeten hem de gevangenis uit zien te krijgen.'

'Daar wordt aan gewerkt en het gaat heel goed met hem. Ik denk niet dat hij daar veel last van de andere gevangenen zal hebben. Ik heb hem tijdens een gevecht in een kroeg weleens vijf mannen achter elkaar buiten westen zien slaan. Hij is niet alleen beresterk, maar ook een meedogenloze vechtersbaas. Dat vind ik echt heel bewonderenswaardig in hem.'

'Maar iemand heeft hem erin geluisd toen hij in Jonathans huis zat?'

'Ja.'

'Maar waarom? Waarom is Behan vermoord?'

'Omdat hij erachter was gekomen hoe Jonathan was vermoord. Dat was reden genoeg.' Stone vertelde over zijn gesprek met Marilyn Behan.

'Dus ze schakelen Behan uit en geven Rueben dan de schuld omdat die toevallig in de buurt is?'

'Waarschijnlijk hebben ze hem het huis in en uit zien lopen, gezien dat ze vanaf de zolder een goed schootsveld hadden, en op basis daarvan een plan gemaakt en uitgevoerd. Misschien wisten ze al dat Behan vrouwen meenam naar die slaapkamer.'

'Dat betekent dat we hier met een geduchte tegenstander te maken hebben. Wat doen we nu?'

'Om te beginnen moeten we de videobanden van de kluis in de leeszaal in handen zien te krijgen.'

'Op de terugweg viel me een manier in waarop dat zou kunnen lukken.'

'Ik heb er geen ogenblik aan getwijfeld dat je iets zou weten te bedenken.' Na een korte stilte voegde hij eraantoe: 'Volgens mij zouden we deze klus zonder jou nooit geklaard kunnen hebben. Dat weet ik eigenlijk wel zeker.'

'Vlei me nou maar niet te veel. We zijn er nog lang niet.'

Ze staarden even zwijgend voor zich uit.

Annabelle keek uit het raam. 'Het is hier echt heel vredig, weet je.'

'Met al die dode mensen om je heen? Ik begin het eigenlijk nogal deprimerend te vinden.'

Ze glimlachte en stond op. 'Ik ga Caleb even bellen over dat ideetje van me.'

Stone stond ook op en strekte zijn magere, 1 meter 85 lange lijf. 'Ik ben bang dat ik de leeftijd heb bereikt waarop zelfs gewoon grasmaaien al akelige dingen doet met je gewrichten.'

'Neem maar een aspirientje. Ik bel je later wel, als ik weer een hotel heb gevonden.'

Toen ze langs hem heen liep, zei hij zachtjes. 'Fijn dat je terug bent.'
Ze deed alsof ze het niet hoorde. Hij keek haar na terwijl ze in haar auto stapte en wegreed.

Na zijn ontdekking had Jerry Bagger de manager van het hotel aan de overkant van de straat bij zich geroepen en op hoge toon de gegevens van alle gasten opgeëist die op een bepaalde dag een kamer hadden geboekt op de drieëntwintigste verdieping van zijn hotel, aan de kant die uitzicht bood op zijn kantoor. En in Atlantic City was het zo dat als Jerry Bagger zei dat je moest komen, je ook ging. Zoals gebruikelijk hingen er op de achtergrond een paar van Baggers beveiligingsmensen rond.

De hotelmanager, een knappe, ambitieuze jongeman die zijn werk zo goed mogelijk probeerde te doen, had helemaal geen zin om de gokmagnaat ook maar iets te laten zien.

'Om te zorgen dat u de situatie goed begrijpt,' zei Bagger, 'als u me geen inzage geeft in de gegevens die ik nodig heb, dan gaat u dood.'

De manager kromp iets in elkaar. 'Is dat een dreigement?'

'Nee. We spreken van een dreigement als er een kans is dat de onprettige gebeurtenis zich misschien niet zal voordoen. In dit geval spreken we in het vak van een moetje.'

De manager verbleekte, maar zei dapper: 'De informatie waar u om vraagt is vertrouwelijk. Die kan ik u met geen mogelijkheid geven. Onze gasten verwachten dat hun aangelegenheden privé blijven, en we hanteren wat dat betreft de hoogste maatstaven die....'

'Ja, ja,' viel Bagger hem in de rede. 'Hoor eens, ik zal het eerst op de makkelijke manier doen. Hoeveel wil je hebben?'

'Probeert u me om te kopen?'

'Goed zo!'

'Dat kunt u gewoon niet me...'

'Een ton.'

'Honderdduizend dollar!'

Bagger keek zijn lijfwachten eens aan. 'Wat is hij snel van begrip, hè? Misschien moet ik hem maar inhuren om mijn casino te runnen. Ja, honderdduizend dollar die meteen op je persoonlijke bankrekening worden gezet als je me even de hotelgegevens laat inkijken.' De man leek even na te denken, maar Bagger begon zijn geduld te verliezen. 'Hé, weet je wat? Als je het niet doet, dan zal ik je niet vermoorden, maar in plaats daarvan breek ik alle botten in je lijf, en ik rotzooi ook een beetje met je hersenen, zodat je niemand kunt vertellen wat er met je is gebeurd en je de rest van je leven in een verpleegtehuis in je broek ligt te pissen en elke avond door een paar grote gemene verplegers in je hol wordt geneukt. Persoonlijk zou ik kiezen voor de eerste optie, maar ik ben een redelijk mens dus je mag zelf beslissen. Je krijgt vijf seconden.'

Een uur later beschikte Bagger over alle gevraagde informatie en wist hij snel een aantal potentiële verdachten van de lijst te schrappen, Daarna ondervroeg hij het hotelpersoneel over enkele gasten op zijn lijstje. Het duurde niet lang voordat hij doel trof omdat een van de gasten tijdens zijn verblijf wat extra service had gevraagd.

'Ja, ik heb hem een massage gegeven,' zei de jonge vrouw die zich Cindy noemde. Ze was klein en tenger, met donker haar en een leuk gezicht, aantrekkelijke rondingen en een manier van doen waaruit bleek dat ze wist wat er in de wereld te koop was en niet met zich liet sollen. Terwijl ze met Bagger zat te praten in een privévertrek in de overdadig luxueuze sauna van het hotel, zat ze kauwgumbellen te blazen en met haar haar te spelen.

Hij keek haar aandachtig aan. 'Weet je wie ik ben?'

Cindy knikte. 'U bent Jerry Bagger. Mijn moeder, Dolores, staat aan een van de speeltafels in het Pompeï.'

'O, ja, die goeie ouwe Dolores. Bevalt dit saunagedoe je een beetje?'

'Het salaris is waardeloos, maar de fooien zijn hartstikke goed. Die ouwe lullen vinden het lekker om door een jonge meid gemasseerd te worden. Sommigen krijgen er zelfs een stijve van. Best walgelijk voor iemand van in de tachtig, maar zoals ik al zei, ze geven hoge fooien.'

'Die kerel die je gemasseerd hebt...' Bagger keek snel even naar de naam die hij had opgeschreven. 'Die Robby Thomas, vertel eens wat meer over hem. Hoe zag hij eruit?'

Cindy gaf hem een signalement. 'Een knappe jongen, maar veel te veel praatjes. Hij zag zichzelf echt helemaal zitten en dat bevalt me niet in een man. En hij was te slank en te knap, als u begrijpt wat ik bedoel. Met een potje armdrukken had ik hem waarschijnlijk nog verslagen. Ik heb ze liever groot en ruig.'

'Dat geloof ik graag. Heb je alleen gemasseerd of heb je nog wat extra's gedaan?'

Cindy sloeg haar armen over elkaar. 'Ik ben een gediplomeerde beroepskracht, meneer Bagger.'

In reactie daarop haalde hij tien biljetten van honderd uit zijn portefeuille. 'Is dit genoeg voor een gediplomeerde beroepskracht?'

Cindy keek aandachtig naar het geld. 'Wat ik in mijn eigen tijd doe, is mijn zaak.'

'Daar kan ik niets tegen inbrengen.' Hij hield haar het geld voor. 'Vertel het maar.'

Ze aarzelde. 'Ik zou mijn baan kunnen kwijtraken als...'

'Cindy, het kan me geen ruk schelen of je met mensen naar bed gaat in dit aftandse hol, oké? Hij duwde het geld in haar bloesje. 'Vertel op. En niet liegen. Het is heel dom om tegen mij te liegen.'

Ze begon snel te praten. 'Oké, hij klom vanaf het eerste begin helemaal over me heen. Ik was hem aan het masseren en plotseling voelde ik zijn hand tegen mijn been. En toen ging die hand een eind verder dan eigenlijk hoort.'

'Ja, echt een beest. En toen?'

'Hij begon enorm zijn best te doen om me te versieren. Eerst liet ik merken dat ik daar niet van gediend was, maar toen begon hij hoog van de toren te blazen. Hij zei dat hij een grote klapper ging maken en dat ik aardig tegen hem moest zijn.'

'Een grote klapper, hè? Ga door.'

'Hij liet me wat geld zien en zei dat hij nog een heleboel meer had. Toen ik klaar was met mijn werk stond hij me op te wachten. We hebben samen wat gedronken en ik begon een beetje aangeschoten te raken. Ik kan niet zo goed tegen drank.'

'Ja, ja, schiet een beetje op, Cindy,' zei Bagger ongeduldig. 'Ik leid aan ernstige concentratiestoornissen.'

Haastig ging ze verder. 'Maar goed, we zijn naar zijn kamer gegaan. Ik heb hem even gepijpt om hem stijf te krijgen, maar die sukkel kwam meteen al klaar. Hij was een beetje van streek en gaf me honderd dollar. Daarna hing hij bijna tien minuten kotsend boven de plee en toen hij daar weer uit kwam, zei hij dat hij al heel lang niet met iemand naar bed was geweest en dat hij daarom zo idioot vroeg klaargekomen was. Net of mij het wat kon schelen.'

'Wat een lul. En toen?'

'Nou, dat was het eigenlijk wel, hè? Ik bedoel, ik had geen reden om nog langer te blijven, toch? We hadden per slot van rekening geen date of zo.'

'Heeft hij verder niets gezegd? Waar hij vandaan kwam? Waar hij naartoe ging? Wat die grote klapper was?' Ze schudde haar hoofd. Hij keek haar aandachtig aan en zei: 'Oké, jij lijkt me wel een ondernemend type. Heb je misschien wat geld uit zijn portefeuille gehaald terwijl hij boven de plee hing?'

'Zo ben ik niet!' zei ze boos. 'Wie denk je wel dat je bent om me van zoiets te beschuldigen?'

'Laten we wel even reëel blijven.' Hij legde zijn hand op zijn borst. 'Ik ben Jerry Bagger. Jij bent een sletje dat in ruil voor wat kleingeld vreemde mannen in haar mond laat klaarkomen. Dus ik vraag het je nog één keer: heb je geld van hem gestolen om die luizige honderd dollar een beetje aan te vullen?'

'Ik weet het niet, het zou kunnen,' zei ze. 'Maar ik heb geen zin meer om met u te praten.'

Bagger klemde zijn hand om haar kin en draaide haar hoofd naar zich toe, zodat ze hem weer recht in de ogen keek. 'Heeft je moeder je weleens iets over mij verteld?'

Cindy was nu heel bang. 'Ze zei dat u een hele goeie baas was.' Ze slikte nerveus.

'Verder nog iets?'

'Ze zei dat iedereen die probeert u te belazeren een stomme klootzak is.'

'Dat klopt. Wat heb jij een slimme moeder.' Hij klemde zijn hand wat steviger om haar kin en Cindy gaf een gilletje. 'Dus als jij je moeder nog eens terug wilt zien, dan haal je nu diep adem en dan vertel je me wat je in de portefeuille van die mooie jongen hebt zien zitten.'

'Oké, oké. Het was nogal raar, want hij had een paar verschillende pasjes.'

'En?'

'Op een daarvan stond de naam waarmee hij zich in de sauna had voorgesteld. Robby Thomas uit Michigan. Maar er zat ook een rijbewijs uit Californië bij met een andere naam erop.'

'Welke naam?' vroeg Bagger rustig.

'Tony. Tony Wallace.'

Bagger liet haar kin los. 'Zie je wel, zo moeilijk was dat toch niet? Ga dan nou maar weer ouwe mannen over hun pik wrijven.'

Toen ze zich omdraaide om weg te gaan, zei Bagger: 'Hé Cindy, vergeet je niet iets?'

Langzaam draaide ze zich weer om. 'Wat dan, meneer Bagger?' zei ze zenuwachtig.

'Ik heb je duizend dollar betaald. Die mooie jongen heeft je daar maar een tiende van gegeven en daarvoor heb je hem gepijpt. Maar mij heb je niet eens gevraagd wat ik wilde. Dat is niet aardig, Cindy. Dat is iets wat iemand als ik niet snel vergeet.' Hij keek haar strak aan.

Met trillende stem zei ze: 'Wilt u dat ik u pijp, meneer Bagger?' En na een korte stilte voegde ze er haastig aan toe: 'Ik doe het graag, hoor.'

'Nee. Geen zin.'

· 49 ·

Annabelle en Caleb liepen door een gang in het Jefferson-gebouw. Annabelle droeg een rode rok tot op haar knie, een zwart jasje en een beige bloes. Ze maakte een professionele, zelfverzekerde en geïnspireerde indruk. Caleb zag eruit alsof hij op het punt stond zijn polsen door te snijden.

'Je hoeft alleen maar te doen alsof je somber en depressief bent,' zei ze.

'Dat zal me geen moeite kosten,' snauwde hij. 'Want ik bén somber en depressief.'

Voordat ze het kantoor van de beveiligingsdienst van de Congresbibliotheek binnenstapten, bleef Annabelle even staan en zette de bril op die aan een kettinkje om haar hals hing.

'Weet je zeker dat dit werkt?' siste Caleb.

'Je weet nooit of een truc gaat lukken voordat hij gelukt is.'

'O, mooi is dat!'

Een paar minuten later zaten ze in het kantoor van de chef Beveiliging. Caleb zat met gebogen hoofd naar de grond te turen terwijl Annabelle druk aan het praten was.

'En dus heeft Caleb mij, zoals ik zojuist heb uitgelegd, als psycholoog ingeschakeld, zodat ik hem bij het proces kan begeleiden.'

De chef Beveiliging keek haar verbaasd aan. 'Dus volgens u kost het hem moeite de kluis binnen te gaan?'

'Ja, zoals u weet heeft hij daar het lijk van een dierbare vriend en collega aangetroffen. Onder normale omstandigheden vindt Caleb het heerlijk in de kluizen. Ze vormen al vele jaren een deel van zijn leven.' Ze keek snel even naar Caleb die precies op het juiste ogenblik diep zuchtte en met een zakdoek zijn ogen depte.

'Nu is de omgeving die voor hem zoveel positieve herinneringen bevat beladen geraakt met een intens verdriet, ja, zelfs met angst en afgrijzen.'

De chef keek Caleb eens aan. 'Het moet heel akelig voor u geweest zijn, meneer Shaw.'

Caleb zat nu zo hevig te trillen, dat Annabelle zijn hand vastpakte.

'Zegt u maar Caleb tegen hem. We zijn hier per slot van rekening allemaal vrienden,' zei Annabelle bemoedigend. Terwijl ze hard in Calebs hand kneep, wierp ze de chef zonder dat Caleb er erg in had een waarschuwende blik toe.

'O, ja natuurlijk. Ja, we zijn hier allemaal vrienden,' zei de chef nogal onhandig. 'Maar wat heeft dat met mijn afdeling te maken?'

'Ik was van plan Caleb de videobanden van de leeszaal te laten bekijken, zodat hij kan zien hoe mensen rustig de kluis in en uit lopen. Allemaal heel kalm en normaal zoals het hoort. Op die manier wil ik hem in staat stellen deze moeilijke periode adequaat te verwerken en de leeszaal en de kluizen weer tot een positieve ervaring voor hem te maken.'

'Nou, ik weet niet of ik u die banden kan laten zien,' zei de chef Beveiliging. 'Dat is hoogst ongebruikelijk.'

Caleb wilde ontmoedigd opstaan, maar bleef zitten toen hij Annabelles boze blik zag. 'Dit is ook een ongebruikelijke situatie. Ik weet zeker dat u alles zult doen wat in uw macht ligt om een collega in de gelegenheid te stellen zijn normale leven te hervatten.'

'Ja, maar...'

'Komt het gelegen als we ze nu meteen bekijken?' Ze keek naar Caleb. 'Ik bedoel, u kunt zien hoe wanhopig hij is.'

Caleb zat er moedeloos en met gebogen hoofd bij.

Annabelle keek weer naar de beveiligingsman en las de naam op zijn badge. 'Dale, ik mag toch wel Dale zeggen?'

'Eh, ja. Goed.'

'Dale, kijk eens naar de kleren die ik aanheb.'

Dale keek naar haar aantrekkelijke figuur en zei verlegen: 'Oké.'

'Zoals je ziet heb ik een rode rok aan. Dat is een positieve kleur die kracht uitstraalt en ook kracht geeft. Maar, Dale, mijn jasje is zwart, dat is een negatieve kleur. En mijn bloesje is beige, dat is neutraal. Daarmee breng ik tot uitdrukking dat ik halverwege een proces ben. En het doel van dat proces is deze man te helpen weer een normaal en gezond leven te leiden. Maar om mijn karwei af te maken heb ik jouw hulp nodig, Dale. Ik wil voor Caleb weer helemaal in het rood gekleed kunnen gaan, en ik weet zeker dat jij dat ook wilt. Dus laten we het karwei afmaken, Dale. Laten we dat nou gewoon dóén.' Ze keek hem onderzoekend aan. 'Ik kan aan je zien dat je achter me staat.'

Dale keek naar Caleb en zei: 'Oké, ik haal die banden wel even.'

Toen hij de kamer uit was, zei Caleb: 'Dat deed je heel professioneel.'

'Dank je wel,' zei ze kortaf.

Toen ze daar niets aan toevoegde, zei Caleb: 'En volgens mij deed ik het ook redelijk goed.'

Ze keek hem ongelovig aan. 'Denk je?'

Een paar uur later, toen ze hadden gezien wie voor en na de moord op DeHaven de leeszaal in en uit waren gekomen, pauzeerden ze even.

'Het is allemaal heel gewoon,' zei Caleb. 'Niets bijzonders.'

Annabelle draaide de band nog een keer af. 'Wie is dat?'

'Kevin Philips, de waarnemend directeur. Hij kwam naar de leeszaal om over Jonathans dood te praten. En daar is Oliver, vermomd als Duitse geleerde.'

'Bijna niet te herkennen,' zei Annabelle bewonderend. 'Hij weet het goed te brengen.'

Ze bekeken nog een paar andere banden. Caleb wees naar het scherm. 'Toen kreeg ik dat briefje waarin stond dat ik tot Jonathans literair executeur was benoemd.' Hij keek wat aandachtiger. 'Ben ik echt zo mollig?' Hij legde zijn hand op zijn buik.

'Van wie kwam dat briefje?'

'Van Kevin Philips.'

Annabelle zag dat Caleb struikelde en zijn bril kapot trapte.

'Meestal ben ik niet zo onhandig. Ik had die brief niet eens kunnen lezen als Jewell English me haar leesbril niet had geleend.'

'Ja, maar waarom heeft ze de bril verwisseld?'

'Wat?'

'Ze heeft eerst snel een andere bril uit haar tasje gehaald en die opgezet.' Annabelle spoelde de band terug. 'Zie je wel? Het is heel goed gedaan trouwens. Ze zou een goede zakkenroller zijn... Ze is heel vingervlug.'

Caleb keek verbaasd toe hoe Jewell English de bril die ze op had snel in haar mouw liet verdwijnen, een andere bril uit haar tasje viste en die even later aan Caleb gaf.

'Ik weet het niet. Misschien was dat wel een speciale bril. In elk geval kon ik de brief lezen met de bril die ze me gaf.'

'Wie is die Jewell English?'

'Gewoon een bejaarde dame die veel van boeken houdt en vaak in de leeszaal komt.'

'En ze is zo vingervlug als een croupier in Las Vegas,' zei Annabelle.

Stone zat in zijn huisje en dacht na over zijn gesprek met Marilyn Behan. Als ze de waarheid had gesproken, en hij had geen reden om te denken dat de verbitterde vrouw tegen hem had gelogen, dan had hij het bij het verkeerde eind gehad. Cornelius Behan had Jonathan DeHaven en Bob Bradley niet vermoord. Maar kennelijk was hij er per ongeluk wel achter gekomen op welke wijze de onfortuinlijke bibliothecaris was gestorven, en dat was voor anderen een reden geweest hem ook uit de weg te ruimen. Wie had er nog meer voordeel bij DeHavens dood? Of bij die van Bradley?

'Oliver?'

Hij keek op en zag Milton in de deuropening staan.

'Ik heb geklopt, maar je deed niet open.'

'Sorry. Ik was diep in gedachten verzonken, geloof ik.'

Zoals gewoonlijk had Milton zijn laptop bij zich, en ook een koffertje. Hij zette die allebei op de schrijftafel en haalde een map tevoorschijn.

'Hier zit alles in wat ik te weten ben gekomen over Bradleys stafmedewerkers.'

Stone nam de documenten aan en las ze zorgvuldig door. Een groot deel had betrekking op Bradleys politieke carrière, inclusief zijn jarenlange voorzitterschap van de commissie voor de Inlichtingendiensten van het Huis van Afgevaardigden.

'Bradley was een heel capabele man en hij heeft een groot aantal goede hervormingen doorgevoerd in de wereld van de inlichtingendiensten,' zei Milton.

'En misschien heeft dat hem wel het leven gekost,' merkte Stone op. 'Fijne beloning.'

Hij keek de achtergrondinformatie door en de foto's van Bradleys stafmedewerkers en ondergeschikten in de commissie voor de Inlichtingendiensten. Hij was er net mee klaar toen Annabelle en Caleb arriveerden. Stone vertelde over zijn gesprek met Marilyn Behan.

'Nou, dat is wel de nekslag voor de theorie dat Behan betrokken was bij Jonathans dood,' zei Caleb.

'Daar ziet het wel naar uit,' zei Stone. 'Wat hebben die videobanden opgeleverd?'

'We hebben niets verdachts gezien in de kluis, maar we zijn wel op iets anders gestuit wat belangrijk zou kunnen zijn.' Annabelle vertelde over de bril die Jewell English zo razendsnel had verwisseld.

'Weet je dat zeker?' vroeg Stone verbaasd.

'Reken maar. Ik heb die manoeuvre al miljoenen keren gezien.'

En die minstens zo vaak zelf uitgevoerd, dacht Stone. Tegen Caleb zei hij: 'Wat weet je van die vrouw?'

'Alleen dat het een oudere weduwe is, een vaste bezoekster. Ze is dol op oude boeken, heel vriendelijk en enthousiast, en...'

Hij liep rood aan.

'En wat?' vroeg Stone.

'En ze probeert me altijd te versieren,' zei hij zacht. Het was duidelijk dat hij zich geneerde.

Annabelle moest haar best doen om niet te lachen.

'Maar waarschijnlijk weet je dat alleen omdat zij het je heeft verteld,' zei Stone. 'Je hebt het niet nagetrokken.'

'Nee,' gaf Caleb toe.

'Waarom heeft ze die bril verwisseld?'

'Oliver, zou het niet gewoon zo kunnen zijn dat ze me die eerste bril niet wilde geven omdat die om de een of andere reden heel speciaal voor haar is? Ze heeft me een andere bril geleend, dus ik zou er niet te veel achter zoeken.'

'Ik zal er ook niet te veel achter zoeken, Caleb, maar over het algemeen zijn bejaarde weduwen die regelmatig leeszalen met zeldzame boeken bezoeken niet zo vingervlug. Als ze niet wilde dat jij haar leesbril opzette, waarom heeft ze dat dan niet gewoon gezegd en je haar reservebril gegeven?'

Caleb wilde iets zeggen, maar bedacht zich. 'Daar heb ik geen antwoord op.'

'Ik ook niet. Maar ik begin te geloven dat we het antwoord op die vraag moeten zien te vinden om erachter te komen wat er met Jonathan DeHaven is gebeurd.'

'Je denkt toch niet dat Jewell English iets te maken had met Jonathans dood?' zei Caleb.

'Dat valt op dit ogenblik niet uit te sluiten. Behan is vermoord omdat hij had geraden hoe DeHaven om het leven was gekomen. Ik denk dat Behan erachter was gekomen dat de gascontainers in de Congresbibliotheek opzettelijk van een vals etiket waren voorzien. Dat zou weleens de reden geweest kunnen zijn dat hij naar de leeszaal is gekomen en de kluis wilde bekijken. Hij hengelde naar informatie over de reden waarom iemand DeHaven zou willen vermoorden. Vergeet niet dat hij wilde weten of DeHaven goed kon opschieten met zijn collega's. Hij probeerde niet iemand anders de moord in de schoenen te schuiven. Hij wilde gewoon weten of DeHaven vijanden had.'

'Met andere woorden: niet Behan maar DeHaven is de sleutel,' zei

Annabelle. 'Of misschien gaat het om iets van de Congresbibliotheek zelf.'

'Dat zou kunnen,' zei Stone. 'Of misschien iets in zijn privéleven.'

Caleb kromp in elkaar bij die opmerking, maar hield zijn mond.

'Wat is het verband met de moord op Bob Bradley?' vroeg Annabelle. 'Je zei dat die volgens jou iets met de dood van Jonathan te maken had.'

'We weten dat Bradley is gedood door een geweerkogel die werd afgevuurd vanuit een gebouw aan de overkant. Behan werd ook gedood door een kogel vanuit een huis aan de overkant. Dat kan toeval zijn, maar het is niet uigesloten dat het om een en dezelfde moordenaar gaat. Beroepsmoordenaars gebruiken zo veel mogelijk dezelfde methode omdat ze die goed onder de knie hebben. Dat maakt de foutkans zo klein mogelijk.'

'Zo te horen weet jij daar een hoop van,' zei ze.

'Zoals Caleb kan bevestigen, ben ik gek op thrillers. Ik vind ze niet alleen spannend, maar ook een bron van informatie.' Hij keek Caleb eens aan. 'Is er een manier waarop we de bril van die vrouw te pakken kunnen krijgen zonder dat ze het in de gaten heeft?'

'Ja, hoor,' zei Caleb sarcastisch. 'We breken gewoon bij haar in en halen die bril even op.'

'Goed idee,' zei Stone. 'Kun jij uitzoeken waar ze woont?'

'Oliver, dat méén je toch niet?' sputterde Caleb.

'Ik weet misschien iets beters,' zei Annabelle. Ze keken haar allemaal aan. 'Komt ze regelmatig in de leeszaal?'

'Vrij regelmatig, ja.'

'Wanneer denk je dat ze weer komt?'

Caleb dacht even na. 'Morgen.'

'Prima. Ik ga morgen met je mee. Jij wijst haar aan en dan laat je de rest maar aan mij over.'

'Wat ga je doen?' vroeg Caleb ongerust.

Annabelle stond op. 'Ik ga haar een koekje van eigen deeg geven.'

Toen Annabelle was vertrokken, zei Caleb: 'Ik kon het natuurlijk niet zeggen waar zij bij was, Oliver, maar stel dat dit allemaal met het *Bay Psalm Book* te maken heeft? Dat is ongelooflijk veel waard en we kunnen er niet achter komen waar Jonathan het vandaan had. Misschien is het gestolen en misschien wil iemand anders het hebben. Ze hebben hem misschien wel vermoord om het in handen te krijgen.'

'Maar ze hebben het niet in handen gekregen, Caleb,' zei Stone. 'Degene die Rueben heeft neergeslagen is in DeHavens huis geweest. Hij had makkelijk de kluis kunnen openbreken en het boek meenemen. En waarom zou hij Cornelius Behan dan vermoord hebben? Of Bradley? Die kunnen toch niets met het *Bay Psalm Book* te maken hebben gehad?

Behan wist niet eens dat DeHaven boeken verzamelde. En er is geen enkel bewijs dat Bradley je collega zelfs maar gekend heeft.'

Toen Caleb somber en verward naar huis was gegaan, bleven Milton en Stone nog wat napraten, terwijl Stone dossiers over Bradleys stafmedewerkers doorbladerde. 'Michael Avery heeft gestudeerd aan Yale, is een tijdje griffier geweest bij een rechter van het Hooggerechtshof en heeft bij het NIC gewerkt voordat hij stafmedewerker werd bij de commissie voor de Inlichtingendiensten. Toen Bradley tot voorzitter van het Huis van Afgevaardigden werd benoemd, is Avery met hem meegegaan.' Hij keek naar een paar andere foto's en korte levensbeschrijvingen. 'Dennis Warren, ook van Yale, heeft in het begin van zijn loopbaan bij het ministerie van Defensie gewerkt. Hij was Bradleys chef-staf en die baan heeft hij gehouden toen zijn baas tot voorzitter werd benoemd. De jurist Albert Trent is jarenlang medewerker geweest van Bradleys commissie. Hij is opgeleid aan Harvard en heeft een tijd bij de CIA gewerkt. Allemaal mensen die aan een grote elite-universiteit hebben gestudeerd, en allemaal zeer ervaren krachten. Zo te zien beschikte Bradley over een eersterangs team.'

'Ze zeggen altijd dat een congreslid zo goed is als zijn staf.'

Stone keek peinzend voor zich uit. 'Weet je, het enige wat we nooit echt goed onderzocht hebben, waren de omstandigheden waaronder Bradley is vermoord.'

'Wat kunnen we daar nog aan doen?' vroeg Milton.

'Is onze vriendin goed in vermommingen?'

'De allerbeste.'

·51·

Albert Trent en Roger Seagraves kwamen bij elkaar in Trents kantoor op Capitol Hill. Seagraves had Trent zojuist een dossiermap met achtergrondmateriaal overhandigd. Trent zou een kopie van het dossier maken en die in het systeem schuiven waarmee informatie naar de commissie voor de Inlichtingendiensten werd gestuurd. In het materiaal van de dossiermap waren uiterst geheime gegevens van het Pentagon verwerkt over de Amerikaanse militaire strategie in Afghanistan, Irak en Iran. Met behulp van een van tevoren afgesproken methode zou Trent de gegevens van de bladzijden weten te lichten. Toen ze klaar waren, zei Seagraves: 'Heb je even tijd?'

Ze wandelden over het terrein van het Capitool. 'Nou, Roger, had jij even mazzel dat die andere vent voor de moord op Behan opdraaide.'

'Albert, je moet één ding goed begrijpen. Niets wat ik doe, heeft ooit ook maar iets met mazzel te maken. Ik zag mijn kans en die heb ik gegrepen.'

'Oké, oké, rustig maar. Denk je dat hij wordt veroordeeld?'

'Ik betwijfel het. Ik weet niet waarom, maar hij hield wel degelijk Behans huis in de gaten. En het is een vriendje van Caleb Shaw van de leeszaal Zeldzame Boeken van de Congresbibliotheek. En daar komt nog bij dat de vent die ik van straat heb gepikt en met wie ik "een praatje" heb gemaakt, die Oliver Stone, deel uitmaakt van hetzelfde groepje.'

'Shaw is de literair executeur van DeHaven. Daarom gaat hij telkens weer naar dat huis.'

Seagraves keek zijn collega minachtend aan. 'Dat weet ik, Albert. Ik heb net een onderonsje met hem gehad om een eventuele actie voor te bereiden voor het geval dat noodzakelijk mocht blijken. Het gaat die lui niet alleen om boeken. De vent die ik heb verhoord, had vroeger een heel speciale functie bij de CIA.'

'Dat heb je me niet verteld!' riep Trent.

'Omdat je het niet hoefde te weten, Albert. Maar nu is het wel nodig dat je het weet.'

'Waarom moet ik het nu wel weten?'

'Omdat ik het zeg.' Seagraves staarde naar het Jefferson-gebouw waar de leeszaal Zeldzame Boeken was gehuisvest. 'Die kerels hebben ook bij Fire Control rondgeneusd. Mijn contact daar heeft gezegd dat de verf op een van de gascontainers die ze net uit de Congresbibliotheek hadden weggehaald, eraf was gewreven, dus waarschijnlijk weten ze dat we kooldioxide hebben gebruikt.'

Trent verbleekte. 'Dit ziet er niet best uit, Roger.'

'Maak je niet druk, Albert. Ik heb een plan. Ik heb altijd een plan. We hebben de laatste betaling binnengekregen. Hoe snel kun je het nieuwe spul doorsluizen?'

Trent keek op zijn horloge. 'Op zijn vroegst morgenochtend, maar dat wordt krap, hoor.'

'Morgenochtend.'

'Roger, misschien moeten we het een tijdje rustig aan doen.'

'We hebben een heleboel afnemers die op ons zitten te wachten. Dat zou zakelijk gezien heel onverstandig zijn.'

'Zakelijk gezien zou het ook heel onverstandig zijn om de bak in te draaien wegens hoogverraad.'

'O, ik draai de bak niet in, Albert.'

'Daar kun je niet zeker van zijn.'

'Jawel. Een lijk stoppen ze niet in de gevangenis.'

'Oké, maar zover hoeft het helemaal niet te komen. Misschien moeten we er toch maar over denken om tenminste voorlopig wat kalmer aan te doen.'

'Zoals ik al zei, ik heb een plan.'

'Ga je mij daar ook iets over vertellen?'

Seagraves reageerde niet. 'Ik ga vanavond weer een nieuwe lading ophalen, en als die aan mijn verwachtingen beantwoordt, zou die ons weleens meer dan tien miljoen kunnen opleveren. Maar hou je ogen en oren open. Als je iets vreemds opmerkt, dan weet je me te vinden.'

'Denk je dat je misschien gedwongen zou zijn om... je weet wel?'

'Ergens hoop ik het.' En na die woorden liep Seagraves snel weg.

Die avond reed Seagraves naar het Kennedy Center om een uitvoering van het National Symphony Orchestra bij te wonen. Het eenvoudige, nogal hoekige Kennedy Center was vaak een van de meest gezichtsloze monumenten voor een dode president genoemd, maar de esthetische waarde van het gebouw liet Seagraves volstrekt koud, en het NSO riep al evenmin warme gevoelens bij hem op. Met zijn knappe gezicht en lange, gespierde gestalte trok hij veel aandacht van vrouwelijke bezoekers toen hij door de hal naar de concertzaal liep.

Hij besteedde geen aandacht aan hen. Vanavond moest hij werken.

Later, tijdens de korte pauze, liep Seagraves net als de andere bezoekers de zaal uit om iets te gaan drinken en even naar de souvenirs te kijken die hier te koop waren. Hij ging ook naar het toilet. Daarna werden de lichten even gedimd om aan te geven dat het concert weer begon en tussen de andere bezoekers liep hij de zaal weer in.

Een uur later dronk hij nog wat in een bar tegenover het Kennedy Center. Hij trok het programmaboekje uit de zak van zijn jasje en begon er aandachtig in te lezen. Het was natuurlijk niet zijn eigen programmaboekje. Toen hij na de pauze de zaal weer in liep, had iemand het ongemerkt in zijn jaszak laten glijden. Spionnen die zich verre hielden van menigten werden altijd gepakt. Daarom maakte Seagraves altijd zo veel mogelijk gebruik van de bescherming die mensenmassa's boden.

Thuis in zijn werkplaats wist Seagraves de geheimen uit de bladzijden van het programmaboekje los te krijgen en verpakte ze in de vorm waarin hij ze aan Albert Trent zou doorgeven. Hij glimlachte. Wat hij hier in handen had, was niets minder dan de laatste paar stukjes informatie die hij nodig had om de topgeheime ambtsberichten van het ministerie van Buitenlandse Zaken aan de Amerikaanse ambassades in het buitenland te kunnen ontcijferen. Hij begon te denken dat tien miljoen weleens te goedkoop kon zijn. Misschien kon hij beter twintig vragen. Uiteindelijk besloot hij te beginnen met vijfentwintig, zodat hij nog wat ruimte had om terug te krabbelen. Hij voerde al zijn onderhandelingen via van tevoren afgesproken chatsites op internet. En de geheimen werden pas afgeleverd als het geld op zijn geheime bankrekening was overgeboekt. Hij had ervoor gekozen nooit iemand te vertrouwen met wie hij zaken deed, en dat leek hem uiterst redelijk. Wat hém eerlijk hield, was de efficiency van de vrije markt. Zodra hij geld in ontvangst nam zonder de beloofde tegenprestatie te leveren, kon hij verdere overboekingen wel vergeten. En waarschijnlijk zou het hem ook zijn leven kosten.

Het enige wat zijn plannen in de war kon schoppen, was een stel ouwe knarren die de gewoonte hadden andere mensen te begluren. Als het alleen die bibliothecaris was geweest, dan had hij er zich niet druk over gemaakt. Maar er zat ook een 666'er tussen, en met zulke mensen kon je maar beter terdege rekening houden. Seagraves voelde gewoon dat er weer storm op komst was. Om die reden had hij een paar dagen geleden, toen hij Stone had ontvoerd en gemarteld, een van diens hemden meegenomen uit zijn huisje. Mocht het nodig zijn die man uit de weg te ruimen, dan had hij in elk geval al iets om aan zijn collectie toe te voegen.

De volgende ochtend om een uur of tien arriveerden Stone en Caleb bij de Federalist Club.

Ze deden hun verzoek en werden onder begeleiding naar het kantoor van de manager gebracht, die snel even naar de officiële identiteitsbewijzen keek die Milton de vorige avond op zijn laserprinter had uitgeprint. 'U bent ingehuurd door Bradleys familie in Kansas om een onderzoek in te stellen naar zijn dood? Maar dat doet de politie al. En de FBI. En die zijn hier allemaal geweest. Al heel vaak zelfs.' De manager klonk nogal geërgerd.

'Zoals u ongetwijfeld zult begrijpen,' zei Stone, 'wil de familie een eigen onderzoek instellen.' Milton en hij waren allebei keurig in het pak. Miltons tamelijk lange haar ging schuil onder een zwarte hoed die hij niet af had willen zetten toen hij het kantoor van de manager binnen was gekomen. 'Ze hebben niet het gevoel dat het onderzoek erg opschiet.'

'Nou, omdat er nog niemand is opgepakt, kan ik daar niets tegen inbrengen.'

'U kunt contact met de familie opnemen als u wilt verifiëren dat wij hen vertegenwoordigen,' zei Stone. 'Mevrouw Bradley zit in het buitenland om weer op krachten te komen, maar u kunt bellen met de advocaat van de familie in Maryland.' Op het kaartje stond Miltons telefoonnummer. Voor het geval dat de manager zou bellen, had hij een bericht ingesproken, waarop hij deed alsof hij advocaat was.

'Nee, dat is wel goed. Wat wilt u weten?'

'Waarom was Bradley die avond hier op de club?'

'Er was een besloten party ter gelegenheid van zijn benoeming tot voorzitter van het Huis van Afgevaardigden.'

'En wie had het georganiseerd?'

'Zijn stafmedewerkers, geloof ik.'

'Weet u ook welke stafmedewerkers?'

'Nee, dat kan ik me niet meer herinneren. De instructies werden ons gefaxt.'

'En hij is vermoord in de zaal aan de voorkant?'

'We noemen het de James Madison Room. U weet wel, naar de auteur van de Federalist Papers. Als u wilt, kan ik u de zaal wel even laten zien.' Hij ging hen voor naar de grote zaal aan de straatzijde. Stone keek door het grote erkerraam naar de bovenste verdieping van het gebouw aan de overkant.

Met zijn geoefende blik zag hij meteen dat dat een perfect schootsveld bood, en daaruit bleek duidelijk dat de dader het terrein van tevoren had verkend, en ook dat hij medewerking van iemand binnen Bradleys organisatie moest hebben gekregen.

Om die gedachte nader uit te werken, vroeg Stone: 'En waarom is hij deze zaal binnengekomen?'

De manager veegde een stofje van de marmeren schouw. 'O, dat was voor de toast te zijner ere.' Hij huiverde. 'Het was afschuwelijk. Senator Pierce was net klaar met zijn toespraak toen Bradley werd neergeschoten. Gruwelijk, alles zat onder het bloed. Een heel duur Perzisch tapijt was totaal bedorven en er is zelfs bloed in het hout gedrongen. Het heeft ons een klein vermogen gekost om het te bleken en daarna opnieuw te beitsen. De politie heeft daar pas kortgeleden toestemming voor gegeven. We mochten niet eens wat over die vlek heen leggen, omdat ze zeiden dat het de sporen zou kunnen aantasten. Iedereen die erlangs liep, moest ernaar kijken. Neemt u maar van mij aan dat er ineens heel wat minder leden kwamen.'

'Wie is de eigenaar van het gebouw aan de overkant?' vroeg Milton.

'Dat weet ik niet. Ik neem aan dat de autoriteiten daar inmiddels wel achter zijn gekomen. Vroeger was het een woonhuis, en daarna een galerie, maar het staat nu al een jaar of vijf leeg. Het is echt niet om aan te zien, maar wat kun je ertegen doen? Ik heb gehoord dat het gerenoveerd gaat worden. Het zal wel worden opgesplitst in appartementen, denk ik, maar ze zijn nog niet met de uitvoering begonnen.'

'Wie heeft Bradley de zaal binnengeroepen voor de toast?' vroeg Stone.

De manager dacht even na. 'Er waren zoveel mensen dat ik het niet zeker weet. Eigenlijk hield ik me niet zo bezig met dat deel van de festiviteiten. Ik stond wel bij het raam toen het schot gelost werd. Ik geloof dat ik de kogels zelfs langs mijn oor heb horen fluiten. Ik heb me nog dagenlang daarna beroerd gevoeld.'

'Dat geloof ik graag. Is er verder nog iemand die ons iets zou kunnen vertellen?'

'Misschien een van de obers, en de barkeeper die toen dienst had. Ze zijn allebei aanwezig.'

De barkeeper wist nergens van. Maar de ober, Tom, zei: 'Volgens mij heeft een van zijn stafmedewerkers iedereen bij elkaar geroepen voor de toast. Zo herinner ik het me in elk geval. Ik heb meegeholpen om de mensen op te trommelen uit de andere zalen, en daarna zijn ze meneer Bradley gaan halen.'

'Weet u nog wie het was?'

'Die stafmedewerker? Nee, eigenlijk niet. Er waren een heleboel mensen. En hij heeft zich niet met naam en toenaam voorgesteld.'

'Dus het was een man?' Tom knikte. Stone liet hem een paar foto's van Bradleys stafmedewerkers zien. 'Herken je iemand? Was hij het?' Hij wees naar Dennis Warren. 'Hij was Bradleys chef-staf. Hij was de aangewezen persoon om de toast te organiseren.'

'Nee, die was het niet.'

'Hij dan?' vroeg Stone, en hij wees naar Albert Trent. 'Deze man bekleedde ook een hoge positie binnen Bradleys staf.'

'Nee.' De ober liet zijn blik over de foto's gaan totdat hij iemand herkende. 'Dat is hem. Nu weet ik het weer. Hij was heel efficiënt.'

Stone tuurde naar de foto van Michael Avery, die als stafmedewerker bij de commissie voor de Inlichtingendiensten had gewerkt.

'En nu?' zei Milton toen ze de Federalist Club uit liepen.

'Nu gaan we met een paar van Bradleys vroegere werknemers praten.'

'Toch niet met Avery? Dan weten ze meteen dat we ze op het spoor zijn.'

'Nee, maar wel met Trent of Warren.'

'Maar we kunnen niet zeggen dat we onderzoek doen namens Bradleys familie. Dat hebben ze meteen door.'

'Nee, we gaan ze de waarheid vertellen.'

'Wat?'

'We zeggen dat we een onderzoek instellen naar de dood van Jonathan DeHaven.'

Stone zocht Warrens telefoonnummer op en belde hem. Warren was thuis en stemde erin toe hen te ontmoeten. Hij zei meteen al dat hij wel van DeHaven had gehoord, maar dat hij hem nooit had ontmoet. 'Het is een schande, ik weet het, maar ik heb niet eens een bibliotheekkaart.'

Milton en Stone reden naar Warrens huis in Falls Church, Virginia. Het was een bescheiden onderkomen in een al wat oudere buurt. Het was duidelijk dat Warren geen man was die graag buiten was of klusjes deed. Zijn tuin stond vol onkruid en het huis was hard aan een lik verf toe.

Binnen was het echter comfortabel en gezellig, en hoewel Warren had gezegd dat hij geen bibliotheekkaart had, stonden er wel grote boekenkasten vol met boeken. Overal rondslingerende tienerspullen gaven aan dat hij ook vader was.

Dennis Warren was een lange, gezette man met bruin haar en een breed, pokdalig gezicht. Zijn wasachtige, bijna doorzichtige huid getuigde van tientallen jaren geploeter onder tl-buizen. Hij liep voor hen uit naar de woonkamer.

'Let maar niet op de rommel,' zei Warren. 'Met drie zoons van veertien tot achttien heb je je huis niet meer voor jezelf. Ik kan tijdens een vergadering het woord nemen en tegenover de gezamenlijke chefs van staven of de minister van Defensie een samenhangend betoog houden over complexe geopolitieke kwesties, maar het lukt me niet om ook maar één van mijn zoons zover te krijgen dat hij regelmatig in bad gaat of iets anders eet dan cheeseburgers.'

'We weten dat u lid bent geweest van de staf van de commissie voor de Inlichtingendiensten,' zei Stone.

'Inderdaad. Ik ben met Bradley meegegaan toen hij voorzitter werd van het Huis van Afgevaardigden. Op dit moment ben ik werkloos.'

'Sinds zijn dood?' vroeg Milton.

Warren knikte. 'Ik werkte daar omdat Bradley dat wilde, en ik vond het heel prettig om onder hem te werken. Hij was een groot man. Een man zoals we die heden ten dage nodig hebben: heel solide en volstrekt eerlijk.'

'Kon u dan niet bij de commissie voor de Inlichtingendiensten blijven?' vroeg Stone.

'Nee, die mogelijkheid had ik eigenlijk niet. Bradley wilde dat ik met hem meeging, en dus heb ik dat gedaan. En dat wilde ik ook. Er is maar één voorzitter van het Huis van Afgevaardigden, en die heeft maar één chef-staf. Je hebt een hoop afwisseling in zo'n baan en veel privileges. Maar de nieuwe voorzitter van de commissie voor de Inlichtingendiensten had zijn eigen mensen die hij promotie wilde laten maken. Zo gaat het in het Amerikaanse parlement. Je lift mee met het parlementslid bij wie je in dienst bent. En als dat parlementslid een andere baan krijgt of Washington verlaat, dan houdt het op. Daarom zit ik nu thuis. Het is maar goed dat mijn vrouw advocaat is, anders zaten we nu financieel zwaar in de problemen. Eerlijk gezegd ben ik nog steeds niet bekomen van de schok, en ik ben nog niet echt op zoek gegaan naar een andere baan.' Hij liet een korte stilte vallen en nam hen aandachtig op. 'Maar u zei dat u een onderzoek instelde naar de dood van die DeHaven? Wat heeft dat met Bradley te maken?'

'Misschien niets, maar misschien ook een heleboel,' zei Stone vaag. 'Hebt u van de moord op Cornelius Behan gehoord?'

'Wie niet? Behoorlijk gênant voor zijn vrouw, zou ik zeggen.'

'DeHaven was Behans buurman en de moordenaar heeft Behan neergeschoten vanuit het huis van DeHaven.'

'Verdomme, dat wist ik niet. Maar ik snap nog steeds niet wat het verband is met meneer Bradley.'

'Ik heb zelf ook nog geen goed beeld van wat er precies gebeurd is,' gaf Stone toe. 'Was u die avond in de Federalist Club?'

Warren knikte. 'Het was bedoeld als eerbetoon en het eindigde als een nachtmerrie.'

'Hebt u het zien gebeuren?' vroeg Milton.

'Helaas wel, ja. Ik stond naast Mike, Mike Avery. Senator Pierce had net een paar mooie woorden gesproken en beng, toen klonk er een schot. Het ging allemaal zo snel. Ik had mijn glas champagne net aan mijn lippen gezet. Ik morste het allemaal over me heen. Het was afschuwelijk. Ik was er kotsmisselijk van, en ik was beslist niet de enige.'

'Kent u Avery goed?'

'Dat mag ik wel zeggen. We hebben tien jaar lang dag en nacht samengewerkt.'

'Waar is hij nu?'

'Hij is met me meegegaan toen Bradley voorzitter van het Huis van Afgevaardigden werd. Hij is nu ook werkloos.'

'We hebben begrepen dat Avery degene was die het feest in de club heeft georganiseerd en de heildronk heeft geregeld.'

'Nee, dat is niet zo. Mike en ik zijn er samen naartoe gereden. We stonden gewoon op de gastenlijst.'

'Maar volgens onze bronnen was hij degene die de gasten vroeg naar de zaal te komen voor de toast.'

'Dat heb ik ook gedaan. Ik hielp gewoon een handje.'

'En wie hielp u dan?'

'Albert. Albert Trent. Hij was degene die voorstelde om een toast uit te brengen. Hij bedacht altijd dat soort dingen. Ik ben gewoon een arme werkezel met beperkte sociale vaardigheden.'

'Albert Trent? Heeft hij dat feest georganiseerd?'

'Dat zou ik niet weten. Maar hij was wel degene die die avond alles regelde.'

'Is hij nu ook werkloos?'

'O nee. Albert is bij de commissie voor de Inlichtingendiensten gebleven.'

'Maar u zei toch net dat u allemaal met Robert Bradley was meegegaan?' vroeg Stone verbaasd.

'Over het algemeen gaat het zo, ja. Maar Albert wilde niet weg bij de commissie. Bradley was er niet gelukkig mee, neemt u dat maar van mij aan. Maar Albert had de een of andere deal gesloten met de nieuwe voorzitter en werd zijn hoogste medewerker. Albert weet hoe hij zichzelf onmisbaar moet maken. Maar op het kantoor van de voorzitter van het Huis van Afgevaardigden is altijd een hoop te doen, en omdat we het zonder Albert moesten stellen, was dat best lastig. Ik klap nu niet uit de school trouwens. Dit is allemaal algemeen bekend.'

'Maar Bradley gaf hem zijn zin?'

Warren glimlachte. 'U hebt Bob Bradley duidelijk niet gekend. Zoals ik al zei, het was echt een ongelooflijk aardige, eerlijke en hardwerkende man. Maar je schopt het niet zover als hij als je niet tegelijkertijd een keiharde doordouwer bent. Hij vond het niet leuk dat een ondergeschikte het waagde tegen hem in te gaan. Linksom of rechtsom, vroeg of laat had Albert toch moeten overstappen naar het kantoor van de voorzitter van het Huis van Afgevaardigden.'

'Maar na Bradleys dood was dat niet meer aan de orde?'

'Natuurlijk niet. Mike en ik waren loyaal en wij staan nu op straat. Albert deed gewoon waar hij zin in had, en zit nu op rozen. En Mike heeft vier kinderen en een vrouw die niet werkt, terwijl Trent een kinderloze vrijgezel is. Het is gewoon niet eerlijk.'

Toen ze waren vertrokken zei Milton: 'Ik weet het: alles wat ik te weten kan komen over Albert Trent.'

Stone knikte. 'Maar dan ook alles.'

'Het lijkt me wel een heel duidelijk motief voor moord. Het verbaast me dat de politie er niet meteen op afgegaan is. Warren scheen het niet eens in de gaten te hebben.'

'Welk motief?' vroeg Stone.

'Dat is toch zo duidelijk als wat! Als Bradley blijft leven, moet Trent weg bij de commissie voor de Inlichtingendiensten. Als Bradley sterft, kan Trent blijven zitten waar hij zit.'

'Dus jij denkt dat iemand de voorzitter van het Huis van Afgevaardigden heeft laten neerschieten om niet van baan te hoeven veranderen? En Trent kan niet zelf de trekker overgehaald hebben, want hij was in die zaal. Dus dan had hij een huurmoordenaar in dienst moeten nemen. En dat allemaal om een niet al te hoge overheidsbaan te houden? Dat gaat wel erg ver.'

'Dan moet er meer achter zitten.'

'Dat ben ik met je eens. We weten alleen nog niet wat.'

Dennis Warren nam de hoorn van de haak en belde zijn vriend en voormalige collega Mike Avery. Daarna toetste hij een tweede nummer in.

'Albert? Hé, met Dennis. Sorry dat ik je stoor op je werk, maar ik heb net een paar mensen op bezoek gehad die rare vragen stelden. Ik heb Mike Avery ook gewaarschuwd. Het heeft waarschijnlijk niets om het lijf, maar het leek me beter je toch even te bellen.'

'Dat stel ik zeer op prijs,' zei Trent. 'Wat wilden ze precies weten?'

Warren gaf een verslag van het gesprek en voegde eraantoe: 'Ik heb ze verteld dat jij de heildronk op Bob hebt geregeld en bij de commissie voor de Inlichtingendiensten bent gebleven.'

'Hoe zagen ze eruit?'

Warren gaf een signalement van Stone en Milton. 'Ken je ze?'

'Nee. Het is inderdaad merkwaardig.'

'Nou, zoals ik al zei, het leek me beter je even op de hoogte te brengen. Ik hoop niet dat ik iets heb gezegd wat ik beter niet had kunnen zeggen.'

'Ik heb geen geheimen,' antwoordde Trent.

'Hé, Albert, als er een plaatsje vrijkomt bij de staf van de commissie, laat het me dan weten, wil je? Ik begin al dat duimendraaien zat te worden.'

'Doe ik. Bedankt voor de informatie.'

Albert liep onmiddellijk zijn kantoor uit, ging naar een telefooncel en maakte een afspraak met Seagraves voor later op de dag op het terrein van het Capitool.

Toen Seagraves was gearriveerd, zei Trent: 'We hebben een probleem.'

Seagraves luisterde en zei: 'Hun volgende zet ligt voor de hand.'

'Jij regelt het?'

'Ik regel het altijd.'

· 53 ·

Caleb keek net even op van zijn bureau toen Annabelle de leeszaal binnen kwam lopen. Ze droeg een zwarte plooirok met bijpassend jasje, een witte bloes en schoenen met lage hakken, en er hing een boodschappentas over haar schouder. Ze had een gloednieuwe, van een pasfoto voorziene bibliotheekpas in haar hand. Caleb liep naar haar toe.

'Waarmee kan ik u van dienst zijn, mevrouw...?'

'Charlotte Abruzzio. Ik ben op zoek naar een bepaald boek.'

'Dan bent u hier op het juiste adres. Dit is per slot van rekening een bibliotheek.' Caleb lachte, maar Annabelle vertrok geen spier. Ze had hem duidelijk te verstaan gegeven dat hij zo min mogelijk moest zeggen en vooral geen flauwe grapjes moest maken, en natuurlijk deed hij het toch. Ze gaf hem de titel van het boek dat ze zocht. Het was een van de titels die hij de vorige avond had genoemd toen ze samen het plan doornamen.

Caleb haalde het boek uit de kluis en Annabelle ging ermee aan een leestafel zitten. Ze zat met haar gezicht naar de deuropening op een plek waar ze ook Caleb goed in de gaten kon houden.

Een uur later sprong Caleb op. 'Hallo, Jewell, hoe is het met je? Wat leuk je weer eens te zien,' zei hij terwijl hij haastig op de oude dame toe liep, maar pas nadat hij Annabelle een veelbetekenende blik had toegeworpen.

Annabelle zag het allemaal tandenknarsend aan. Wat een ongelooflijke sukkel was het toch. Waarom moest hij weer zo overdrijven? Gelukkig leek Jewell English het niet in de gaten te hebben, want ze was druk in haar tasje aan het rommelen.

Een paar minuten later had Caleb een boek voor Jewell uit de kluis gehaald waarmee ze aan een tafel ging zitten. Caleb liep regelmatig naar haar toe en keek dan nadrukkelijk naar Annabelle. Alsof ze goddomme niet in de gaten had dat Jewell English was gearriveerd. Uiteindelijk keek Annabelle hem zo nijdig aan dat hij haastig terugsloop naar zijn bureau.

Toen Jewell een uur later klaar was, nam ze afscheid van Caleb en liep de leeszaal uit. Even later liep Annabelle achter haar aan. Het duurde niet lang voordat ze de oude vrouw had ingehaald. Jewell stond op de stoep op een taxi te wachten. Annabelle had een sjaal om haar hoofd gewikkeld en de lange jas aangetrokken die ze in haar boodschappentas had meegenomen. Toen er vlak voor de oude vrouw een taxi tot stilstand kwam, kwam Annabelle in actie. Terwijl ze hard tegen Jewell aanbotste, schoot haar hand zo snel Jewells tasje in en uit dat zelfs iemand die vlak naast haar had gestaan het niet had kunnen zien.

'O, jezus,' zei Annabelle met een zwaar zuidelijk accent. 'Sorry hoor, neem me alstublieft niet kwalijk. Mijn moeder heeft altijd al gezegd dat ik beter uit mijn doppen moet kijken.'

'Geeft niks hoor, meisje,' zei Jewell een beetje buiten adem van de schrik.

'Nou, fijne dag verder, hoor,' zei Annabelle.

'Jij ook,' zei Jewell English vriendelijk en ze stapte in de taxi.

Terwijl ze langzaam wegliep, streek Annabelle even met haar vingers over de met bloemmotieven versierde glazen brillenkoker die nu in haar jaszak zat. Een paar minuten later was ze terug in de leeszaal. Er zat iemand anders achter de balie. Haastig liep Caleb op haar af. 'Dawn,' zei hij tegen de vrouw achter de balie, 'Ik geef mevrouw Abruzzio een rondleiding door de kluis. Ze komt van buiten de stad. Ik, eh, heb al toestemming gevraagd en het is in orde.'

'Best hoor, Caleb,' zei Dawn.

Ze liepen met zijn tweeën de kluis in. Caleb ging haar voor naar de Jefferson-zaal waar ze rustig konden praten. Ze hield de bril op. 'Wil je hem eens proberen? Ik heb hem ook op gehad, maar ik kon er niet veel door zien.'

Caleb zette de bril op en rukte hem onmiddellijk weer van zijn neus. 'Mijn god, het lijkt wel of je door drie of vier verschillende lagen glas kijkt. Ik snap het niet. Door haar andere bril kon ik alles heel goed zien.'

'Dat is de reden dat ze je die bril heeft gegeven en niet deze, anders had je argwaan gekregen. Weet je ook welk boek ze heeft ingezien?'

Hij hield de *Beadle* omhoog. 'Ik heb alleen gedaan alsof ik het terugzette.'

Annabelle nam het boek van hem over. 'Het ziet er goedkoop uit.'

'Het is ook goedkoop. Het is een stuiversroman uit de negentiende eeuw.'

'Het gekke is dat ze deze bril op had en dat het lezen haar zo te zien geen moeite kostte. Ik bedoel: ze zat aantekeningen te maken.'

'Ja, nou je het zegt.' Langzaam zette Caleb de bril weer op en met zijn ogen tot spleetjes geknepen sloeg hij het boek open.

'Kun je het lezen?' vroeg Annabelle.

'Het is allemaal een beetje wazig.' Hij sloeg langzaam de bladzijden om en keek plotseling op. 'Wacht eens even, wat is dat?'

'Wat?'

Hij wees naar een woord op de pagina. 'Deze letter springt er duidelijk uit. Zie je dat niet? Hij licht geel op.'

Annabelle keek naar het woord dat hij aanwees. 'Ik zie helemaal niks.'

'Hier!' riep hij, en hij wees naar de letter e in een woord op de eerste regel.

'Ik zie helemaal niks oplichten… Geef mij die bril eens.' Ze zette de bril op en keek naar de bladzijde. Nu was de letter fel geel, zo fel dat hij bijna van de pagina leek te springen. Langzaam zette ze de bril weer af. 'Dit is echt een heel speciale bril.'

Caleb zat nu zonder bril naar de bladzijde te turen en zag nergens iets oplichten. Hij zette de bril weer op en de letter e sprong er onmiddellijk uit. 'En hier staat een gele w, en een h en een f.' Hij sloeg de bladzijde om. 'En hier nog een w, en een s en een p. En nog een heleboel meer. Allemaal geel.' Hij zette de bril af. 'E, w, h, f, w, s, p. Dat is wartaal.'

'Nee, Caleb, het is een code,' zei Annabelle. 'Deze letters vormen een geheime code en je hebt deze speciale bril nodig om ze te kunnen zien.'

Hij keek haar stomverbaasd aan. 'Een geheime code?'

'Weet je welke andere boeken die vrouw de afgelopen tijd heeft bekeken?'

'Het zijn allemaal *Beadles*. Ik kan wel even nakijken welke.'

Een paar minuten later kwam hij terug met zes boeken. Met de bril op bladerde hij ze langzaam door, maar zonder oplichtende letters te vinden. 'Ik snap het niet. Ging het dan alleen om dat ene boek?'

'Dat kan niet,' zei Annabelle geërgerd. Ze hield het boek met de oplichtende letters omhoog. 'Mag ik het meenemen?'

'Nee, dit is geen uitleenbibliotheek.'

'Mag jij het als bibliothecaris ook niet meenemen?'

'Ja, ik zou het kunnen meenemen. Maar dan moet ik wel een uitleenbriefje invullen, in viervoud.'

'Dus iemand op de bibliotheek zou erachter kunnen komen dat je het hebt meegenomen?'

'Ja, inderdaad.'

'Daar schieten we niets mee op. En erger nog, daarmee kunnen we slapende honden wakker maken.'

'Wat bedoel je daarmee?'

'Caleb, als iemand weet dat je dit boek mee naar huis hebt genomen, is er grote kans dat degenen die hierachter zitten worden gewaarschuwd, wat ze ook in hun schild mogen voeren.'

'Wil je zeggen dat iemand van de Congresbibliotheek geheime codes in zeldzame boeken aanbrengt?'

'Ja!' zei ze geërgerd. 'Geef hier dat boek. Ik smokkel het wel het gebouw uit. Het is klein en dun, dus dat is geen probleem. Wacht even, zitten er elektronische antidiefstalstickers in?'

Hij schrok al bij het idee. 'Mijn god, mens, dit zijn hoogst zeldzame boeken. Dat zou heiligschennis zijn.'

'Ja, ja, maar aan die gele letters te zien heeft iemand anders er al in zitten knoeien. Oké, ik leen het een tijdje.'

'Lénen! Dit boek is eigendom van de Congresbibliotheek!'

'Caleb, hou op of ik ga slaan. Ik neem dat boek mee.' Hij begon weer te protesteren, maar ze viel hem in de rede. 'Dit kan iets met Jonathans dood te maken hebben, dus je kunt de pot op met je regels. Ik wil weten waarom Jonathan is vermoord. Jij was zijn vriend. Jij wilt het toch ook weten?'

'Ja, natuurlijk. Maar het is niet zo eenvoudig om een boek het gebouw uit te smokkelen. Officieel moeten we alle tassen doorzoeken voordat iemand de leeszaal verlaat. Ik kan natuurlijk doen alsof, maar de bewaking kijkt ook in je tas voordat je het gebouw uit gaat, en dat doen ze echt heel grondig.'

'Laat het maar aan mij over. Ik neem dit boek vanavond mee naar Oliver. Zodra je klaar bent met je werk kom jij daar ook naartoe. Oliver begrijpt misschien wel wat hier aan de hand is.'

'Hoezo? Ik geef toe dat hij veel weet, maar geheime codes lijkt me meer iets voor spionnen en zo.'

'Weet je, Caleb, je mag dan je hele leven met je neus in de boeken hebben gezeten, toch ben je de domste man die ik ooit heb ontmoet!'

'Dat is heel kwetsend en ook heel onbeleefd,' zei hij boos.

'Mooi. Zo was het ook bedoeld!' snauwde ze. 'Haal wat plakband!'

'Plakband, wat moet je daar nou mee?'

'Haal het nou maar.'

Met tegenzin haalde hij een rol plakband uit een kast.

'Draai je om,' zei ze.

'Wat?'

Ze pakte hem bij zijn schouders en draaide hem een halve slag om. Toen hij met zijn rug naar haar toe stond, trok ze haar rok op tot aan haar middel, duwde het dunne boekje tegen de lies van haar linkerbeen en maakte het met plakband vast. 'Zo blijft het wel zitten, al zal het niet prettig zijn om het er weer af te krijgen.'

'Ik wil niet dat je dat boek beschadigt,' zei hij streng. 'Het is een belangrijk historisch document.'

'Draai je maar om, dan kun je het zelf zien.'

Hij draaide zich om en hapte naar adem toen hij het boek zag, haar blote dijen, én een deel van haar slipje.

'Volgens mij zal het boek zich daar heel fijn voelen, Caleb,' zei ze zwoel. 'Denk je ook niet?' Ze trok haar rok naar beneden en lachte hem ondeugend toe. Toen ze langs hem heen liep stootte ze hem aan met haar heup. 'Tot ziens bij Oliver.'

·54·

Caleb ging weer aan zijn bureau zitten maar het lukte hem niet zich op zijn werk te concentreren. Na een tijdje kwam Kevin Philips de leeszaal binnen en liep op zijn bureau af.

'Caleb, kun je even meekomen?' vroeg hij zacht.

Caleb stond op. 'Ja, natuurlijk, Kevin. Wat is er aan de hand?'

Philips keek hem zorgelijk aan. 'Er zijn hier een paar mensen van de politie die je willen spreken.'

Terwijl zijn geest koortsachtig alle mogelijke doemscenario's doornam die de politie hiernaartoe gebracht konden hebben, kreeg Caleb het gevoel dat al zijn organen hun vitale functies staakten. Was dat rotwijf betrapt met een boek vlak onder haar kruis geplakt en had ze hem erbij gelapt? Had Jewell English doorgekregen wat er was gebeurd en aangifte gedaan van de diefstal van haar bril, en hem als verdachte genoemd? Zou hij, Caleb Shaw, nu op de elektrische stoel belanden?

'Eh, Caleb, kom je dan even mee?' zei Philips.

'Wat zou de politie van me willen?' mompelde hij. O, lieve god, laat het een gevangenis met een licht regime zijn.

Toen ze de leeszaal uit waren, droeg Philips hem over aan twee rechercheurs in slecht zittende pakken en emotieloze gezichten, en ging er toen als een haas vandoor. De twee mannen gingen Caleb voor naar een leeg kantoor. Met lood in zijn schoenen sjokte hij achter hen aan. Zijn mond voelde zo droog dat hij geen woord uit kon brengen.

De grootste van de twee politiemensen plofte met zijn billen op een bureau terwijl Caleb zo stijf als een plank tegen de muur geleund bleef staan wachten tot ze hem op zijn rechten zouden wijzen. Hij voelde het kille staal van de handboeien al om zijn polsen. Dit was het einde van zijn respectabele bestaan. Van bibliothecaris tot misdadiger: wat was hij snel en diep gevallen! De andere man haalde een stel sleutels uit zijn zak.

'Deze zijn van DeHavens huis, meneer Shaw.' Caleb stak een beverige hand uit en nam de sleutels in ontvangst. 'Ze waren in het bezit van uw vriend Rueben Rhodes.'

'Een vriend zou ik hem niet willen noemen,' zei Caleb haastig. 'Eerder een toevallige kennis.'

De twee rechercheurs keken elkaar even aan. 'Hoe dan ook,' zei de grootste van de twee, 'hij is inmiddels onder persoonlijke borgtocht vrijgelaten.'

'Wil dat zeggen dat hij niet langer als verdachte wordt beschouwd?'

'Nee, dat niet, maar we hebben zijn verklaring nagetrokken, net als die van u, en voorlopig laten we het daarbij.'

Caleb tuurde naar de sleutels. 'Mag ik het huis binnen of is dat verboden terrein?'

'We zijn klaar met het sporenonderzoek, dus u kunt weer naar binnen. Maar, ik zeg het er maar even bij, u mag niet naar de zolder.'

'Ik wil alleen zijn boekencollectie controleren. Ik ben zijn literair executeur.'

'Dat hebben we van zijn advocaten gehoord, ja.'

Caleb keek om zich heen. 'Dus ik kan gaan?'

'Tenzij u ons nog iets te zeggen hebt?'

Caleb ontweek hun blik. 'Eh, veel succes met het onderzoek?'

De man stond op en liep samen met zijn collega de kamer uit.

Caleb bleef alleen achter in het lege kantoor. Hij was licht in zijn hoofd van opluchting en kon nauwelijks geloven dat hij zoveel mazzel had gehad. Toen betrok zijn gezicht. Waarom hadden ze Rueben ineens laten gaan? En waarom hadden ze de sleutels van Jonathans huis aan hém gegeven? Was dit een valstrik? Stonden die twee hem op de gang op te wachten? Gingen ze hem alsnog arresteren en beweren dat hij die sleutels had gestolen of had geprobeerd te ontsnappen? Caleb wist dat dit soort praktijken voorkwamen. Hij had het vaak genoeg op televisie gezien.

Langzaam liep hij naar de deur en keek om de hoek. De gang was verlaten. Niets wees erop dat zich ergens een tot de tanden bewapend arrestatieteam verborgen hield. Caleb wachtte nog een paar minuten, maar er gebeurde niets. Hij besefte wat hij nu als eerste moest doen. Hij moest controleren of de geheime code in het *Bay Psalm Book* was aangebracht. Hij ging vroeg weg en reed zo snel als hij kon naar het huis van DeHaven. Hij liep naar de kleine kluis achter het schilderij, toetste de code in en trok het deurtje open.

Het *Bay Psalm Book* was verdwenen.

Toen ze die avond bij Stone thuis zaten, was Rueben er ook. Nadat ze hun kameraad hadden gefeliciteerd met zijn vrijlating schreef Stone op een velletje papier dat hij liever niet hier wilde praten, en terwijl de anderen over ditjes en datjes kletsten, zette hij snel een paar instructies op papier.

Dertig minuten later liepen Caleb en Milton het huis uit. Twintig minuten daarna vertrokken Rueben en Annabelle. Een uur na zonsondergang ging het licht uit en nog eens een halfuur later kroop Stone op zijn buik door het hoge gras op het kerkhof. Hij verliet het terrein door een gat in het gaashek achter een grote stenen graftombe.

Hij ontmoette hij de anderen in een steegje in een oud deel van Georgetown. Hij deed een houten deur van het slot die achter een afvalcontainer was verborgen en wenkte dat ze verder moesten komen. Hij draaide de deur weer op slot en knipte de plafondlamp aan in de raamloze ruimte. Er stonden een paar gammele stoelen en houten kratten. Annabelle keek om zich heen in het klamme, smerige vertrek. 'Gezellig hier. Is deze ruimte ook te huur voor feesten en partijen?'

'Je verslag, graag,' zei Stone.

Ze vertelde wat Caleb en zij die middag hadden ontdekt. Ze gaf de bril en het boek aan Stone, terwijl Caleb ongebruikelijk stil bleef. Stone zette de bril op en bladerde het boek even door. 'Je hebt gelijk. Dit lijkt inderdaad een code.'

'Wie zet er nou geheime codes in bibliotheekboeken?' vroeg Annabelle.

Stone legde het boek neer en zette de bril af. Toen zette Milton de bril op en begon het boek door te lezen.

Rueben wreef over zijn kin. 'Heeft dit te maken met de moord op Behan? Die zat in de wapenindustrie en had nauwe contacten met Defensie. In die sectoren barst het van de spionnen.'

Stone knikte. 'Dat lijkt me niet onmogelijk, maar volgens mij is er meer aan de hand.' Hij vertelde wat Milton en hij te weten waren gekomen in de Federalist Club en wat hun gesprek met Dennis Warren had opgeleverd.

'Dus die Albert Trent is bij de commissie voor de Inlichtingendiensten gebleven,' zei Annabelle. 'Wat wil dat zeggen?'

'Dat wil zeggen,' zei Rueben, 'dat hij toegang heeft tot geheimen die het verkopen waard zijn. Neem dat maar van mij aan. Toen ik bij de CIA werkte, had ik regelmatig briefings op Capitol Hill. De leden van de commissie voor de Inlichtingendiensten en hun stafmedewerkers hadden allemaal toegang tot het meest geheime materiaal.'

'Maar spionnen zijn erom berucht dat ze het Congres niet alles vertellen,' zei Milton terwijl hij van het boek opkeek. 'Zou Trent echt over zoveel waardevolle informatie beschikken?'

'Vergeet niet,' zei Stone, 'dat Trent niet altijd stafmedewerker is geweest. Hij heeft ook bij de CIA gewerkt.'

'Dus hij kan daar nog contacten hebben,' zei Rueben. 'Christus, en ook bij de NSA, het NIC en de rest van het rijtje. Misschien heeft die man wel een minisupermarkt voor spionage opgezet.'

'Maar hoe kom je van een mol als Trent op geheime codes in zeldzame boeken?' vroeg Annabelle. Ze ging verzitten op de gammele stoel en wreef even over de gevoelige plek in haar lies waar ze het plakband had losgetrokken.

'Ik weet het niet,' gaf Stone toe. 'We moeten meer over die Jewell English te weten zien te komen. Als we haar zover krijgen dat ze doorslaat, kunnen we die codes traceren tot aan de bron. Ze zal inmiddels wel in de gaten hebben dat ze haar bril kwijt is.'

'En hoe wilde je haar zover krijgen dat ze doorslaat?' zei Rueben. 'We kunnen haar moeilijk op een tafel vastbinden en net zolang op haar in beuken tot ze begint te praten.'

'Maar we kunnen wel naar de FBI stappen, het boek en de bril laten zien en vertellen wat wij ervan denken,' zei Stone. 'Dan moet die het verder maar oplossen.'

'Dat klinkt een stuk beter,' zei Rueben. 'Hoe meer afstand we van die lui houden, wie het ook mogen zijn, hoe beter.'

Stone keek eens naar Caleb, die de hele avond nog geen woord had gezegd en ontdaan in een hoekje zat.

'Caleb, wat is er?'

De bibliothecaris zuchtte diep zonder de anderen aan te kijken.

'Caleb,' zei Annabelle bezorgd, 'het spijt me dat ik vandaag zo tegen je ben uitgevallen. Je hebt het eigenlijk heel goed gedaan.' Ze beet op haar lip na dat leugentje.

Hij schudde zijn hoofd. 'Daar gaat het niet om. Je hebt gelijk. Ik ben een hopeloze knoeier als het om dit soort dingen gaat.'

'Wat is er dan?' vroeg Stone ongeduldig.

Hij haalde diep adem en keek op. 'De politie is vandaag in de bibliotheek geweest om me de sleutels van Jonathans huis terug te geven. Ik ben meteen naar zijn verzameling gaan kijken.' Hij zweeg en keek snel even naar Annabelle. Toen boog hij zich naar Stone toe en fluisterde in zijn oor: 'Het *Bay Psalm Book* is verdwenen.'

Stone verstarde. Milton en Rueben keken Caleb strak aan. 'Toch niet hét boek?' vroeg Milton. Caleb knikte verslagen.

'Hé,' zei Annabelle, 'als ik te veel ben, dan ben ik zo weg, hoor. Zoveel heb ik niet met boeken.'

'Hoe kan het nou verdwenen zijn?' zei Stone terwijl hij gebaarde dat ze moest blijven.

'Dat weet ik niet. Je hebt een code nodig om de kluis en de safe open te krijgen. En geen van beide was opengebroken.'

'Wie heeft die codes nog meer?' vroeg Rueben.

'Dat weet ik niet.'

'Nou, in elk geval Jonathans advocaat,' zei Stone. 'Hij had de sleutels en de code van de kluis. Die code kan hij overgeschreven hebben voordat hij die aan jou gaf, en hij kan ook een kopie van de sleutel hebben laten maken.'

'Ja, daar had ik nog niet aan gedacht. Maar de toegangscode van de safe had hij niet.'

'Jij was er heel snel achter,' zei Stone. 'Misschien is het hem ook gelukt. Zo moeilijk was het niet. Als die advocaat Jonathan goed heeft gekend en hem weleens heeft bezocht in de leeszaal Zeldzame Boeken, dan kan hij die code ook makkelijk geraden hebben. Of misschien heeft Jonathan hem de code wel gegeven, maar heeft hij die om de een of andere reden niet aan jou verteld.'

'Maar als die advocaat het boek wilde stelen, waarom heeft hij dat dan niet gedaan voordat ik van het bestaan af wist?'

Stone keek hem verbaasd aan. 'Daar heb je gelijk in. Maar toch geloof ik niet dat dit iets met de moorden te maken heeft.'

Caleb kreunde. 'Geweldig! Maar Vincent Pearl vermoordt míj als hij hierachter komt. Dit zou de kroon op zijn carrière zijn geworden. Hij gaat me er ongetwijfeld van beschuldigen dat ík het heb gestolen.'

'Misschien heeft hij het zelf wel gestolen,' zei Milton, die opkeek van het boek.

'Hoe kan dat nou? Hij kon het huis niet in en de sleutels en de codes van de kluis en de safe had hij niet,' zei Caleb. 'En hij weet maar al te goed dat zo'n boek zonder eigendoms- en authenticiteitsbewijzen niet te verkopen valt. Hij zou er nooit een cent aan verdienen en er zelfs voor kunnen worden opgepakt.'

Ze zaten zwijgend voor zich uit te staren, totdat Rueben zei: 'Het is heel erg dat het boek weg is, maar laten we het belangrijkste niet vergeten. Morgen gaan we naar de FBI. Dat is in elk geval iets.'

'Hoe zit het met Jewell English?' vroeg Milton.

Caleb ging rechtop zitten. Waarschijnlijk was hij opgelucht dat hij even niet aan het *Bay Psalm Book* hoefde te denken. 'Als ze weer naar de bibliotheek komt, zeg ik wel dat ik zal kijken of haar bril bij Gevonden Voorwerpen ligt.'

'Christus, als ze een spion is, dan is ze nu waarschijnlijk het land al uit,' zei Rueben.

'Misschien heeft ze nog niet gemerkt dat ze haar bril kwijt is,' zei Stone. 'Ze gebruikt hem waarschijnlijk alleen om die codeletters te kunnen zien. Dat zou betekenen dat ze die bril pas tevoorschijn wil halen als ze weer in de leeszaal zit.'

'Als we die bril weer in haar tas weten te krijgen voordat ze in de gaten heeft dat hij weg is,' merkte Caleb op, 'dan krijgt ze misschien geen argwaan.'

'We hebben die bril nodig als we naar de FBI stappen, maar als we uitleggen wat we van plan zijn, krijgen we misschien wel toestemming om haar die bril terug te bezorgen,' zei Rueben. 'Dan kan de FBI haar volgen, en als ze dan weer een geheime code ontvangt en die doorgeeft aan iemand anders, kan de FBI diegene gelijk oppakken.'

'Een goed plan,' zei Stone.

'Eigenlijk niet,' zei Milton. 'We kunnen niet met dit boek naar de FBI stappen.'

Alle ogen waren nu op hem gericht. Terwijl ze zaten te praten, had hij het dunne boekje nog eens doorgelezen, waarbij hij de bladzijden steeds sneller had omgeslagen. Hij zette de bril af en hield het boek op.

'En waarom niet?' vroeg Caleb geërgerd.

Milton gaf hem de bril en het boek aan. 'Kijk zelf maar.' Caleb zette de bril op, sloeg een bladzijde om, en nog een, en nog een. Panisch bladerde hij het laatste deel van het boek door en sloeg het toen dicht. Er was een mengeling van ongeloof en woede van zijn gezicht te lezen.

'Wat is er?' vroeg Stone met samengeknepen ogen.

'De gele letters zijn allemaal verdwenen,' zei Caleb langzaam.

· 55 ·

Stone zette de bril op en bladerde het boek door. Hij streek met zijn vinger over een letter waarvan hij wist dat die ooit geel was geweest, maar die was nu even zwart en onopvallend als alle letters eromheen. Hij sloeg het boek dicht, zette de bril af en zuchtte. 'De chemische stof die ze hebben gebruikt om de letters te markeren, was voorzien van een ingebouwde tijdslimiet. Als die verstreken is, verdampt het spul.'

'Zoals onzichtbare inkt?' vroeg Milton.

'Maar dan iets geavanceerder,' zei Stone. Boos voegde hij eraantoe: 'Dat had ik moeten weten.'

'Weet jij dan iets van dit soort chemicaliën, Oliver?' vroeg Caleb.

'Dit procédé ken ik niet, maar ik begrijp wel waarom ze het hebben toegepast. Als spion kun je niet uitsluiten dat de bril in verkeerde handen valt, dus is het handig als de code na verloop van tijd automatisch wordt gewist.' Hij keek naar Caleb. 'Degene die de stof in het boek heeft aangebracht, moet geweten hebben dat Jewell English er inzage in zou krijgen voordat het effect zou verdwijnen. De vraag is alleen hoe.'

Caleb dacht even na. 'Iemand moet de kluis in zijn gegaan om daar met het boek te knoeien. Daarna moet hij contact met haar hebben opgenomen om door te geven welk boek ze moest opvragen. En ze moet meteen naar de Congresbibliotheek zijn gegaan om het te bekijken.'

Stone tuurde aandachtig naar het omslag. 'Het lijkt me een moeizaam karwei om alle letters van zo'n codebericht stuk voor stuk geel te kleuren. En in elk geval heel tijdrovend.'

'Er gaan regelmatig mensen de kluizen in en uit. De kluizen in het diepst van het gebouw worden minder druk bezocht, maar als een medewerker daar urenlang blijft zitten, wordt dat zeker opgemerkt.'

'Misschien is degene die het heeft aangebracht er heel ervaren in,' zei Rueben. 'Misschien gebruikt hij een of ander sjabloon.'

'Kan het na sluitingstijd zijn gebeurd?' vroeg Stone.

Caleb keek hem onzeker aan. 'In de kluizen? Er zijn maar heel weinig mensen die er dan nog in kunnen komen. De directeur en de hoofdbibliothecaris zijn de enige twee die ik zo snel kan bedenken. De computer is zo geprogrammeerd dat hij andere medewerkers buiten openingstijd geen toegang verleent. Tenzij er een speciale regeling is getroffen, natuurlijk, maar dat gebeurt niet vaak.'

'Dus DeHaven had buiten openingstijd toegang tot de kluis?' vroeg Stone.

Caleb knikte. 'Denk je dat hij in het complot zat? En dat hij daarom is vermoord?'

Annabelle wilde iets zeggen, maar ze bedacht zich.

'Ik weet het niet, Caleb.' Stone stond op. 'We moeten nu echt in actie komen. Caleb, jij belt Jewell English en zegt dat je haar bril hebt gevonden in de leeszaal. Zeg maar dat je die even komt langsbrengen.'

'Vanavond nog? Het is al negen uur,' zei Caleb.

'Doe het nou maar! Elke seconde telt, dat is wel duidelijk. En als ze ervandoor is dan moeten we dat weten.'

'Oliver,' zei Annabelle, 'het zou weleens gevaarlijk kunnen zijn. Stel dat ze er nog is en iets vermoedt?'

'We geven Caleb een zendertje mee. Ik weet dat Milton nog een paar van die dingen thuis heeft liggen.' Milton knikte. 'Milton rijdt met Caleb mee naar het huis van Jewell English, maar gaat niet mee naar binnen. Als er iets misgaat, dan kan hij de politie bellen.'

'En als ik lichamelijk letsel oploop?' jammerde Caleb.

'Je hebt zelf gezegd dat ze een oude dame is, Caleb,' zei Stone. 'Die moet je toch wel aankunnen. Maar ik denk dat je haar niet meer thuis zult aantreffen. In dat geval probeer je haar huis binnen te dringen en zo veel mogelijk te weten te komen.'

'En als ze er wel is?' zei Caleb handenwringend. 'Of als ik word aangevallen door een of andere rabauw bij haar thuis?'

'Nou, jammer dan,' zei Stone schouderophalend.

'Jammer dan?' viel Caleb woedend uit. 'Jij hebt makkelijk praten! En wat doe jij terwijl ik mijn leven op het spel zet?'

'Inbreken bij Albert Trent,' zei Stone. Hij keek naar Annabelle. 'Ga je mee?'

'O, absoluut,' zei Annabelle met een brede glimlach.

'En ik dan, Oliver?' zei Rueben verongelijkt.

Stone schudde zijn hoofd. 'Jij bent al een keer gearresteerd, Rueben, en je wordt nog steeds als verdachte beschouwd. Dat is me te riskant. Je zult je voorlopig even koest moeten houden.'

'Geweldig!' gromde Rueben. 'Sommige mensen hebben altijd mazzel.'

Te oordelen naar de blik in zijn ogen had Caleb hem met liefde gewurgd.

· 56 ·

Caleb parkeerde zijn oude Chevrolet Nova met de loshangende uitlaat-pijp aan het eind van de stille doodlopende straat, en met een nerveuze blik op Milton zette hij de motor af. Zijn vriend was helemaal in het zwart en zijn lange haar zat verborgen onder een zwarte wollen muts. Hij had ook zijn gezicht zwart gemaakt.

'Mijn god, Milton, je ziet eruit als een bankovervaller.'

'Het is een doodgewone surveillanceoutfit. Zit het zendertje goed?'

Caleb stak zijn hand in zijn jasje en wreef over de plek op zijn arm waar Milton het apparaatje had aangebracht. De batterijen waren aan de onderkant van zijn rug in zijn broekband gestoken. 'Het jeukt ver-schrikkelijk, en door die batterijen zit mijn broek zo strak dat ik bijna geen lucht meer krijg.'

'Het zijn gewoon de zenuwen,' merkte Milton op.

Caleb keek hem woedend aan. 'Zou het?' Hij stapte de auto uit. 'Zorg jij nou maar dat je op tijd het alarmnummer belt, stoere inbreker.'

'Komt voor de bakker,' zei Milton. Hij haalde een nachtkijker tevoor-schijn en begon de omgeving af te speuren. Hij had ook een hogesnel-heidscamera en een Taser-pistool meegenomen.

Toen Caleb haar belde, had Jewell English meteen opgenomen en zo te horen was ze dolblij dat hij haar bril had gevonden. Vanavond was pri-ma, al was het al laat. 'Ik slaap nou eenmaal niet veel,' had ze hem over de telefoon toevertrouwd. 'Maar waarschijnlijk heb ik wel mijn nacht-pon aan,' had ze er koket aan toegevoegd.

'Wat leuk,' had hij op doffe toon geantwoord.

Terwijl hij naar de voordeur liep, nam hij de andere huizen aandachtig op. Het waren allemaal al wat oudere bakstenen bungalows. De voor-tuintjes leken als twee druppels water op elkaar en nergens brandde licht. Zijn hart sloeg over toen ineens een kat over een van de gazonne-tjes sloop. Hij haalde een paar keer diep adem en mompelde: 'Het is gewoon een oud dametje dat haar bril kwijt is. Gewoon een oud dame-tje dat haar bril kwijt is. Gewoon een oud dametje dat ook spionne is en met een paar zware jongens om zich heen die klaarstaan om mijn strot af te snijden.' Snel keek hij even achterom. Hij kon Milton niet zien maar nam aan dat die bezig was foto's te maken van een vogeltje dat zich op verdachte wijze op een tak ophield.

Er brandde wel licht in Jewells huis. Achter de vitrage zag hij een ruime woonkamer, en een open haard met een schoorsteenmantel vol snuisterijen. Er stond geen auto onder het roestige afdak van de carport, en hij nam aan dat ze met autorijden was gestopt, of dat haar auto in reparatie was. Haar gazon was keurig gemaaid en haar voorgevel werd bewaakt door twee hoge rozenstruiken. Hij belde aan en wachtte even, maar er werd niet opengedaan. Hij belde opnieuw, maar hoorde geen voetstappen. Snel keek hij om zich heen. De straat was stil en verlaten. Misschien wel te stil, net als in films, en voor je het wist werd je doodgeschoten, neergestoken of opgegeten.

Hij had haar iets meer dan een uur geleden gebeld. Wat kon er in de tussentijd gebeurd zijn? Hij hoorde de bel, maar misschien kon zij die niet horen. Hij bonsde op de deur. 'Jewell?' Hij riep nog eens, maar nu luider. Ergens begon een hond te blaffen en hij maakte een schrikachtige beweging. Het geblaf kwam niet vanuit het huis, dus waarschijnlijk was het gewoon de hond van de buren. Hij bonsde opnieuw, nog harder, en de deur zwaaide open.

Hij draaide zich om en stond op het punt weg te rennen. Als een deur zomaar openzwaaide, ging je nooit, maar dan ook nooit naar binnen. Bij het volgende geluid ging zijn hart zo tekeer dat hij vreesde in zwijm te vallen.

'Caleb?'

Hij slaakte een kreet en moest het hek van de veranda vastgrijpen om niet in de rozenstruiken te vallen.

'Caleb!' klonk het dringend.

Panisch draaide hij zich om. Hij was zo misselijk dat hij bijna moest braken.

'Ik ben het, Milton.'

Caleb zat op zijn hurken en probeerde wanhopig te voorkomen dat zijn avondmaaltijd tussen de rozenstruiken belandde. Hij keek op. 'Milton?'

'Ja!'

'Waar ben je?' fluisterde hij.

'In de auto. Ik praat tegen je via je zendertje. Het is ook een ontvanger.'

'Waarom heb je dat verdomme niet eerder gezegd?'

'Dat heb ik gezegd. Je bent het zeker vergeten. Het zal wel door de spanning komen.'

'Kun je me goed horen?' vroeg Caleb met op elkaar geklemde kaken.

'Ja, hoor. Heel duidelijk.'

Van de scheldkanonnade die de bedaagde bibliothecaris daarop liet volgen had zelfs de agressiefste rapper iets kunnen leren.

'Zo!' Caleb kwam langzaam overeind en rechtte zijn rug. 'Oké, ze doet niet open. Ik heb net aangeklopt en de deur zwaaide open. Wat doe ik nu?'

'Ik zou ervandoor gaan,' zei Milton automatisch.

'Ik had al gehoopt dat je dat zou zeggen.' Caleb liep achteruit voor het geval dat hij vanuit het huis werd aangevlogen. Ineens bleef hij staan. Stel dat Jewell in de badkamer lag met een gebroken heup, of dat ze een hartaanval had gehad? Eigenlijk geloofde hij helemaal niet dat dat lieve oude dametje bij spionage betrokken kon zijn. En anders was ze misschien niet meer dan een onschuldig slachtoffer.

'Caleb? Ben je al weg?'

'Nee,' snauwde hij. 'Ik sta na te denken.'

'Waarover?'

'Of ik naar binnen zal gaan om te kijken of alles in orde is.'

'Wil je dat ik meega?'

Hij aarzelde. Milton had per slot van rekening een Taser-pistool bij zich. Als Jewell inderdaad een spionne was en straks met een hakmes op hen af kwam rennen, dan konden ze die ouwe heks tenminste te grazen nemen.

'Nee, Milton, blijf maar waar je bent. Er is niets aan de hand.' Hij duwde de deur open en ging het huis binnen. In de woonkamer was niemand en in het keukentje evenmin. Er stond een braadpan op het fornuis en het rook er naar gebakken uien. In de gootsteen zag hij een bord, een vork en een beker. Hij ging terug naar de woonkamer om een zware koperen kandelaar te pakken die hij als wapen kon gebruiken en liep daarna langzaam de gang door. De eerste deur was die van de badkamer. Hij keek om een hoekje. De toiletbril was omlaag geklapt, het douchegordijn was open en gelukkig lag er geen bloederig lijk in de badkuip. Hij keek maar niet in het medicijnkastje, voornamelijk omdat hij geen zin had zijn doodsbange gezicht in het spiegeldeurtje te zien.

Niemand in de eerste slaapkamer. De garderobekast lag vol met handdoeken en lakens.

Er was nu nog één kamer over. Hij hield de kandelaar hoog boven zijn hoofd en duwde de deur met zijn voet zachtjes open. Het was donker in het vertrek en het duurde even voordat zijn ogen eraan gewend raakten. Toen zag hij de bult onder het dekbed.

'Ze ligt in bed,' fluisterde hij. 'Ze heeft het dekbed over haar gezicht getrokken.'

'Is ze dood?' vroeg Milton.

'Ik weet het niet, maar waarom zou ze met het dekbed over haar gezicht slapen?'

'Zal ik de politie bellen?'

'Moment.'

Ook in deze kamer stond een garderobekast. De deur was halfopen. Caleb ging ernaast staan, met zijn kandelaar in de aanslag, en gebruikte opnieuw zijn voet om de deur open te duwen. Daarna sprong hij naar achteren. Wat kleren aan een rek, maar geen moordenaar.

Hij draaide zich om naar het bed. Zijn hart klopte nu zo snel dat hij zich afvroeg of Milton misschien niet beter een ambulance voor hém kon bellen. Hij keek naar zijn trillende handen. 'Oké, oké, een dode kan je geen kwaad doen.' Toch was hij doodsbang voor wat hij te zien zou krijgen. Plotseling drong het tot hem door dat als ze haar hadden vermoord, hij er medeverantwoordelijk voor was, want hij had haar van haar bril beroofd en haar daardoor in gevaar gebracht. Die sombere gedachte had een deprimerende uitwerking op hem, maar bracht hem ook enigszins tot rust.

'Het spijt me, Jewell,' mompelde hij.

Hij greep de bovenrand van het dekbed vast en trok het weg.

Er keek een dode man naar hem op. Het was Norman Janklow, de man die zo'n liefhebber van Hemingway was.

· 57 ·

Albert Trent woonde in een oud huis met een brede veranda op het platteland van westelijk Fairfax County.

'Dat is een hele rit als hij elke dag in Washington moet zijn,' merkte Stone op terwijl hij vanachter een berkenbosje met een verrekijker de omgeving verkende. Annabelle zat op haar hurken achter hem. Ze droeg een zwarte spijkerbroek, zwarte gympen en een zwart jack met capuchon. Stone had een rugzakje om.

'Is er iemand thuis?' vroeg ze.

Hij schudde van nee. 'Voor zover ik kan zien brandt er geen licht, maar de deur van de garage is dicht, dus ik kan niet zien of er een auto in staat.'

'Hij zal wel een alarminstallatie hebben.'

Stone knikte. 'Dat denk ik ook. Die schakelen we eerst uit en daarna gaan we het huis binnen.'

'Weet je ook hoe?'

'Toen Rueben me eens diezelfde vraag stelde heb ik gezegd: de bibliotheek is voor iedereen toegankelijk.'

Er was geen ander huis in zicht, maar voor alle zekerheid gingen ze er via de achterkant naartoe. Eerst kropen ze een heel eind plat op hun buik en vervolgens een eindje op handen en knieën. De laatste twintig meter liepen ze diep gebukt een zachtglooiende helling af. Toen bleven ze staan en pakte Stone opnieuw zijn verrekijker. Het huis had een bovengrondse kelder die uitkwam op een betonnen patio. De achterkant van het huis was al even donker als de voorkant, maar Stone had zijn nachtkijker meegenomen en door het groene waas van de van een speciale coating voorziene lenzen kon hij genoeg zien.

'Ik zie niets bewegen, maar ik bel toch maar even,' zei hij tegen Annabelle.

Milton had hun Trents privénummer doorgegeven. Dat had hij gevonden op internet, dat inmiddels een veel grotere bedreiging vormde voor de privacy van Amerika dan de NSA ooit hoopte te worden. Annabelle pakte haar mobieltje en toetste het nummer in. Nadat de telefoon vier keer was overgegaan, hoorden ze een mannenstem vragen een boodschap in te spreken.

'Onze spion is niet thuis,' zei ze. 'Ben je gewapend?'

'Ik heb geen pistool. Jij?'

Ze schudde van nee. 'Niet mijn stijl.'

'Dat is maar beter ook.'

'Dat klinkt alsof je uit ervaring spreekt.'

'Dit is niet het moment om levensverhalen uit te wisselen.'

'Weet ik, ik wilde even een voorproefje van het moment dat het wel uit komt.'

'Oké, het beveiligingspaneel hangt aan de muur onder de patio. Kom mee.'

Terwijl ze naar het huis toe kropen, hoorden ze ergens in de verte een paard hinniken. Hier en daar in de omgeving lagen wat kleine boerderijen die nog niet waren verdreven door de kolossale huisvestingsmachine van noordelijk Virginia, die met verbijsterende snelheid flatgebouwen, herenhuizen, rijtjeshuizen en bungalows uitspuwde. Op weg naar Trents huis hadden ze een paar van dat soort boerderijtjes gezien, met stallen, hooibergen en weiden met vredig grazende paarden.

In de kelder had Stone vijf minuten nodig om het beveiligingssysteem te bestuderen, en nog eens vijf minuten om het onschadelijk te maken. Toen zei hij: 'We proberen eerst dit raam hier. De deuren zijn waarschijnlijk hermetisch vergrendeld. Ik heb wel iets bij me om ze open te breken, maar we kunnen beter eerst het zwakste punt proberen.'

Maar het raam bleek niet het zwakste punt te zijn, want het was met raampennen beveiligd.

Ze liepen achterom en vonden eindelijk een raam dat niet was beveiligd. Stone sneed een rondje uit het glas, stak zijn hand erdoorheen en maakte het venster open. Een minuut later liepen ze door de gang naar de keuken. Stone liep voorop, met een zaklantaarn in zijn hand.

'Mooi huis, maar wel erg Spartaans ingericht,' merkte Annabelle op. Trents smaak in woninginrichting was inderdaad tamelijk minimalistisch. Een tafel en een stoel, meer niet. De keuken was zo mogelijk nog kaler.

'Trent is vrijgezel,' zei Stone. 'Hij zal wel veel buitenshuis eten.'

'Waar zullen we beginnen?'

'Laten we maar eens kijken of hij een werkkamer heeft. De meeste Washingtonse bureaucraten nemen altijd werk mee naar huis.'

Ze vonden een werkkamer, maar die was al even kaal als de rest van het huis. Nergens een dossier of losse papieren te bekennen. Op een lage kast achter het bureau stonden een paar foto's. Stone wees ernaar. Een grote, forsgebouwde man met een nogal grof maar open gezicht, wit haar en grijze wenkbrauwen stond naast een kleinere, gezette man die zijn paar resterende haren zorgvuldig over zijn kalende schedel had gekamd. Hij had een doortrapte blik in zijn waakzame bruine ogen.

'Die grote man is Bob Bradley,' zei Stone. 'Die ernaast is Trent.'

'Die Trent ziet eruit als een wezel.' Ze verstarde. 'Wat hoor ik nou?'

'Verdomme!' Stone haalde zijn vibrerende mobieltje tevoorschijn en keek op het schermpje. 'Het is Caleb. Zouden ze iets te weten zijn gekomen?'

Hij kreeg niet de kans om het hem te vragen.

Door een zware klap van achteren sloeg hij bewusteloos tegen de grond. Annabelle gilde, maar onmiddellijk duwde een sterke hand een natte doek onder haar neus. Terwijl ze de chemische dampen inademde en langzaam in elkaar zakte, viel haar blik op een spiegel aan de wand tegenover haar en daarin zag ze twee mannen met zwarte maskers. De ene had haar in zijn greep en de andere stond over Stone heen gebogen. En achter die twee zag ze een derde man, de man van de foto, Albert Trent. Hij glimlachte, zonder in de gaten te hebben dat ze hem had gezien. Een paar seconden later, terwijl haar ogen langzaam dichtvielen, voelde ze haar hele lichaam slap worden.

Zoals Roger Seagraves hem had opgedragen maakte een van de mannen Annabelles polshorloge los. Van Stone had Seagraves al een overhemd. Hoewel hij deze twee niet eigenhandig zou doden, was hij wel degene die hun dood regisseerde en daarmee voldeden ze aan de criteria van zijn verzameling. Vooral de 666'er was een aanwinst, de eerste in zijn collectie. Seagraves zou het overhemd een ereplaats geven.

· 58 ·

Annabelle was de eerste die bij kennis kwam. Toen ze weer wat scherper kon zien zag ze dat de twee mannen druk aan het werk waren. De ene stond op een ladder terwijl de andere hem dingen aangaf. Ze lag aan handen en voeten gebonden op een koude betonnen vloer, en recht tegenover haar lag Stone, met zijn ogen dicht. Na een tijdje zag ze dat zijn ogen begonnen te knipperen en toen openbleven. Toen hij haar zag, keek ze nadrukkelijk naar de twee mannen. Ze hadden geen prop in hun mond, maar ze wilden niet laten merken dat ze weer bij kennis waren.

Stone keek de ruimte rond en voelde kramp in zijn maag. Ze werden gevangen gehouden in het betonnen gebouwtje van Fire Control, Inc. Hij kneep zijn ogen samen om het etiket op de gascontainer te zien die met kettingen aan het plafond was opgehangen.

'Kooldioxide. 5.000 PPM.' Stone vormde de woorden geluidloos met zijn lippen terwijl Annabelle haar uiterste best deed te begrijpen wat hij zei.

Die mannen gingen hen vermoorden op dezelfde wijze waarop Jonathan DeHaven was vermoord.

Stone keek panisch om zich heen naar iets waarmee hij zich kon bevrijden. Als de mannen eenmaal de loods uit waren, zouden ze niet veel tijd meer hebben voordat het gas werd verspreid en ze langzaam zouden stikken. Toen de mannen bijna klaar waren met hun werk, vond hij wat hij zocht.

'Zo lukt het wel,' zei een van de mannen terwijl hij de ladder af kwam.

Toen hij in de lichtkring stapte, herkende Stone hem. Het was de voorman van het team dat de gascontainers uit de Congresbibliotheek had weggehaald.

Toen ze even hun kant uit keken, kneep Stone onmiddellijk zijn ogen dicht, en Annabelle volgde zijn voorbeeld.

'Oké,' zei de voorman. 'Laten we geen tijd verspillen. Het gas komt over drie minuten vrij. We wachten tot het is verdreven en halen dan de lijken weg.'

'Waar dumpen we ze?' vroeg de andere man.

'Ver van de bewoonde wereld. Het maakt trouwens niet uit, want als ze worden gevonden, komt de politie er toch niet achter hoe ze aan hun eind zijn gekomen. Dat is het mooie van deze methode.'

Ze haalden de ladder weg en liepen de kleine loods uit. Zodra ze de deur achter zich op slot hadden gedaan, ging Stone rechtop zitten en schoof op zijn billen naar de werkbank toe, werkte zich moeizaam omhoog, pakte met zijn gebonden handen een stanleymes en schoof terug naar Annabelle.

'Snel,' fluisterde hij. 'Snij het touw door. We hebben nog geen drie minuten.'

Toen ze rug aan rug lagen, haalde Annabelle zo snel als ze kon in haar benarde positie het mes op en neer. Eén keer sneed ze in zijn huid. Hij gromde van de pijn, maar zei: 'Niet op letten! Gewoon doorgaan. Snel! Snel!' Zijn ogen waren strak op de boven hen hangende gascontainer gericht. Omdat Annabelle met haar rug naar hem toe lag, kon zij niet zien wat hij wel zag. Er zat een timer op de container, en die telde in snel tempo af.

Eindelijk voelde Stone het touw meegeven. Ze hadden nog één minuut. Hij hield zijn handen zo ver mogelijk uit elkaar om haar meer speling te geven. Ze haalde het mes nog een paar keer heen en weer, en toen viel het touw op de grond. Stone ging rechtop zitten en maakte het touw om zijn voeten los. Hij deed geen poging de container te bereiken. Die hing veel te hoog. En al had hij de timer stop kunnen zetten, als de mannen het gas niet hoorden stromen zouden ze direct in de gaten hebben dat er iets mis was. Snel pakte hij het zuurstofmasker en de persluchtfles die hij bij zijn vorige bezoek aan de loods had opgemerkt, en rende naar Annabelle toe. Nog dertig seconden.

Hij greep haar gebonden handen vast en sleepte haar naar een hoek achter een hoge stapel apparatuur. Hij trok een dekzeil over hen heen, bracht zijn hoofd naast het hare, trok het grote zuurstofmasker over hun gezicht en draaide het ventiel open. Een zacht gesis gaf aan dat er lucht uit de slang kwam.

Een ogenblik later hoorden ze een soort ontploffing, gevolgd door bulderend geraas dat ongeveer tien seconden aanhield. De kooldioxide stroomde zo snel de container uit dat de ruimte er bijna onmiddellijk mee gevuld was. De temperatuur daalde zo sterk dat ze onbedwingbaar begonnen te rillen. Ze zogen de zuurstof diep in hun longen, maar aan de randen van de luchtbel binnen het masker voelde Stone de klauwen van een atmosfeer die meer gemeen had met die op de maan dan die op de aarde. Het gas probeerde de zuurstofmoleculen te verdrijven, maar Stone hield het zuurstofmasker dicht tegen hun gezicht gedrukt.

Ondanks de zuurstof had Stone het gevoel dat hij in een steeds hoger vliegende straaljager zat en dat door de extreem snelle acceleratie zijn hoofd van zijn romp gerukt dreigde te worden. Hij kon zich goed voorstellen wat een marteling Jonathan DeHavens laatste ogenblikken moesten zijn geweest.

Het geraas hield even plotseling op als het was begonnen. Annabelle wilde het masker loslaten, maar Stone hield haar tegen. 'Het zuurstofniveau is nog te laag,' fluisterde hij. 'We moeten wachten.'

Toen hoorde hij het geluid van een ventilator. Er gebeurde een tijdje niets, maar hij hield zijn ogen strak op de deur gericht. Eindelijk haalde hij het zuurstofmasker voor zijn gezicht weg, maar bleef het wel tegen Annabelles gezicht gedrukt houden. Voorzichtig haalde hij adem, en toen nog eens. Toen wierp hij het dekzeil van hen af, tilde Annabelle op en droeg haar naar de plek waar ze eerder hadden gelegen. Geruisloos pakte hij de bijna lege zuurstoffles op en ging ermee naast de deur staan. Hij hoefde niet lang te wachten. Een minuut later kwam de eerste man binnen. Stone wachtte. Toen ook de tweede man de loods binnenliep, haalde hij uit met de fles en sloeg nummer twee de schedel in. De man zakte onmiddellijk in elkaar. De andere draaide zich geschrokken om en greep naar het pistool dat aan zijn riem hing. De zuurstoffles raakte hem recht in zijn gezicht, zodat hij tegen de metalen bankschroef van de werkbank smakte. Hij schreeuwde het uit van de pijn en terwijl het bloed over zijn gezicht stroomde, greep hij naar zijn gewonde rug. Stone haalde nog een keer uit en raakte hem hard tegen zijn slaap. Terwijl de man tegen de grond sloeg, liet Stone de zuurstoffles vallen, rende naar Annabelle toe en maakte haar los. Ze krabbelde overeind en stond te trillen op haar benen toen ze naar de twee gehavende mannen keek.

'Help me onthouden dat ik nooit ruzie met je maak,' zei ze. Ze zag doodsbleek.

'Wegwezen hier voordat er nog iemand komt.'

Ze holden naar buiten, klommen over het hek en renden de straat uit. Drie minuten later bleven ze hijgend en druipend van het zweet staan. Ze zogen de heerlijke lucht diep in hun longen en renden toen in looppas nog een halve kilometer door tot hun benen hen nauwelijks nog konden dragen. Uitgeput gingen ze met hun rug tegen de bakstenen muur zitten van een gebouw dat zo te zien een pakhuis was.

'Ze hebben mijn mobieltje meegenomen,' hijgde Stone. 'God, ik ben echt te oud voor dit gedoe.'

'Ik ook...' antwoordde ze hijgend. 'Oliver, ik heb Trent gezien in dat huis. In de spiegel.'

'Weet je het zeker?'

Ze knikte. 'Het was hem echt.'

Stone keek even om zich heen. 'We moeten Caleb of Milton zien te bereiken.'

'Ik ben mijn mobieltje ook kwijt. Denk je dat ze veilig zijn na wat ons is overkomen?'

'Ik weet het niet,' zei hij met onvaste stem. Hij kwam moeizaam overeind, stak haar zijn hand toe en trok haar op.

Terwijl ze verder liepen, zei ze zacht: 'Is Jonathan zo aan zijn einde gekomen?'

Hij bleef staan en keek haar aan. 'Ja. Het spijt me.'

Ze haalde zwijgend haar schouders op, maar moest toen snel een traan wegpinken. 'Mijn god.' Haar stem trilde.

'Ja, mijn god,' zei Stone. 'Hoor eens, Susan, ik had je hier nooit bij mogen betrekken.'

'Ten eerste heet ik geen Susan.'

'Oké.'

'Ten tweede... Als jij zegt hoe je werkelijk heet, dan zeg ik het ook.'

Stone aarzelde even, heel even maar. 'Franklin, maar mijn vrienden noemen me Frank. En jij?'

'Eleanor, maar mijn vrienden noemen me Ellie.'

'Franklin en Eleanor?' zei hij verbaasd. Het waren de voornamen van het meest geliefde presidentiële echtpaar uit de Amerikaanse geschiedenis.

'Jij bent begonnen.' Ze glimlachte terwijl haar ogen zich met tranen vulden en ze over haar hele lichaam begon te trillen. 'O, Jonathan.'

Stone pakte haar bij de schouders om haar te ondersteunen.

'Het is toch niet te geloven,' zei ze. 'Ik heb hem in geen vijftien jaar gezien.'

'Daarom kun je nog wel steeds om hem geven.'

'Ik wist eigenlijk niet of ik nog om hem gaf.'

'Dat is niet verboden, hoor.'

'Ik kom er heus wel overheen. Ik heb veel ergere dingen meegemaakt.'

Bij die woorden begon ze onbedaarlijk te snikken. Toen ze door haar knieën zakte, trok Stone haar tegen zich aan. Dicht tegen elkaar aangedrukt zaten ze op het beton. Zijn shirt en hals waren nat van haar tranen.

Vijf minuten later hield ze op met huilen. Ze duwde hem weg en wreef met haar mouw over haar gezwollen ogen en verstopte neus.

'Sorry,' zei ze. 'Het was niet mijn bedoeling me zo te laten gaan.'

'Het is heel normaal om te huilen als je iemand hebt verloren die je dierbaar was.'

'Het is gewoon niet... ik bedoel... Je denkt nooit dat...'

Stone legde zijn vinger tegen haar mond en zei zacht: 'Mijn echte naam is John. John Carr.'

Annabelle verstrakte even maar ontspande zich toen. 'Ik ben Annabelle Conroy. Aangenaam kennis te maken, John.' Ze zuchtte. 'Goh, dat doe ik niet vaak.'

'Je eigen naam gebruiken? Daar kan ik inkomen. De vorige aan wie ik mijn echte naam vertelde, heeft geprobeerd me te vermoorden.'

Hij stond op en hielp haar overeind. Toen ze zich omdraaide, bleef ze zijn hand vasthouden.

'Dank je wel, John. Voor alles.'

Hij voelde zich duidelijk in verlegenheid gebracht, maar ze schoot hem te hulp.

'Zullen we dan maar eens gaan kijken of Milton en Caleb gered moeten worden?' zei ze.

Annabelle en Stone belden Caleb bij een benzinestation. Hij was nog niet over zijn gruwelijke vondst heen, maar kon wel verslag uitbrengen van wat er was gebeurd. Stone belde Rueben en ze spraken af op Stones onderduikadres. Een uur later zaten ze daar allemaal bij elkaar.

'Godallemachtig,' zei Rueben. 'Goed dat je aan die zuurstof hebt gedacht, Oliver.'

Daarna vertelden Caleb en Milton wat zij hadden meegemaakt.

'Daarna hebben we vanuit een telefooncel de politie gebeld,' zei Caleb. 'Het heeft ons bijna een uur gekost om er een te vinden. Bijna iedereen belt tegenwoordig mobiel. Godzijdank heb ik eraan gedacht de kandelaar mee te nemen. Mijn vingerafdrukken staan erop.'

'Heb je verder nog iets aangeraakt?' vroeg Stone.

'Het hek van de veranda.' Met een woedende blik op Milton voegde hij eraantoe: 'Omdat die gadgetfreak hier me zo nodig de stuipen op het lijf moest jagen. En misschien heb ik binnen nog wel iets anders aangeraakt. Dat weet ik niet meer. Ik probeer er eigenlijk niet meer aan te denken.'

'Staan je vingerafdrukken in de federale databank?' vroeg Stone.

'Natuurlijk.' Caleb zuchtte gelaten. 'Nou, het zal niet de eerste keer zijn dat de politie me komt halen, en waarschijnlijk ook niet de laatste.'

'Wat heeft Norman Janklow met dit alles te maken?' vroeg Rueben.

'Misschien was Janklow een spion,' zei Stone, 'net als Jewell English. Dat zou betekenen dat de boeken die hij heeft opgevraagd ook van geheime codes zijn voorzien.'

'Ze hebben waarschijnlijk alleen maar gedaan alsof ze elkaar niet mochten,' zei Caleb. 'Dat was hun dekmantel.'

'Best,' zei Rueben. 'Maar waarom is hij dan vermoord?'

'Omdat wij Jewell English doorhadden, is iemand misschien bang geworden dat het hele netwerk zou worden opgerold,' zei Annabelle. 'Misschien hebben ze Jewell English meegenomen en Janklow dood achtergelaten om ons in verwarring te brengen.'

'Nou, dan hebben ze hun doel bereikt,' merkte Caleb op.

'We kunnen beter naar de politie gaan,' zei Milton.

'En wat gaan we dan zeggen?' vroeg Stone. 'De gele letters zijn verdwenen. En als we vertellen dat we vanavond bijna zijn vermoord, moeten we ook opbiechten dat we bij Albert Trent hebben ingebroken. Ik weet zeker dat hij al aangifte bij de politie heeft gedaan.'

Met een snelle blik op Annabelle voegde hij eraantoe: 'Je beweert dat je hem hebt gezien, maar het is jouw woord tegen het zijne. Ik heb de politie niet gebeld over de gebeurtenissen bij Fire Control, want de twee mannen die ik heb neergeslagen zouden allang zijn verdwenen tegen de tijd dat de recherche arriveerde.' Hij keek naar Caleb. 'Omdat Caleb bij Jewell English thuis is geweest en zijn vingerafdrukken daar te vinden zijn, zal hij onmiddellijk als verdachte worden beschouwd. En Rueben wordt ook nog steeds als verdachte beschouwd. Al met al denk ik niet dat ons verhaal erg geloofwaardig zal overkomen.'

'Wel verdomme,' was Ruebens enige commentaar.

'Maar wat moeten we dan?' zei Annabelle. 'Gaan we gewoon zitten wachten totdat ze weer achter ons aan komen?'

Stone schudde zijn hoofd. 'Nee. Caleb gaat morgen gewoon naar zijn werk alsof er niets aan de hand is. De Congresbibliotheek zal in rep en roer zijn als blijkt dat ze in zo korte tijd niet alleen een directeur maar ook een vaste bezoeker zijn kwijtgeraakt. Caleb, probeer zo veel mogelijk te weten te komen. Uit de reacties krijgen we misschien een aanwijzing welke richting het politieonderzoek uit gaat. En misschien wordt het lijk van Jewell English gevonden, mocht ze inderdaad zijn vermoord.'

'En ik zal het net goed in de gaten houden,' zei Milton. 'Als er nieuws is, dan is het daar het eerst te vinden.'

'Eerst Bob Bradley, Jonathan DeHaven en Cornelius Behan, en nu Norman Janklow. Bradley is vermoedelijk gedood omdat hij Albert Trent wilde dwingen de commissie voor de Inlichtingendiensten te verlaten. Dat wilde Trent niet, want als ik het bij het rechte eind heb, maakte hij van zijn positie gebruik om geheimen door te spelen. DeHaven is vermoord omdat hij daar iets mee te maken had, of omdat hij het had ontdekt. Voor Norman Janklow kan hetzelfde gelden, maar hij kan ook net als Jewell English een spion zijn geweest. Behan is het zwijgen opgelegd omdat hij erachter was gekomen dat een van zijn bedrijven de middelen leverde om DeHaven te vermoorden en hij daar ongetwijfeld werk van had gemaakt. Trent heeft waarschijnlijk een mol bij Fire Control die hem over Behans verdenkingen heeft getipt.'

'Maar hoe kunnen Jonathan, Jewell English of Norman Janklow bij spionage betrokken zijn geweest?' vroeg Caleb. 'Wie haalt het nou in zijn hoofd om de leeszaal Zeldzame Boeken te gebruiken om met gele letters gestolen geheimen door te geven?'

'Nou,' zei Stone, 'juist omdat niemand het zou verwachten is het zo'n goed plan. Vergeet niet dat veel spionnen zijn opgepakt omdat ze volgens het geijkte patroon te werk gingen. Zodra ze om welke reden dan ook werden gevolgd, konden ze worden gearresteerd wanneer ze hun informatie doorspeelden, wat meestal in een openbare gelegenheid plaatsvond. Hier hebben we te maken met gecodeerde letters in oude, zeldzame boeken die je zonder speciale bril niet eens kunt zien. Oude mensen die oude boeken lezen. Niemand die het in de verste verte verdacht zal vinden.'

'Maar de geheimen die Trent heeft gestolen moeten op de een of andere manier naar de bibliotheek zijn doorgesluisd. En het is niet Albert Trent die de codes heeft aangebracht. En Jonathan kan het niet in de *Beadle* hebben gedaan, want toen was hij al dood.'

'Helemaal mee eens. En dat is ook het belangrijkste deel van ons onderzoek, want daar ligt onze enige hoop op de oplossing. Als Janklow, English of DeHaven spionnen waren, dan moet daar een bewijs voor te vinden zijn.'

'We hebben het huis van DeHaven grondig doorzocht en niets gevonden,' zei Milton.

'En ik heb Jewells huis doorzocht,' zei Caleb, 'maar het enige wat ik daar heb gevonden is een lijk.'

Stone knikte. 'Misschien zal het huis van Norman Janklow meer opleveren.'

'Het probleem is alleen dat het daar nu wemelt van de politie,' zei Rueben. 'Net als in het huis van Jewell English.'

'De situatie is inderdaad gevaarlijk aan het worden,' zei Stone. 'We zullen allemaal heel voorzichtig moeten zijn. Ik stel voor dat we van nu af in teams werken. Caleb, jij blijft voorlopig bij Milton. Zijn huis heeft een goed alarmsysteem. Rueben, ik kan beter bij jou intrekken, want mijn adres is voor ongewenste gasten kennelijk geen geheim meer.' En met een blik op Annabelle voegde hij eraantoe: 'Jij kunt bij Rueben en mij blijven als je wilt.'

Rueben keek haar hoopvol aan. 'Dat hok van mij is niet veel soeps, maar ik heb breedbeeldtelevisie en een heleboel bier en chips in huis. En ik kan een heel lekkere chili maken. En wat onze beveiliging betreft, ik heb een pitbull, Delta Dawn, die iedereen naar de strot vliegt als ik daar opdracht toe geef.'

'Ik blijf liever in mijn hotel. Maar maken jullie je geen zorgen, ik kan goed op mezelf passen.'

'Weet je het zeker?' vroeg Stone.

'Heel zeker, maar bedankt voor het aanbod.' Ze ontweek zijn blik toen ze eraan toevoegde: 'Ik ben nogal eenzelvig.' Toen het gezelschap opbrak en Annabelle naar buiten wilde gaan, hield Stone haar tegen.

'Gaat het wel goed met je?' vroeg hij.

'Waarom zou het niet goed met me gaan?'

'Nou, misschien omdat er een moordaanslag op je is gepleegd.'

'Ik red me wel.'

'We moeten opnieuw achter Trent aan. Ga je mee?'

Ze aarzelde.

'Ik wil niet opnieuw bij hem inbreken. Ik wil hem schaduwen.'

'Denk je dat hij nog in Washington zit?' vroeg ze.

Stone knikte. 'Ze hebben geen idee wat we wel en wat we niet weten. Volgens mij laten ze alles zoals het is totdat ze worden gedwongen hun werkwijze te veranderen. Als Trent nu de benen neemt, is het allemaal voorbij. Als hij deel uitmaakt van die spionagecel zullen ze eerst willen kijken of er nog iets te redden valt. Ze hebben er tenslotte veel werk aan gehad dit allemaal op poten te zetten.'

'Er valt niet met ze te spotten hè?'

'Met mij ook niet,' antwoordde Stone.

Roger Seagraves was diep ongelukkig. Janklow was opgeofferd om verwarring te stichten en een mogelijke getuige het zwijgen op te leggen. English was overgebracht naar een veilige plek ver van Washington. Omdat ze had toegelaten dat haar bril werd gestolen en hun geheime operatie werd verraden, verwachtte Seagraves niet dat ze nog lang in leven zou blijven. Dat was het goede nieuws. Het slechte nieuws was dat Oliver Stone en die vrouw aan het gas hadden weten te ontsnappen en twee van zijn mannen de schedel hadden ingeslagen. Dat was indrukwekkend, zeker voor iemand die inmiddels een jaar of zestig moest zijn. Seagraves was pisnijdig op zichzelf omdat hij die man niet had gedood toen hij er de kans voor had. De lijken bij Fire Control had hij al weg laten halen, maar bij Jewell English thuis was de politie nu druk in de weer. Gelukkig had English geen belastend materiaal in huis gehad, en Janklow evenmin. Toch lag Seagraves' perfecte plan in duigen.

Hij had nu nog maar één doel. Rechtstreeks naar de bron gaan om er voorgoed mee af te rekenen.

• 60 •

Hij werd wakker, rekte zich uit, draaide zich om en keek uit het raam. Het weer was vandaag net als gisteren: zonnig, met een lichte zeewind. Hij stond op, sloeg een laken om zijn middel en liep naar het raam. Hij had deze villa voor een jaar gehuurd, maar hij dacht erover het afgelegen landgoed gewoon maar te kopen. Het kon zich beroepen op een gigantisch zoutwaterzwembad, een wijnkelder, een tennisbaan, en bij het zwembad een huisje met een bed dat goed van pas kwam, en niet alleen voor een dutje na het zwemmen. In de dubbele garage stonden een Maserati coupé en een Ducati. Bij de huur inbegrepen waren een groot stuk oceaanstrand en de diensten van een kokkin, een dienstmeisje en een tuinier. Voor dit alles betaalde hij minder dan hij in Los Angeles voor zijn huurflatje had moeten neertellen. Hij haalde diep adem. Hier zou hij de rest van zijn leven willen blijven.

Hij had Annabelles waarschuwing niet met geld te smijten niet helemaal ter harte genomen, maar dit huis was direct beschikbaar geweest voor iemand die het kon betalen. Hij was niet bang dat Bagger hem zou weten te vinden. Bagger wist niet eens hoe hij eruitzag, en in dit deel van de wereld woonden zoveel rijke jonge mensen. Hij was cool. Eigenlijk was hij geweldig.

Tony hoorde haar de stenen trap op komen. Hij ging op bed zitten en liet het laken zakken. Toen ze de deur opende, zag hij dat ze een dienblad met ontbijt voor één persoon bij zich had. Merkwaardig was dat toch. Ze had al sinds de tweede nacht bij hem geslapen, maar ze wilde niet samen met hem ontbijten. Waarschijnlijk had het er iets mee te maken dat zij het dienstmeisje was.

'*Dos huevos, jugo de naranga, tostada y café con leche,*' zei ze. Ze had een aangenaam zangerige stem.

'En jij,' zei hij glimlachend, en hij trok haar naar zich toe toen ze het dienblad op het nachtkastje had gezet. Ze kuste hem op de lippen en liet hem haar nachthemd over haar schouders naar beneden trekken. Meer had ze niet aan. Hij streek over haar lange hals, streelde haar grote borsten, en liet zijn hand over haar platte buik omlaag glijden.

'*Tu no tienes hambre?*' koerde ze, terwijl ze haar been tegen het zijne wreef en met haar lippen zijn nek streelde.

'Hambre in jou,' zei hij aan haar oor knabbelend.

Hij duwde haar achterover op het bed, nam haar welgevormde benen onder zijn armen en bleef rechtop tussen haar dijen zitten. Ze likte aan haar vingers en kneep in haar borsten.

'Verdomme, Carmela! Ik ben totaal loco van jou,' zei hij.

Ze greep zijn schouders vast en trok hem op zich neer.

Op dat moment sloeg de deur met een klap tegen de muur.

Vier grote, forsgebouwde mannen kwamen de kamer binnen. Ze werden gevolgd door een kleine man met brede schouders, gekleed in een pak en een overhemd zonder das. Hij had een triomfantelijke, boosaardige blik in zijn ogen.

'Hé, Tony,' zei Jerry Bagger. 'Leuk huis heb je hier. Wat je toch allemaal niet kunt kopen van andermans centen, hè?'

Hij ging op het bed zitten terwijl de doodsbenauwde Carmela het laken over zich heen probeerde te trekken.

'Dat hoeft niet, schatje,' zei Bagger. 'Je mag best gezien worden. Je bent... hoe zeg je dat ook weer? *Bonita*! Dat is het! *Muy bonita*, hoer!' Hij wenkte een van zijn mannen. Die tilde het meisje op, droeg haar naar het open raam en gooide haar naar buiten.

Ze luisterden aandachtig naar een langgerekte gil gevolgd door een doffe klap.

Bagger pakte het glas sinaasappelsap van het dienblad en dronk het in één keer leeg. Daarna veegde hij zijn mond af met een servetje en zei: 'Ik drink elke dag sinaasappelsap. Weet je waarom? Omdat er veel calcium in zit. Ik ben zesenzestig, maar zie ik er zo uit? Nee toch? Moet je deze spier eens voelen, Tony. Vooruit, voel maar.' Bagger spande zijn rechterbiceps. Tony was als verlamd.

'Waarom ben je zo stilletjes?' zei Bagger verbaasd. 'Toch niet vanwege die hoer die net het raam uit is gevlogen? Maak je daar maar niet druk om, jongen.' Hij keek naar de man die Carmela naar buiten had gesmeten. 'Hé, Mike, je hebt toch wel op het zwembad gemikt? Net als in die James Bond-film. Welke was het ook weer?'

'*Diamonds are forever*, meneer Bagger,' zei Mike onmiddellijk.

Bagger glimlachte. 'Dat was hem! *Diamonds are forever*. Ik ben gek op dat James Bond-gedoe. Dat is toch die film met hoe-heet-ze-ook-weer? Die in die piepkleine bikini waarin je haar bilspleet kunt zien? Stephanie Powers?'

'Jill St. John, meneer Bagger,' corrigeerde Mike hem beleefd.

'Ja, ja, ik haal die twee wijven altijd door elkaar. Zonder kleren aan zien die hoeren er allemaal hetzelfde uit.'

'Ik heb het zwembad niet helemaal gehaald, meneer Bagger,' biechtte Mike op.

'Maar je hebt het geprobeerd, Mike, en daar gaat het om.' Hij richtte zich weer tot Tony. 'Daar gaat het om, hè Tony?'

Tony was nog steeds als verlamd.

'Bovendien is het maar beter zo. Want weet je wat er met die twee oud-jes beneden is gebeurd? Geloof het of niet, maar ze vielen ter plekke dood neer toen we binnenkwamen. Dat meisje had nooit in haar eentje dit grote huis kunnen onderhouden. Eigenlijk hebben we haar een dienst bewezen. Vind je ook niet, Tony?'

Tony knikte wezenloos.

'Tony, voel eens! Ik wil dat je voelt hoeveel kracht ik in mijn lijf heb.' Bagger greep zijn hand vast en legde die op zijn gespannen biceps. 'Voel maar, Tony. Voel je hoe sterk ik ben? Is het goed tot je doorgedrongen?'

'Maak me alstublieft niet dood, meneer Bagger,' jammerde Tony. 'Alstu-blieft. Het spijt me. Het spijt me.'

Bagger kneep Tony's vingers bijna tot moes en liet toen zijn hand los. 'Niet doen, Tony. Excuses aanbieden is iets voor zwakkelingen. Boven-dien was het een fantastische truc. Grote klasse. Iedereen in de gokwe-reld weet nu dat jullie me voor veertig miljoen dollar getild hebben.' Bagger wendde zijn blik af en haalde diep adem.

'Laten we eerst een heel belangrijk punt afhandelen. Ik wil dat je me vraagt hoe ik je gevonden heb. Ik wil dat je weet hoe slim ik ben, en wat een ongelooflijk stomme klootzak jij bent. Dus vraag me hoe ik je heb kunnen vinden, hoewel de hele wereld voor je open lag met al dat geld dat je van me gejat hebt.' Bagger greep Tony bij zijn nekvel en trok hem met een ruk naar zich toe. 'Vraag het, stomme zak die je bent.' Er klop-te duidelijk zichtbaar een ader in Baggers slaap.

'Hoe hebt u me gevonden, meneer Bagger?' stamelde Tony.

Bagger ramde zijn onderarm tegen Tony's smalle borstkas, zodat hij weer op het bed werd geduwd. De gokmagnaat ijsbeerde door de kamer. 'Ik ben blij dat je het vraagt. Weet je, de hoer die me zo belazerd heeft, die heeft mij die eerste avond door jou in de gaten laten houden om bij mij de indruk te wekken dat ik onder observatie stond. Je kunt alleen in mijn kantoor kijken vanuit een kamer op de drieëntwintigste verdieping van het hotel tegenover het casino. Dus ben ik daar naartoe gegaan en heb even navraag gedaan wie op die datum een kamer had gehuurd op de verdieping die uitkijkt op mijn kantoor. En alle mensen op dat lijstje heb ik nagetrokken.'

Hij hield op met ijsberen en grijnsde Tony toe. 'Totdat ik jou vond. Het was slim van je een valse naam te gebruiken, maar je hebt een foutje gemaakt dat dat rotwijf en haar maat niet gemaakt hebben. Dat is ook de reden dat ik die twee niet heb kunnen vinden, maar jou wel. Zij heb-ben geen sporen achtergelaten.' Bagger zwaaide met zijn wijsvinger. 'Maar jij, jij hebt je laten masseren door een meid met wie je daarna de koffer in bent gedoken. Je wilde het nuttige met het aangename vereni-gen, Tony. Maar voordat je iets bij de dame kon presteren ben je de bad-

kamer in gerend om over je nek te gaan. En terwijl jij daar boven de pot
hing, heeft die hoer je portefeuille gerold om de lullige fooi aan te vullen
die jij haar had gegeven. En daar zag ze een rijbewijs met je echte naam
erop. Heel stom van je, Tony, om het daar te bewaren.

Jij dacht dat die pijpbeurt je maar een honderdje had gekost, maar daar
hing een heel wat hoger prijskaartje aan. Voor een luizige duizend dollar
heeft die snol me alles verteld wat ik weten wilde. Je moet die wijven
nooit vertrouwen, Tony. Ze belazeren je telkens weer, neem dat maar
van mij aan.'

Hij ging naast de snikkende Tony op het bed zitten. 'Je hebt een hele
reputatie, jongen. Je bent een whizzkid die een computer kan laten doen
wat hij wil. Zoals spyware op mijn financiële computersysteem installeren waardoor ik veertig miljoen lichter ben gemaakt. Ik bedoel, daar
moet je echt talent voor hebben. Maar goed, ik heb heel wat smeergeld
uitgedeeld, je vrienden en familie nagetrokken, en ook een paar telefoontjes die je hebt gepleegd. O, ja. Een paar mensen wilden niet meewerken en die zijn nu dood. En daar zit ik dan, samen met jou aan de
zonnige kust van Spanje of Portugal of waar we ook mogen zijn.' Met
zijn vlakke hand gaf hij een harde klap op Tony's been.

'Zo. Ik heb even mijn hart gelucht, dus nu kunnen we aan de slag.' Hij
wenkte een van zijn mannen, die een compact pistool uit zijn schouder-
holster trok, er een geluiddemper op draaide, een kogel in de kamer
bracht en het toen aan zijn baas gaf.

'Nee, alstublieft, néé,' jammerde Tony voordat Bagger hem tot zwijgen
bracht door de loop van het pistool in zijn mond te rammen, waarbij er
twee tanden afbraken.

Bagger drukte zijn onderarm tegen Tony's luchtpijp, duwde hem plat op
het bed en kromde zijn vinger om de trekker.

'Oké, Tony, we doen het zo. Je krijgt één kans. Eén en niet meer,' zei
hij langzaam. 'En die krijg je alleen omdat ik in een royale bui ben. Ik
weet eigenlijk niet waarom. Misschien word ik met het verstrijken der
jaren wel milder.' Hij zweeg even en likte over zijn lippen. 'Ik wil de
naam van die godverdomde hoer weten. En alles wat je verder over
haar kunt vertellen. Dan laat ik je in leven.' Hij keek de grote slaapkamer rond. 'Niet hier, niet van mijn centen, maar ik laat je in leven.
En als je niet alles vertelt...' Hij rukte het pistool uit Tony's mond. De
loop zat vol met bloed en stukjes tandbeen. 'Je dacht toch niet dat ik je
dan gewoon ging doodschieten?' Bagger lachte. 'Nee, zo werkt het niet.
Dat is me te snel.' Hij gaf het pistool aan een van zijn mannen en hield
zijn hand op. Mike legde een groot gekarteld mes op zijn uitgestrekte
handpalm.

'Dit soort dingen doen we altijd heel langzaam, en we hebben er veel ervaring mee.' Bagger stak zijn andere hand uit en een van de mannen trok er een plastic handschoen overheen.

'Vroeger hoefde je alleen maar handschoenen aan te trekken vanwege de vingerafdrukken,' vervolgde hij, 'maar tegenwoordig, met al die smerige ziekten en zo, kun je maar beter geen risico nemen. Dat wijf waar je net mee in bed lag bijvoorbeeld. Wie weet is iedere *muchacho* in het dorp er al overheen geweest voordat het jouw beurt was. Ik hoop dat je een condoom hebt gebruikt.'

Bagger bracht zijn gehandschoende hand naar Tony's kruis en gaf een harde ruk aan zijn ballen.

Tony krijste het uit, maar de mannen drukten hem op het bed. Bagger keek aandachtig naar zijn geslachtsdelen en zei: 'Eerlijk gezegd snap ik niet wat die meid in je zag.' Hij bracht het mes omhoog. 'Oké, hoe heet die hoer en waar is mijn geld. Vertel alles wat je weet. Dan laat ik je in leven. Anders hak ik eerst je ballen eraf en daarna gaat het echt pijn doen. Wat zal het zijn, Tony? Je hebt vijf seconden. En als ik eenmaal begin, hou ik niet meer op.'

Tony maakte een geluid.

'Wat zei je? Dat kon ik niet helemaal verstaan.'

'A-Ann...'

'Praat eens wat duidelijker, akelig onderkruipsel.'

'Annabelle!'

'Annabelle? Annabelle wie?' Bagger brulde zo hard dat er speeksel uit zijn mond vloog.

'Annabelle... Conroy.'

Toen hij die achternaam hoorde, liet Bagger langzaam het mes zakken en liet Tony's geslachtsdelen los. Hij gaf het mes aan een van zijn mannen en trok de handschoen uit. Daarna liep hij naar het raam en keek naar buiten. Zijn blik bleef geen seconde op de dode Carmela rusten, die op een rijk geornamenteerde stenen leeuw naast de achterdeur was neergekomen. In plaats daarvan keek hij uit over de oceaan.

Annabelle Conroy? Hij had niet eens geweten dat Paddy een dochter had. Hoe kon dat nou? Maar het moest wel zo zijn. Het was godsonmogelijk dat er twee meesteroplichters met dezelfde achternaam bestonden en een generatie scheelden. Het moesten vader en dochter zijn. Paddy Conroys kleine meid had in zijn casino rondgelopen, bij hem op kantoor gezeten, hem gebruikt alsof hij achterlijk was en hem van veel meer geld beroofd dan haar ouwe heer ooit was gelukt. Ongelooflijk.

Oké, Annabelle. Ik heb je moeder vermoord, en nu ben jij aan de beurt. Hij liet zijn knokkels kraken, draaide zich weer om en keek naar Tony, die met een bebloede mond huilend op bed lag, met een hand over zijn geslachtsdelen.

'Verder nog iets?' zei hij. 'Vertel me alles. Dan mag je blijven ademhalen.'

En Tony vertelde alles. Hij besloot zijn verhaal met Annabelles instructies dat hij zich gedeisd moest houden en dat hij zijn geld niet te veel op één plek mocht uitgeven.

'Nou,' zei Bagger, 'je had maar beter naar haar kunnen luisteren.' Hij knipte met zijn vingers. 'Kom op, mannen. Aan de slag. We hebben niet de hele dag de tijd.'

Een van de lijfwachten maakte een zwart koffertje open. Er zaten vier honkbalknuppels in. Hij hield er een zelf en deelde de andere drie uit aan de anderen.

Toen ze de knuppels ophieven, krijste Tony: 'U zei dat u me in leven zou laten als ik alles vertelde! Dat hebt u beloofd!'

Bagger haalde zijn schouders op. 'Inderdaad. En als de jongens klaar met je zijn, leef je nog. Jerry Bagger is een man van zijn woord.'

Terwijl hij de kamer uit liep, hoorde hij hoe de eerste klap Tony's knie brak. Bagger begon te fluiten, deed de deur dicht om het geschreeuw te dempen en liep naar beneden om koffie te gaan drinken.

De volgende ochtend was de Congresbibliotheek in rep en roer. De moord op Norman Janklow, zo kort na de dood van Jonathan DeHaven, had schokgolven door het hele Jefferson-gebouw doen gaan. Toen Caleb op zijn werk kwam, waren de politie en de FBI alle werknemers al aan het verhoren. Caleb deed zijn best om hun vragen zo beknopt mogelijk te beantwoorden. Het hielp niet dat dezelfde twee rechercheurs die hem de sleutels van het Jonathans huis hadden teruggegeven ook van de partij waren. Hij had het gevoel dat ze deze keer heel veel aandacht aan hem besteedden. Hij vroeg zich af of iemand hem bij Jewell thuis had gezien, en of zijn vingerafdrukken daar waren aangetroffen. En Rueben was vroeg genoeg vrijgelaten om deze moord te hebben kunnen plegen. Werd hij ook als verdachte beschouwd? Caleb had geen enkele manier om daarachter te komen.

Hij dacht aan de *Beadle* die Annabelle had meegenomen. Hij had het boek vandaag mee teruggebracht. Het was betrekkelijk gemakkelijk gegaan, al was hij er nog steeds bloednerveus van. De bewakers controleerden alleen de tassen van mensen die naar buiten gingen, en alleen de tassen van bezoekers werden in de scanner gezet. Maar de aanwezigheid van de politie had zijn gespannenheid er nog groter op gemaakt. Wat was hij opgelucht geweest toen hij het boek in zijn bureaula had kunnen leggen.

Toen een conservator hem een paar boeken kwam brengen die weer naar de kluis moesten, zei Caleb dat hij het wel zou doen. Dat was een mooie gelegenheid om de *Beadle* terug te zetten. Hij legde het op de twee andere boeken en ging met het stapeltje de kluis in. Eerst zette hij de twee andere boeken terug en liep toen naar de afdeling waar de *Beadles* werden bewaard. Toen zag hij dat het plakband waarmee Annabelle het aan haar been had bevestigd een hoekje van het omslag had losgescheurd.

Verdomme, had ze niet wat voorzichtiger kunnen zijn. Nu moest hij de *Beadle* naar Conservatie brengen. Hij liep de kluis uit, vulde de vereiste formulieren in en liet het verzoek tot conservatie in het computersysteem invoeren. Daarna liep hij door de tunnels naar het Madison-gebouw en gaf het boek aan Rachel Jeffries, een vrouw die altijd heel grondig en snel werkte.

Nadat ze even gepraat hadden over het afschuwelijke bericht van Janklows dood liep Caleb weer terug naar de leeszaal en ging daar aan zijn bureau zitten. Hij keek om zich heen. Wat was het toch een mooie zaal, echt een omgeving voor rust en overpeinzing. Hij schrok op toen de deur openging en Kevin Philips binnenkwam. Hij zag er afgetobd en diep geschokt uit. Ze maakten even een praatje en Philips vertelde dat hij erover dacht zijn ontslag te nemen. 'Het begint me gewoon te veel te worden,' legde hij uit. 'Ik ben sinds Jonathans dood tien kilo afgevallen, en na de dood van Jonathans buurman, en nu ook van Norman Janklow, gelooft de politie niet langer dat Jonathan een natuurlijke dood is gestorven.'

'Daar zouden ze weleens gelijk in kunnen hebben.'

'Wat denk jij dat er aan de hand is, Caleb? Ik bedoel, dit is een bibliotheek. Zulke dingen horen hier niet te gebeuren.'

'Wist ik het maar, Kevin.'

Later sprak Caleb telefonisch met Milton, die alle media goed in de gaten had gehouden en vertelde dat er druk werd gespeculeerd over de dood van Norman Janklow, maar dat er nog geen doodsoorzaak was vastgesteld. Het huis van Jewell English had ze twee jaar geleden gehuurd. De enige connectie tussen haar en Norman Janklow was dat ze allebei regelmatig de leeszaal hadden bezocht. Jewell English werd nu vermist. Het onderzoek naar haar achtergrond was al snel doodgelopen. Kennelijk was ze niet wie ze voorgaf te zijn. Misschien was Norman Janklow dat ook niet geweest.

Dat verbaast me niets, dacht Caleb toen hij ophing. Elke keer dat de deur van de leeszaal openging, voelde hij een golf van spanning in zich opkomen. Deze plek, die zolang een toevluchtsoord van rust en vrede voor hem was geweest, begon iets van een verstikkende nachtmerrie te krijgen. O, god, geen gelukkige woordkeus. Verstikkend. Maar hij werkte hier nu eenmaal, en hij nam zijn werk heel serieus.

Er kwamen die ochtend geen bezoekers in de leeszaal, wat eigenlijk niet verrassend was. In elk geval gaf het hem de gelegenheid om wat achterstanden weg te werken. Maar eerst ging hij snel een broodje eten, want hij rammelde van de honger.

'Meneer Foxworth?' zei Caleb, toen buiten voor het Jefferson-gebouw een grote, goed uitziende man op hem af kwam.

Seagraves knikte en lachte hem vriendelijk toe. 'Bill, weet u nog? Ik was net naar u onderweg.' In werkelijkheid had Seagraves hem buiten staan opwachten.

'Ik ga even een broodje halen, Bill. Er is vast wel iemand anders in de leeszaal die je kan helpen.'

'Ik wilde u eigenlijk vragen of u mijn boeken zou willen bekijken.'

'Wat?'

'Mijn collectie. Die staat op mijn kantoor, twee straten verderop. Ik ben lobbyist voor de olie-industrie. In mijn branche kun je maar beter zo dicht mogelijk bij Capitol Hill zitten.'

'Dat neem ik zonder meer aan.'

'Denkt u dat u een paar minuten kunt vrijmaken?'

'Jawel, maar ik haal eerst even een broodje. Ik heb nog niet geluncht.'

'Misschien interesseert het u dat ik boeken van Ann Radcliffe en Henry Fielding vijf dagen op zicht heb.'

'Zo! Om welke titels gaat het?'

'Radcliffes *The Romance of the Forest* en Fieldings *The History of the Adventures of Joseph Andrews*.'

'Uitstekende keuze, Bill. Ann Radcliffe was een genie op het gebied van de gothic novel. Daar kunnen hedendaagse horrorauteurs nog wat van leren. Radcliffe kan je nog steeds de stuipen op het lijf jagen. *Joseph Andrews* is een schitterende parodie op Richardsons *Pamela*. Fielding was in zijn hart voornamelijk dichter, maar zijn grootste roem heeft hij bereikt als schrijver van romans en toneelstukken. Er wordt gezegd dat zijn populairste toneelstuk, *Tom Thumb*, Jonathan Swift voor de tweede keer in zijn leven aan het lachen heeft gemaakt.' Caleb grinnikte. 'Je vraagt je af wat de eerste keer geweest mag zijn, al heb ik wel een paar theorieën.'

'Fascinerend,' zei Seagraves terwijl ze de straat uit liepen. 'Weet u wat het is, de boekhandelaar in Philadelphia waar ik deze boeken vandaan heb, beweert dat het eerste edities zijn, en dat weet hij ook wel aannemelijk te maken, maar ik vertrouw liever op de mening van een expert als u. Die boeken zijn niet goedkoop.'

'Dat lijkt me ook niet. Goed, ik zal er eens naar kijken. Mocht ik er niet uitkomen, en zonder al te hoog van de toren te willen blazen kan ik zeggen dat het me zeer onwaarschijnlijk lijkt, dan kan ik je iemand aanbevelen die het wel kan.'

'Dat stel ik werkelijk zeer op prijs, meneer Shaw.'

'Zeg toch Caleb.'

In een delicatessenwinkel aan Independence Avenue, niet ver van Madison Avenue, kocht Caleb een voorverpakte sandwich. Daarna liep hij met Seagraves mee naar zijn kantoor.

Seagraves vertelde dat het in een oud kantoorgebouw was gevestigd en dat ze via een steeg naar binnen moesten. 'De lobby wordt gerenoveerd. Het is er echt een puinhoop, maar vanuit de kelder kunnen we de lift nemen naar mijn kantoor.'

Terwijl ze door het steegje liepen, praatte Seagraves enthousiast over oude boeken en zijn hoop een fatsoenlijke collectie op te kunnen bouwen.

'Dat kost tijd,' zei Caleb. 'Ik heb aandelen in een antiquariaat in Old

Town Alexandria. Daar moet je beslist eens gaan kijken.'

'Dat zal ik zeker doen.'

Seagraves bleef staan bij een deur, deed die open en liet Caleb voorgaan. Hij deed de deur achter zich dicht. 'De lift is om de hoek.'

'Prima. Ik denk dat...'

Caleb kreeg niet de gelegenheid om te vertellen wat hij dacht, want hij zakte bewusteloos in elkaar. Seagraves stond over hem heen gebogen met de gummiknuppel die hij een paar uur eerder in een spleet in de muur had verborgen. Hij had niet gelogen. De lobby van het kantoorgebouw werd inderdaad gerenoveerd. Het hele gebouw werd gerenoveerd, en was dan ook niet lang geleden volledig ontruimd, zodat de bouwvakkers volgende week met hun werk konden beginnen.

Seagraves bond Caleb vast, duwde een prop in zijn mond en sjorde hem in een kist die tegen de muur stond. Daarna deed hij het deksel dicht en spijkerde het vast. Vervolgens voerde hij een telefoongesprek. Vijf minuten later kwam een bestelwagen het steegje inrijden. Samen met de bestuurder tilde Seagraves de kist in de laadruimte. Daarna stapten ze in en reden weg.

· 62 ·

Annabelle had Stone voor zonsopgang opgehaald. Ze waren naar Trents huis gereden en hadden de auto neergezet op een plek vanwaar ze de oprit in de gaten konden houden. De Chrysler Baron waarmee ze de eerste keer waren gekomen stond nog steeds geparkeerd op een zandweggetje zo'n vijfhonderd meter van de plek waar ze zich nu bevonden. Annabelle had gisteravond op Dulles Airport een andere auto gehuurd en die bij Rueben achtergelaten, terwijl zij Ruebens gebutste en gedeukte pick-up truck hadden genomen omdat die op het platteland niet zou opvallen.

Stone keek door de verrekijker. Het was donker, kil en klam, en nu de motor uit stond, werd het snel koud in de auto. Annabelle kroop diep weg in haar jas, maar Stone leek geen last van de kou te hebben. Ze hadden maar één andere auto langs zien rijden. De lichtbundels uit de koplampen hadden als messen door de boven de grond hangende mist gesneden, en Stone en Annabelle waren diep weggedoken totdat de auto voorbij was. De slaperige bestuurder had zitten bellen, terwijl hij tegelijkertijd koffiedronk en in de over het stuur gedrapeerde krant zat te lezen.

Een uur later, toen het licht begon te worden, verstrakte Stones gezicht. 'Er komt iemand.'

Er reed een auto Trents oprit af. Toen hij vaart minderde om de weg op te draaien, richtte Stone zijn verrekijker op de bestuurder.

'Het is Trent.'

Annabelle keek om zich heen naar de verlaten omgeving. 'Zal het niet opvallen als we hem volgen?'

'Dat risico moeten we maar nemen.'

Gelukkig kwam net op dat moment een andere auto langs, een stationcar met een moeder aan het stuur en drie kleine kinderen op de achterbank. Trent draaide net voor haar de weg op.

'Oké,' zei Stone. 'Die gebruiken we als buffer. Als hij in zijn achteruitkijkspiegel kijkt, ziet hij een moeder met een paar kinderen. Erachteraan.'

Annabelle zette de pick-up truck in de eerste versnelling en reed achter de tweede auto aan.

Twintig minuten later bereikten ze via landweggetjes Route 7. In de tussentijd hadden een paar andere auto's zich bij hen aangesloten, maar Annabelle wist achter de stationcar te blijven hangen, die op zijn beurt weer recht achter Trent reed. Bij Route 7, een belangrijke verkeersader

295

van Tyson's Corner, Virginia en Washington D.C., werd het een stuk drukker op de weg. Washington was een stad waar veel mensen vroeg op hun werk wilden zijn, dus op de toevoerwegen stonden er al om halfzes 's ochtends files.

'Pas op dat je hem niet kwijtraakt,' zei Stone dringend.

'Alles onder controle.' Ze manoeuvreerde de truck behendig door het drukke verkeer zonder Trents auto uit het zicht te verliezen.

Stone keek haar zijdelings aan. 'Zo te zien heb je al eerder mensen achtervolgd...'

'Zoals ik eerder tegen Milton zei: gewoon beginnersgeluk. Waar denk je dat Trent naartoe gaat?'

'Naar zijn werk, hoop ik.'

Veertig minuten later bleek Stones hoop bewaarheid te worden en draaide Trent het terrein van Capitol Hill op. Ze moesten hun achtervolging staken toen hij doorreed naar een terrein dat verboden was voor onbevoegden. De bewaker liet de automatische wegversperring in de grond zakken en wenkte Trent dat hij kon doorrijden.

'Die bewaker moest eens weten dat hij een spion en een moordenaar heeft toegelaten,' zei Annabelle.

'Dat zullen we eerst moeten bewijzen, anders is hij het niet. Zo werkt dat in een democratie.'

'Je zou bijna wensen dat we fascisten waren, hè?'

'Nee, helemaal niet,' zei Stone streng.

'En wat nu?'

'We wachten af.'

Ook vóór 11 september was het niet eenvoudig geweest in de omgeving van het Capitool iemand te schaduwen, maar nu was het vrijwel onmogelijk. Annabelle moest de truck voortdurend verplaatsen, totdat ze eindelijk een plekje vonden vanwaar ze de uitgang waardoor Trent het terrein zou verlaten in de gaten konden houden. Twee keer was Stone snel de straat overgestoken om koffie en eten te halen. Ze luisterden naar de radio, bespraken wat Trents volgende zet zou kunnen zijn en vertelden elkaar het een en ander over hun verleden.

Milton had Stone gebeld op het mobieltje dat hij hem had geleend. Hij had weinig te melden. De politie gaf nauwelijks informatie vrij en daarom waren de media wel gedwongen om steeds weer met hetzelfde verhaal te komen. Stone stak het mobieltje in zijn zak, leunde achterover, nam een slok koffie en zei met een zijdelingse blik op zijn partner: 'Verveel je je niet? Iemand schaduwen is vaak dodelijk saai.'

'Geduld wordt meestal beloond.'

Stone keek om zich heen. 'Ik denk dat Trent de hele dag op zijn werk blijft, maar je weet maar nooit.'

'Is de Congresbibliotheek hier niet ergens in de buurt?'

Stone wees naar een punt voor zich uit. 'Een straat verder is het Jefferson-gebouw waar Caleb werkt. Hoe zou het met hem gaan? De bibliotheek zal vandaag wel bezoek van de politie hebben gekregen.'

'Waarom bel je hem niet?' vroeg ze.

Stone toetste het nummer in van Calebs mobieltje, maar zijn vriend nam niet op. Daarna belde hij de leeszaal. Er werd opgenomen door een vrouw en Stone vroeg naar Caleb.

'Hij is een tijdje geleden gaan lunchen.'

'Heeft hij gezegd hoelang hij weg zou zijn?'

'Waar wilt u meneer Shaw over spreken?' vroeg de vrouw.

Stone verbrak de verbinding en liet zich achterover zakken in zijn stoel.

'Is er iets mis?' vroeg Annabelle.

'Ik denk van niet. Caleb is gewoon even wat gaan eten.'

Stones mobieltje begon te piepen. Hij herkende het nummer op het schermpje. 'Het is Caleb.' Hij bracht het toestel naar zijn oor. 'Caleb, waar zit je?'

Hij verstrakte. Een minuut later legde hij zijn mobieltje neer.

'Wat is er aan de hand?' vroeg Annabelle. 'Wat heeft Caleb gezegd?'

'Dat was Caleb niet. Het was een van zijn ontvoerders.'

'Mijn god! Wat willen ze? En waarom bellen ze jou?'

'Ze hebben het nummer van Milton gekregen. Ze willen ons ontmoeten voor een gesprek. En zodra ze de politie zien, gaat hij eraan.'

'Wat bedoel je? Wie willen ze ontmoeten?'

'Jou, mij, Milton en Rueben.'

'Zodat ze ons kunnen vermoorden?'

'Ja, zodat ze ons kunnen vermoorden. Maar als we niet gaan, vermoorden ze Caleb.'

'Hoe weten we dat hij nog leeft?'

'Om tien uur vanavond zullen ze ons bellen, en dan laten ze ons met hem praten. Dan zullen ze ook vertellen waar en wanneer de bijeenkomst wordt gehouden.'

Annabelle trommelde met haar vingers op het stuurwiel. 'Dus wat doen we nu?'

Stone tuurde aandachtig naar de koepel van het Capitool. 'Speel je poker?'

'Ik hou niet van gokken,' zei ze met een uitgestreken gezicht.

'Nou, Caleb is hun full house. Dus we moeten op zijn minst iets gelijkwaardigs zien te vinden om deze slag te winnen. En ik weet waar we de kaarten kunnen krijgen die we nodig hebben.' Stone besefte maar al te goed dat zijn plan hun vriendschap tot het uiterste op de proef zou stellen. Maar hij had geen keus. Hij toetste een nummer in dat hij uit zijn hoofd kende.

'Alex, met Oliver Stone. Ik heb je hulp nodig. En het is dringend.'
Alex Ford leunde voorover in zijn stoel in het Washington Field Office van de Secret Service.
'Wat is er aan de hand, Oliver?'
'Het is een lang verhaal, en je moet het horen vanaf het begin.'
Toen Stone was uitgesproken leunde Ford met een diepe zucht achterover. 'Verdomme.'
'Kun je ons helpen?'
'Ik zal mijn best doen.'
'Ik heb een plan.'
'Dat hoopte ik al. Zo te horen hebben we niet veel tijd om iets op touw te zetten.'

Die avond reed Albert Trent na zijn werk naar huis. Toen hij de laatste bocht naderde, minderde hij vaart. Een pick-up truck was van de weg geraakt en ergens tegenaan gebotst. Er stonden een ambulance, een takelwagen, en ook een politiewagen in de berm. Midden op de weg stond een geüniformeerde agent. Trent reed langzaam verder totdat de politieman een stap naar voren deed en zijn hand opstak.
'Omdraaien, meneer. Die truck heeft een bovengrondse gasdrukregulateur geraakt en daardoor is er een enorme drukgolf door de leidingen gegaan. De bestuurder mag van geluk spreken dat hij niet is opgeblazen, met de hele buurt erbij.'
'Maar ik woon om de hoek. En ik heb geen gasaansluiting.'
'Dan is het in orde, maar dan moet ik wel een identiteitsbewijs zien waar uw adres op staat.'
Trent gaf hem zijn rijbewijs. De agent liet zijn zaklamp erover schijnen en gaf het terug.
'Rijdt u maar door, meneer Trent.'
'Hoelang duurt het voordat alles gerepareerd is?'
'Dat moet u het gasbedrijf vragen, meneer. O, en nog iets.'
Hij bracht zijn andere hand naar het raampje en spoot met een spuitbusje recht in Trents gezicht. Hij hoestte één keer en zakte toen voorover.
Precies op dat moment kwamen Stone, Milton en Rueben de ambulance uit. Met hulp van de agent tilde Rueben Trent uit de auto en legde hem in een andere auto die inmiddels vlak naast hen tot stilstand was gekomen. Annabelle zat aan het stuur. Toen kwam Alex Ford de ambulance uit en overhandigde Stone een rugzak. 'Moet ik je nog eens laten zien hoe je hiermee omgaat?'
Stone schudde zijn hoofd. 'Ik kan het nu wel, Alex. Ik weet dat je enorm je nek hebt uitgestoken, en dat stel ik erg op prijs. Ik zou niet weten tot wie ik me anders had kunnen richten.'

'Oliver, we krijgen Caleb wel weer terug. En als we hiermee die spionagebende kunnen oprollen dan hebben jullie allemaal een medaille verdiend. Als je gebeld wordt, geef ons dan de details door. Jullie krijgen alle mogelijke steun van verschillende organisaties. We staan te popelen om die hufters op te pakken.'

Samen met de anderen stapte Stone weer in de auto.

· 63 ·

Het telefoontje kwam om klokslag tien uur. Stone en de anderen zaten in een dubbele hotelkamer in het centrum. Een man aan de andere kant van de lijn begon tijd en plaats te dicteren waar ze elkaar zouden ontmoeten, maar Stone viel hem in de rede.

'Dat doen we niet. Wij hebben Albert Trent. Als jullie hem terug willen, dan regelen we een uitwisseling op ónze voorwaarden.'

'Dat is niet aanvaardbaar,' zei de stem.

'Prima, dan dragen we jullie maat over aan de CIA en die weet met een beetje overredingskracht de waarheid wel uit hem los te krijgen. En op grond van wat ik tot nu toe van Trent heb gezien, denk ik niet dat dat lang gaat duren. Jullie krijgen niet eens de tijd om je koffers te pakken voordat de FBI al voor de deur staat.'

'Wil je soms dat je vriend dit niet overleeft?' snauwde de man.

'Ik vertel je hoe Trent en hij dit allebei kunnen overleven, en hoe jullie ervoor kunnen zorgen dat jullie niet de rest van je leven de gevangenis in draaien.'

'Hoe weten we dat dit geen doorgestoken kaart is?'

'Hoe weet ik dat jij niet van plan bent een kogel door mijn kop te schieten als ik kom opdagen? Het is heel eenvoudig. We zullen elkaar moeten vertrouwen.'

Er viel een lange stilte. 'Waar?'

Stone vertelde hem waar en wanneer.

'Besef je wel hoe het er daar morgen uitziet?'

'Daarom juist. En nog iets. Als je Caleb ook maar een haar krenkt, dan maak ik je eigenhandig af.'

Rueben onderzocht de inhoud van de leren rugzak die Alex hun had gegeven. Stone liep naar hem toe. 'Hoe ziet het eruit?'

Rueben hield twee injectienaalden en twee flessen met vloeistof op. 'Heel bijzonder spul dit, Oliver. Ongelooflijk wat ze allemaal bedenken.'

Stone liep de andere kamer in waar Albert Trent bewusteloos op bed gebonden lag. Hij keek even naar hem en moest zich inhouden hem niet aan te vliegen.

Hij ging terug naar de anderen. 'We hebben morgen een lange dag voor de boeg, dus we moeten wat slaap zien te krijgen. We houden om de beurt twee uur de wacht bij Trent. Ik neem de eerste wacht wel.'

Milton nestelde zich onmiddellijk op de bank, terwijl Rueben op een van de dubbele bedden ging liggen. Ze sliepen binnen een paar minuten. Stone stapte de andere kamer weer binnen, ging op een stoel naast Trents bed zitten en staarde naar de vloer. Hij schrok op toen Annabelle een stoel naast de zijne zette en hem een kop versgezette koffie aangaf. Ze had nog steeds haar trui en spijkerbroek aan. Ze ging zitten met een van haar lange benen onder zich opgetrokken.

Hij bedankte haar voor de koffie en zei: 'Je kunt beter wat gaan slapen.'

'Ik ben eigenlijk meer een nachtmens.' Ze keek even naar Trent. 'Wat zijn de kansen dat alles morgen goed verloopt?'

'Nul,' zei Stone. 'Die kans is altijd nul. Je doet je best dat cijfer op te krikken, maar soms heb je daar gewoon geen invloed op.'

'Je spreekt uit ervaring, hè?'

'Waar kun je anders uit spreken?'

'Je kunt ook gewoon maar wat uit je nek kletsen zoals de meeste mensen, maar dat doe jij niet.'

Hij nam een slokje koffie. 'Alex Ford is een goeie vent. Met hem als kameraad zou ik me zo in de strijd wagen, en dat heb ik in wezen ook gedaan. We maken een goede kans dit netjes af te wikkelen.'

'Ik zou die gluiperd het liefst gewoon afmaken,' zei ze, en ze keek weer naar de bewusteloze Trent.

Stone knikte. 'Hij ziet eruit als de grijze, grauwe bureaucraat die hij ook is. Hijzelf doet geen vlieg kwaad. Dat laat hij aan anderen over, en omdat hij zijn handen niet vuil hoeft te maken en de gevolgen van zijn werk niet onder ogen hoeft te komen, kent zijn wreedheid geen grenzen. Door mensen als hij is ons land nu in groot gevaar.'

'En dat allemaal om geld?'

'Ik heb mensen van zijn slag wel horen beweren dat het hun om een goede zaak ging, dat het hun om hun geloof of overtuiging ging, soms ook dat ze het alleen voor de kick hadden gedaan, maar uiteindelijk bleek het toch altijd om geld te draaien.'

Ze keek hem nieuwsgierig aan. 'Heb je dan andere landverraders gekend?'

Hij keek haar zijdelings aan. 'Wat vind je hier eigenlijk zo interessant aan?'

'Ik vind jou interessant.' En toen hij bleef zwijgen, voegde ze eraantoe: 'We hadden het over landverraders.'

Hij haalde zijn schouders op. 'Ik heb er meer gekend dan me lief is, maar nooit lang.' Hij stond op en liep naar het raam. 'De meesten heb ik een paar seconden voor hun dood leren kennen,' voegde hij er zacht aan toe.

'Heb je Amerikaanse landverraders geëxecuteerd?' Ze zag hem verstrakken en zei haastig: 'Sorry, John. Dat had ik niet mogen vragen.'

Hij draaide zich om en keek haar aan. 'Ik ben je vergeten te zeggen dat John Carr dood is. Noem me dus liever Oliver.' Zonder haar aan te kijken ging hij weer zitten. 'Ik denk echt dat je beter kunt proberen wat te slapen.'

Ze stond op. Stone zat naar Trent te staren, maar Annabelle had niet het gevoel dat hij hem werkelijk zag. Hij was met zijn gedachten waarschijnlijk ver in het verleden.

Niet ver van hen vandaan was Roger Seagraves zijn eigen team aan het verzamelen. Hij was niet naar huis gegaan omdat hij al had vermoed dat Trent iets was overkomen. Zijn partner en hij hadden de gewoonte elkaar 's avonds op een bepaald tijdstip te bellen om te laten weten dat alles in orde was, en Trent had niet gebeld. Dat de tegenpartij hem in handen had gekregen, was lastig maar niet onoverkomelijk. Hij moest ervan uitgaan dat Oliver Stone en de anderen inmiddels naar de autoriteiten waren gestapt, dus hij zou door verschillende verdedigingslinies heen moeten breken om Trent te bevrijden... als die hem niet al voor die tijd had verraden. Maar Seagraves was niet bang voor wat de komende dag zou brengen. Eigenlijk zag hij ernaar uit. Dit waren de ogenblikken waarvoor hij leefde. Alleen de sterkste zou overleven. En Seagraves was er zeker van dat hij morgen de sterkste zou blijken. Net zoals hij er zeker van was dat Caleb Shaw en zijn vrienden de komende dag niet zouden overleven.

De volgende ochtend was het zonnig en warm. Stone en de anderen verlieten het hotel en droegen Trent mee in een grote hutkoffer die ze achter in een bestelwagen laadden. In de laadruimte boog Stone zich over hem heen en gaf hem een injectie in de arm met een van de spuiten die hij had gekregen. Hij wachtte tien minuten en gaf hem toen een injectie met de andere spuit. Een minuut later begon Trent met zijn ogen te knipperen. Terwijl hij bijkwam, keek hij wild om zich heen en probeerde rechtop te gaan zitten.

Stone legde zijn hand op zijn borst en drukte hem weer achterover. Daarna trok hij een mes uit de schede aan zijn riem, hield het lemmet voor het angstige gezicht, schoof het achter de doek voor zijn mond en sneed die door.

'Wat wilt u van me?' zei Trent met onvaste stem. 'Ik ben federaal ambtenaar. Hier kunt u gevangenisstraf voor krijgen.'

'Laat maar, Trent. We weten alles. En als je niets onverstandigs doet, wisselen we je uit voor Caleb Shaw. Maar als je niet meewerkt, maak ik je eigenhandig af. Of breng je de rest van je leven liever in een Amerikaanse gevangenis door wegens landverraad?'

'Ik heb geen idee w...'

Stone hield het mes op. 'Dat is niet wat ik met meewerken bedoelde, Trent. We hebben het boek en de code, en het bewijs dat jij de moord op Bradley hebt geregeld. En op Jonathan DeHaven en Cornelius Behan.' En met een knikje naar Annabelle voegde hij eraantoe: 'En je had haar en mij ook bijna laten vermoorden, maar op het allerlaatste moment besloten we dat het onze tijd nog niet was.'

Annabelle zei glimlachend: 'Als je mensen die je huis binnendringen laat overmeesteren door een stel zware jongens, moet je niet in de spiegel kijken, Albert. Als het aan mij lag, dan sneed ik je strot af en dumpte ik je lijk ergens op een vuilnisbelt. Want dat doe je toch met een stuk vuil?'

Stone maakte de boeien om Trents handen en voeten los. 'Het wordt een een-op-een-uitwisseling. Wij krijgen Caleb en dan laten we jou vrij.'

'Hoe kan ik daar zeker van zijn?'

'Op dezelfde manier als Caleb. Je moet er maar op vertrouwen. Vooruit, sta op!'

Trent kwam op trillende benen overeind en keek naar de anderen in de bestelbus. 'Zijn jullie de enigen die hier weet van hebben? Als jullie de politie hebben ingelicht...'

'Kop houden!' snauwde Stone. 'En ik hoop dat je je valse paspoort en je vliegtuigtickets klaar hebt liggen.'

Rueben deed de deuren van de bus open en ze stapten allemaal uit, met Trent tussen hen in.

'Grote god,' zei Trent. 'Wat is hier aan de hand?' Hij zag een enorme mensenmassa.

'Lees je geen kranten?' zei Stone. 'Het is het National Book Festival op de Mall.'

'En een mars tegen de armoede,' voegde Milton eraantoe.

'Er zijn zo'n tweehonderdduizend mensen op de been,' droeg Rueben zijn steentje bij. 'Wat een geweldige dag voor de hoofdstad! Boeken lezen en strijden voor de armen.' Hij gaf Trent een por in zijn zij. 'Lopen jij, stuk stront dat je bent. We willen niet te laat komen.'

De National Mall was bijna drie kilometer lang. Hij werd aan de west-zijde begrensd door het Lincoln Memorial, aan de oostzijde door het Capitool, en aan de andere zijden door indrukwekkende musea en over-heidsgebouwen.

Het National Book Festival was een jaarlijkse gebeurtenis die meer dan honderdduizend bezoekers trok. Er waren verschillende circustenten opgezet waaraan vaandels hingen met de opschriften FICTIE, GESCHIE-DENIS, KINDERBOEKEN, THRILLERS en POËZIE. Daar hielden schrijvers, illustratoren, vertellers en anderen het publiek in hun ban met verhalen en anekdotes.

Op Constitution Avenue waren de demonstranten zich aan het verza-melen voor de Mars tegen de Armoede naar het Capitool. Na de mars zouden de meeste demonstranten naar het Book Festival gaan.

Met hulp van Alex Ford had Stone het uitwisselingspunt zorgvuldig uit-gekozen. Het was niet ver van het Smithsonian Castle in Jefferson Street. Met duizenden mensen om zich heen zou het zelfs voor een scherpschutter onmogelijk zijn geen omstanders te raken. In zijn rugzak droeg Stone het apparaat met zich mee dat hem in staat zou stellen zijn missie op de juiste wijze af te ronden, want zodra Caleb weer veilig terug was, mochten Albert Trent en zijn medespionnen niet de kans krijgen te ontsnappen.

'Voor ons, schuin links, bij het fietsenrek,' zei Rueben.

Stone knikte en zag Caleb op een grasveldje staan dat gedeeltelijk werd omgeven door een tot zijn middel reikende heg. Achter hem stond een grote, barokke fontein. Samen boden de heg en de fontein een buffer tegen de grote mensenmassa die hun althans enige privacy bood. Achter Caleb stonden twee mannen die allebei een capuchon over hun hoofd hadden getrokken en een donkere zonnebril op hadden. Stone was er zeker van dat ze gewapend waren, maar hij wist ook dat er federale scherpschutters op het dak van het Smithsonian Castle waren gestationeerd, en dat die hun wapens allang op de twee mannen hadden gericht. De scherpschutters zouden alleen de trekker overhalen als het echt niet anders kon. Hij wist ook dat Alex Ford in de buurt was en hielp bij het coördineren van deze hele operatie.

Stone hield zijn ogen strak op Caleb gericht en probeerde zijn aandacht te trekken, maar met zoveel mensen om hen heen was dat niet eenvoudig. Caleb zag er paniekerig uit, maar dat was normaal. Stone zag nog iets anders in zijn ogen, iets wat hem niet beviel: wanhoop.

Pas toen viel hem op wat Caleb om zijn nek had hangen.

'Mijn god!' mompelde hij. 'Rueben, heb je dat gezien?'

Rueben schrok. 'Die schoften!'

Stone draaide zich om naar Milton en Annabelle die achter hen liepen. 'Staan blijven!'

'Wat?' zei Annabelle.

'Maar Oliver,' protesteerde Milton.

'Staan blijven, zei ik!' snauwde Stone.

De twee bleven staan. Rueben, Stone en Trent liepen verder totdat ze oog in oog stonden met Caleb en zijn ontvoerders.

Calebs gekreun overstemde het geruis van de fontein achter hem. Hij wees naar het ding om zijn nek dat aan een hondenriem deed denken. 'Oliver?'

'Ik weet het, Caleb. Ik weet het.' Stone wees ernaar en zei gebiedend tegen de mannen met de capuchons: 'Haal dat ding van hem af! Nú!'

Ze schudden hun hoofd. De een hield een zwart doosje omhoog met twee knoppen erop. 'Pas als we hier veilig weg zijn.'

'Denk je nou echt dat ik jullie laat gaan terwijl hij een bom om zijn nek heeft?'

'Zodra we weg zijn, schakelen we het uit,' zei de man.

'En daar moet ik maar op vertrouwen?'

'Zo is het.'

'Dan gaan jullie hier niet weg, en als jullie die bom laten afgaan, dan zijn we er allemaal geweest.'

'Het is geen bom,' zei de man. Hij hield het zwarte doosje weer op. 'Als ik op de rode knop druk, wordt er zoveel gif in zijn aderen gespoten dat hij al dood is voordat ik loslaat. Tegen zo'n dosis is zelfs een olifant niet bestand. Als ik de zwarte knop indruk, wordt het systeem ontkoppeld en dan kun je hem de kraag afdoen zonder dat er gif vrijkomt. Maar probeer het niet van me af te pakken. En als ik word neergeschoten door een scherpschutter, zal mijn schrikreflex ervoor zorgen dat ik onwillekeurig de rode knop indruk.' Hij liet zijn vinger boven het rode knopje zweven en glimlachte.

'Vind je het grappig, klootzak?' grauwde Rueben.

De man bleef zijn ogen strak op Stone gericht houden. 'We mogen aannemen dat jullie overal politie hebben gestationeerd om ons uit te schakelen zodra jullie vriend in veiligheid is. Dus neem het ons niet kwalijk dat we een paar voorzorgsmaatregelen hebben genomen.'

'En wat zal jou ervan weerhouden om die rode knop in te drukken zodra jullie hier weg zijn?' vroeg Stone. 'En begin nou niet weer over vertrouwen, want dan word ik erg boos.'

'Ik heb opdracht hem niet te doden, tenzij we niet weg kunnen komen. Als jullie ons laten gaan, blijft hij in leven.'

'Hoever moeten jullie hiervandaan zijn voordat je de gifband ontkoppelt?'

'Niet ver. Binnen drie minuten zijn we weg. Als we te lang moeten wachten druk ik op de rode knop.'

Stone keek even naar Caleb, daarna naar de woedende Rueben, en toen weer naar Caleb. 'Caleb, luister. We moeten ze vertrouwen.'

'O god, Oliver. Alsjeblieft, help me.'

'Ik zal je helpen, Caleb. Ik zal je helpen.' Op wanhopige toon vroeg Stone aan de man: 'Hoeveel gifnaalden zitten er in dat kreng?'

'Wat?' De man keek hem verbaasd aan.

'Hoeveel!'

'Twee. Een links en een rechts.'

Stone draaide zich om, gaf zijn rugzak aan Rueben en fluisterde: 'Als we hier moeten sterven, laat het dan niet tevergeefs zijn geweest.'

Rueben nam de rugzak van hem over en knikte. Hij was lijkbleek, maar onverstoorbaar.

Stone draaide zich weer om en hield zijn linkerhand op. 'Laat me mijn hand onder de band steken, zodat de linkernaald mij raakt in plaats van mijn vriend.'

De man begon nerveus te worden. 'Maar dan gaan jullie er alle twee aan!'

'Ja. Dan sterven we samen!'

Caleb keek Stone recht in de ogen. 'Oliver, dat kun je niet doen.'

'Hou je mond, Caleb.' Stone keek de man strak aan. 'Waar moet ik mijn hand eronder steken?'

'Ik weet niet of dit...'

'Vertel op!' brulde Stone.

De man wees naar een bepaalde plek en Stone wrong zijn hand in de smalle ruimte onder de band, zodat die nu tegen Calebs hals werd gedrukt.

'Oké,' zei Stone. 'Wanneer weet ik dat de band ontkoppeld is?'

'Als het rode lampje hier aan de zijkant groen wordt,' zei de man, en hij wees op een donkerrood glazen bolletje. 'Dan kun je de gesp losmaken en de band af doen. Maar als je probeert hem los te maken voordat het lampje groen is, treedt het mechanisme automatisch in werking.'

'Begrepen.' En met een snelle blik op Trent voegde hij eraantoe: 'Neem die smeerlap mee en maak dat je hier wegkomt.'

Albert Trent rukte zich los uit Ruebens greep en liep met grote stappen naar de twee mannen toe. Toen ze wegliepen, draaide hij zich om en zei grijnzend: 'Adios!'

Stone bleef zijn ogen strak op Calebs gezicht gericht houden, en praatte tegelijkertijd met zachte stem op zijn vriend in. Sommige omstanders hielden hun pas in en begonnen te wijzen. Het was dan ook een vreemde aanblik: een man die zijn hand onder een halsband had gestoken die een andere man om zijn nek droeg.

'Diep ademhalen, Caleb. Ze gaan ons niet vermoorden. Ze gaan ons niet vermoorden. Diep ademhalen.' Hij keek op zijn horloge. Er waren zestig seconden verstreken sinds de mannen met Trent in de menigte waren verdwenen.

'Nog twee minuten en dan zijn we veilig. Het gaat goed. Het gaat heel goed. Hou vol, Caleb. Hou vol.'

Caleb klampte zich doodsbenauwd aan Stones arm vast. Zijn gezicht was rood aangelopen en hij ademde moeizaam, maar hij zei: 'Het gaat wel, Oliver.'

Eén keer kwam een argwanende parkwachter op hen af, maar hij werd snel weggewerkt door twee mannen in witte overalls die afvalbakken aan het schoonmaken waren. Ze hadden de situatie al doorgegeven aan de scherpschutters, die hun wapens hadden neergelegd.

Intussen waren Milton en Annabelle bij hen komen staan. Rueben vertelde fluisterend wat er aan de hand was. De tranen stroomden over Miltons van afgrijzen vertrokken gezicht, terwijl Annabelle haar trillende hand voor haar mond sloeg.

'Nog dertig seconden, Caleb. We zijn er bijna.' Stone keek gespannen naar het rode lampje. 'Nog tien seconden en we zijn vrij.'

Samen telden Stone en Caleb de laatste seconden af. Maar het lampje sprong niet op groen. Caleb kon dat niet zien en zei: 'Oliver, kun je hem nu afdoen?'

Zelfs Stones zenuwen begonnen nu onder de druk te bezwijken, maar toch kwam het geen seconde in hem op om zijn hand weg te trekken. Hij kneep zijn ogen dicht en wachtte op de prik van de naald en het vergif dat zijn aderen zou binnenstromen.

'Oliver!' riep Annabelle. 'Kijk!'

Stone sloeg zijn ogen op en tuurde naar het prachtige groene schijnsel.

'Rueben!' riep hij. 'Help me!'

Rueben schoot naar voren en samen maakten ze de gesp los van Calebs nek. Terwijl de anderen om hem heen kwamen staan zakte de bibliothecaris op zijn knieën. Toen hij opkeek, greep hij Stones hand vast.

'Dat was heel moedig van je, Oliver,' zei hij diep ontroerd. 'Dank je!'

Stone keek om zich heen en ineens drong het tot hem door. Hij reageerde onmiddellijk. 'Liggen!' riep hij, en hij bukte zich, pakte de halsband en gooide die over de heg in de grote fontein.

Twee tellen later volgde er een explosie waarbij water en brokken beton hoog de lucht in schoten. De mensen op de Mall raakten in paniek en begonnen weg te rennen. Toen Stone en de anderen weer opkrabbelden, zei Caleb: 'Mijn god, Oliver. Hoe wist je dat?'

'Het is een oude tactiek, Caleb. Een truc om ons allemaal op een kluitje te krijgen en ons dan te grazen te nemen. En hij heeft me verteld waar de gifnaalden zaten omdat hij wist dat niet het vergif maar de bom ons zou doden. Als er ooit al vergif in dat ding heeft gezeten.' Stone nam de rugzak van Rueben over en haalde er een klein plat voorwerp met een beeldschermpje uit. Op het schermpje was een snel bewegende rode vlek te zien.

'En nu maken we een eind aan dit gedoe.'

· 65 ·

'Ze zijn de metro-ingang van het Smithsonian ingegaan,' zei Rueben. Hij keek even naar het schermpje dat Stone nog steeds in zijn hand hield. Ze renden over de Mall en werkten zich tussen de vluchtende mensenmenigten door.

'Daarom hebben we deze locatie ook gekozen,' zei Stone.

'Maar de metro zal afgeladen zijn,' zei Milton. 'Hoe vinden we ze daar terug?'

'Trent en consorten hebben me op een idee gebracht. Weet je dat chemische spul nog waarmee ze die letters geel maakten?'

'Ja, en?' zei Milton.

'Ik heb Trent een chemisch middel ingespoten,' zei Stone. 'Dat heb ik van Alex Ford gekregen. Het zendt een signaal uit dat met deze ontvanger te traceren valt. Zo'n beetje alsof Trent opgloeit. Met dit apparaatje vinden we hem nog tussen duizenden mensen terug. Alex en zijn mannen hebben er ook een. We vinden ze wel.'

'Laten we het hopen,' zei Caleb. Hij wreef over zijn nek. 'Ik wil dat ze voor de rest van hun leven wegrotten achter de tralies. Met niks te lezen. Helemaal niks!'

Plotseling klonk er geschreeuw uit het metrostation.

'Kom mee!' riep Stone, en ze renden de roltrap af.

Terwijl Trent en de twee mannen op de trein stonden te wachten, liepen er twee als onderhoudsmonteur verklede politiemannen naar hen toe. Maar voordat ze kans zagen hun wapen te trekken, vielen ze allebei met een gapende kogelwond in hun rug op de grond. Roger Seagraves duwde de twee van een geluiddemper voorziene pistolen weer in de holsters aan zijn riem, die door zijn wijde jas niet opvielen. Het kabaal van de menigte had het gedempte geluid van de schoten overstemd, maar toen de twee mannen voorover vielen en het bloed over de grond stroomde, klonk overal gegil en vluchtte iedereen in paniek alle kanten uit. Een ogenblik voordat een van de agenten stierf, zag hij nog kans om zijn wapen te trekken en een van de mannen met capuchon een kogel door zijn hoofd te schieten. Toen de man in elkaar zakte, viel de detonator die hij nog steeds in zijn hand had op de tegelvloer.

De trein die het station binnen denderde, braakte nog meer mensen uit, die midden in de steeds groter wordende chaos terechtkwamen.

Trent en zijn enig overgebleven begeleider maakten van die paniek gebruik om snel in te stappen. Seagraves deed hetzelfde, maar het was nu zo druk dat hij er niet in slaagde dezelfde wagon te bereiken en genoegen moest nemen met de wagon daarachter.

Vlak voordat de deuren dichtschoven, wisten Stone en de anderen zich door de drukke menigte heen te werken en in te stappen. De trein was afgeladen, maar toen Stone op zijn apparaatje keek zag hij dat Trent vlak in de buurt was. Snel speurde hij de wagon af en ontdekte hem aan het andere eind van de wagon. Het viel hem meteen op dat er nog maar één man met capuchon over was. Het probleem was dat Trent of zijn lijfwacht hém nu ook elk ogenblik kon opmerken.

Een ogenblik later kwamen Alex Ford en zijn mannen door de menigte aanrennen, maar de trein reed het station al uit. Hij riep iets naar zijn mannen, waarop ze het station weer uit renden.

In de rijdende trein zei Stone: 'Rueben, ga zitten! Snel!' Rueben stak boven iedereen uit en zou dus als eerste opgemerkt worden. Rueben duwde een paar tieners opzij en ging op de vloer zitten. Stone dook in elkaar en bleef zijn ogen strak op Trent gericht houden. Die stond druk met zijn lijfwacht te praten en om de een of andere reden hield hij zijn handen over zijn oren. Omdat hij nu die kant uitkeek, kon Stone niet zien dat Roger Seagraves vanuit de andere wagon naar hen stond te kijken. Seagraves was verbijsterd dat Caleb en de anderen nog in leven waren. Hij had net zijn wapen in de aanslag gebracht om Stone een kogel door zijn hoofd te schieten toen de trein met hoge snelheid het volgende station binnenreed, afremde, en met een schok tot stilstand kwam. De in- en uitstappende passagiers drongen Seagraves opzij, waardoor hij geen goed schootsveld meer had.

De trein zette zich weer in beweging. Stone werkte zich langzaam in Trents richting. Hij liet het mes in zijn handpalm glijden, maar hield het lemmet onder zijn mouw tegen zijn onderarm. Hij zag voor zich hoe hij het mes tot aan het heft in Trents borst zou rammen, maar dat was hij niet van plan. De lijfwacht zou hij doden, maar Trent zou hij niet aan een levenslange gevangenisstraf laten ontkomen.

Stone was zijn doelwit bijna genaderd toen zijn plannen werden doorkruist. De trein schoot het Metro Center binnen, kwam tot stilstand en de deuren gingen open. Het Metro Center was het drukste station van het hele metronet. Trent en zijn lijfwacht stapten uit. In de wagon achter hen deed Seagraves hetzelfde. Stone en de anderen drongen zich naar buiten en kwamen in een krioelende mensenmassa terecht.

Stone hield zijn blik strak op Trent en de man naast hem gericht. Vanuit zijn ooghoeken zag hij twee mannen in witte overalls op Trent afkomen. Wat hij niet zag, was dat Roger Seagraves een klein metalen voorwerp uit zijn zak haalde, er met zijn tanden een pen uit trok, het van zich af wierp, en zich onmiddellijk daarna omdraaide en zijn vingers in zijn oren stak.

Stone zag de cilinder door de lucht zeilen. Hij begreep meteen wat het was en draaide zich razendsnel om. 'Liggen!' riep hij naar Rueben en de anderen. 'Handen tegen je oren!'

Een paar seconden later ging de 'flitsgranaat' af en vielen tientallen mensen op de grond, waar ze met hun handen over hun oren of ogen bleven liggen en het uitgilden van de pijn.

Trent en zijn lijfwacht hadden nergens last van. Ze hadden oorbeschermers in gedaan en waren tijdig met hun rug naar de bron van de ontploffing toe gaan staan.

Stone was met zijn gezicht op de grond gaan liggen en had zijn mouwen in zijn oren geduwd. Toch was hij een beetje wazig toen hij opkeek. Toen hij overeind wilde krabbelen, werd hij onder de voet gelopen door een man die in paniek wegrende. Hij voelde het apparaatje uit zijn handen glippen en zag het met een misselijk gevoel in zijn maag over de rand van het perron wippen en op de rails onder de gereedstaande metro terechtkomen. Terwijl de achterste wagon het station uit reed, rende hij naar de rand van het perron en keek omlaag. Het apparaatje was platgewalst onder de wielen.

Hij draaide zich om en zag dat Rueben de man met de capuchon bij zijn lurven had gegrepen. Stone schoot zijn vriend te hulp, al was het eigenlijk niet nodig. Rueben nam de man in een halve nelson, tilde hem van de grond en sloeg hem met zijn hoofd hard tegen een metalen paal. Daarna slingerde hij hem van zich af waarna de man met een klap tegen de grond smakte. Toen Rueben hem overeind wilde trekken, sloeg Stone hem hard op zijn achterhoofd zodat hij tegen de vlakte ging.

'Wel verdomme, wat...' grauwde Rueben, toen de kogel rakelings over hem heen schoot. Stone had het pistool gezien en Rueben net op tijd tegen de grond geslagen.

De man met de capuchon knielde neer en maakte zich gereed voor een schot op zeer korte afstand, maar zakte in elkaar toen hij drie kogels in zijn borstkas kreeg. Ze waren afgevuurd door twee federale agenten die nu aan kwamen rennen, gevolgd door politiemannen in uniform.

Stone hielp Rueben overeind en keek zoekend om zich heen naar de anderen.

Annabelle zwaaide naar hem vanaf de andere kant van het perron. Milton en Caleb stonden naast haar.

'Waar is Trent?' riep Stone.

Annabelle schudde haar hoofd en hield haar handen op in een machteloos gebaar.

Stone liet zijn blik over het drukke perron gaan, maar zonder veel hoop. Ze waren hem kwijt.

Plotseling schreeuwde Caleb: 'Dáár, op de roltrap! Dat is de man die me heeft ontvoerd. Foxworth!'

'En Trent!' riep Milton.

Ze keken allemaal omhoog. Toen Seagraves zijn pseudoniem hoorde, keek hij snel even over zijn schouder, waardoor de capuchon van zijn hoofd zakte en ze hem allemaal goed konden zien. Naast hem stond Trent.

'Verdomme!' mompelde Seagraves. Toen ze boven waren, duwde hij Trent voor zich uit de menigte door en ze renden snel het station uit.

Op straat duwde hij Trent in een taxi en gaf de chauffeur een adres op. Tegen Trent fluisterde hij: 'We zien elkaar straks. Ik heb een privévliegtuig klaarstaan om ons het land uit te brengen. Hier zijn je nieuwe reisdocumenten en een stel identiteitsbewijzen. We zullen ook iets aan je uiterlijk moeten doen.' Hij duwde Trent een stapel documenten en een paspoort in handen.

Seagraves wilde het portier van de taxi dichtslaan, maar bedacht zich plotseling. 'Albert, geef me je horloge.'

'Wát?'

Seagraves vroeg het niet nog eens. Hij rukte het horloge van Trents pols en nadat hij het portier met een klap had dichtgeslagen, reed de taxi weg terwijl Trent door de achterruit paniekerig naar hem omkeek.

Seagraves was van plan Trent straks te vermoorden en daarom moest hij iets van hem voor zijn verzameling hebben. Hij werd woedend bij de gedachte dat hij zijn verzameling achter moest laten, maar het was nu te riskant om nog naar huis te gaan. En helaas had hij niets van de agenten kunnen meenemen die hij in de metro had doodgeschoten.

Nou ja, hij kon altijd aan een nieuwe verzameling beginnen.

Hij stak snel de straat over, rende een steegje in, stapte in de bestelwagen die hij daar had geparkeerd en kleedde zich om. Daarna bleef hij wachten tot zijn achtervolgers in zicht kwamen. Deze keer zou hij niet missen.

• 66 •

Stone en de anderen namen de roltrap naar boven, samen met honderden in paniek geraakte mensen. Terwijl overal sirenes loeiden en de politie de chaos in banen probeerde te leiden, slenterden ze de straat in.

'Godzijdank is Caleb niet gewond geraakt,' zei Milton.

'Absoluut.' Rueben sloeg zijn arm om Calebs schouders. 'Wat zouden we moeten beginnen als we jou niet meer konden plagen?'

'Caleb, hoe hebben ze je ontvoerd?' vroeg Stone nieuwsgierig.

Caleb vertelde over de man die zichzelf William Foxworth noemde. 'Hij zei dat hij me boeken wilde laten zien en even later raakte ik plotseling buiten kennis.'

'En hij noemde zich Foxworth?' vroeg Stone.

'Ja, die naam stond op zijn bibliotheekkaart, dus hij moet een identiteitsbewijs hebben laten zien aan de balie.'

'Dat was vast niet zijn echte naam. Maar in elk geval hebben we hem even te zien gekregen.'

'Wat doen we nu?' vroeg Annabelle.

'Ik snap nog steeds niet hoe ze dat chemische spul in de boeken hebben aangebracht,' zei Milton. 'Albert Trent werkt bij de staf van de commissie voor de Inlichtingendiensten. Op de een of andere manier krijgt hij geheime informatie in handen, maar aan wie geeft hij die door? En hoe komt die informatie in de leeszaal terecht, waar Jewell English, en vermoedelijk ook Norman Janklow, die met behulp van een speciale bril kunnen zien en overschrijven?'

Terwijl ze allemaal over die vraag nadachten, pakte Stone zijn mobieltje om Alex Ford te bellen. De politie en de Secret Service waren nog steeds naar Trent op zoek, maar Ford raadde de Camel Club aan zich terug te trekken. 'Het heeft geen zin jullie aan nog meer gevaren bloot te stellen,' zei hij. 'Jullie hebben al genoeg gedaan.'

Nadat Stone dat aan de anderen had doorgegeven, zei Caleb: 'Dus wat doen we nu? Gaan we naar huis?'

Stone schudde zijn hoofd. 'De Congresbibliotheek is hier vlakbij. Ik ga erheen.'

Caleb wilde weten waarom.

'Omdat het daar allemaal begonnen is. Bovendien is een bibliotheek de aangewezen plek om antwoorden te vinden.'

Caleb wist hen wel het gebouw binnen te loodsen, maar ze kregen geen toegang tot de leeszaal, want die was op zaterdag gesloten. Terwijl ze door de lange gangen zwierven, zei Stone tegen de anderen: 'Wat ik nog het meest verwarrend vind, is de timing.' Hij zweeg even om zijn gedachten te ordenen. 'Jewell English is twee dagen geleden naar de leeszaal gekomen, en toen waren er letters in die *Beadle* gemarkeerd. Later die dag, toen wij het boek in bezit hadden, waren die letters niet meer gemarkeerd. Dat is een heel krappe timing.'

'Ja,' zei Caleb. 'En dan te bedenken dat de meeste boeken jarenlang, soms wel tientallen jaren ongelezen in de kluis blijven. Na het markeren van de letters moet iemand Jewell hebben ingeseind welk boek ze moest opvragen. En diezelfde dag nog zijn de gele letters weer verdwenen.'

Stone bleef staan en leunde tegen een marmeren balustrade. 'Hoe konden ze er zo zeker van zijn dat de timing zou kloppen? Die letters mochten niet te lang geel blijven, want het boek zou in handen van de politie kunnen vallen. Als we net iets eerder in actie waren gekomen, hadden we het misschien nog bij de FBI kunnen krijgen voordat het chemische middel was verdampt. Daaruit moeten we concluderen dat de letters vlak voor de komst van Jewell English gemarkeerd moeten zijn.'

'Ik ben die dag in de kluizen geweest voordat Jewell de leeszaal binnenkwam, maar ik heb er niemand gezien, behalve een paar medewerkers dan, maar die zijn hooguit een kwartiertje gebleven, dus niet lang genoeg om al die letters geel te kleuren. En ergens anders kunnen ze het niet gedaan hebben, of ze hadden het boek mee naar huis moeten nemen.' Ineens bedacht hij iets. 'Wacht eens, ik kan nagaan of een staflid een boek mee naar huis heeft genomen. Daarvoor moet een formulier in viervoud worden ingevuld. Kom mee! De leeszaal is gesloten, maar dat kan ik ook wel ergens anders natrekken.'

Hij liep voor hen uit naar de balie, zei iets tegen de vrouw die er dienst had, logde in op de computer en begon te typen. Even later keek hij teleurgesteld op. 'Er zijn geen *Beadles* uitgecheckt. Er is in vier maanden zelfs geen enkel boek door bibliotheekmedewerkers uitgecheckt.'

Op dat ogenblik liep Rachel Jeffries langs de balie, de conservator aan wie Caleb de *Beadle* had gegeven waar de gemarkeerde letters in hadden gestaan.

'O, hallo Caleb,' zei ze. 'Ik wist niet dat jij hier nog in het weekend kwam.'

'Dag Rachel, ik ben wat onderzoek aan het doen.'

'En ik probeer de achterstand op onze afdeling weg te werken. O, nu ik je toch spreek, de *Beadle* die je me hebt gegeven was kort daarvoor al gerestaureerd en teruggebracht naar de kluis.'

'Wat?' zei Caleb verbijsterd.

'Er was schade aan het achterplat en er zaten een paar bladzijden los.

314

Toen ik het conservatielogboek erop nasloeg, was ik echt verbaasd. Heb je enig idee hoe het opnieuw zo snel beschadigd kan zijn?'

'Wanneer precies is het naar de kluis teruggebracht?' vroeg Caleb, zonder op haar vraag in te gaan.

'Nou, een dag voordat jij het aan mij gaf.'

'Ogenblik.' Caleb begon weer te typen. Hij wilde weten hoeveel *Beadles* de afgelopen tijd naar de afdeling Conservatie waren gestuurd. Hij hoefde niet lang te wachten.

'Er zijn het afgelopen jaar zesendertig *Beadles* gerepareerd,' zei hij tegen de anderen. Daarna checkte hij de elektronische archieven op alle boeken die Jewell English en Norman Janklow hadden aangevraagd, en op alle boeken die de afgelopen zes maanden naar de afdeling Conservatie waren gebracht. Hij constateerde dat Jewell English zeventig procent van de *Beadles* had opgevraagd die de afgelopen zes maanden waren gerepareerd. En altijd op dezelfde dag dat ze van de afdeling Conservatie waren teruggekomen. Bij Norman Janklow vond hij een soortgelijk patroon.

Snel bracht hij de anderen van zijn bevindingen op de hoogte. 'De *Beadles* vereisen veel werk omdat ze zo goedkoop zijn geproduceerd.'

Stone keek Rachel Jeffries aan. 'Kunt u ons ook zeggen wie deze *Beadle* heeft hersteld?'

'Jazeker, dat was Monty Chambers.'

Stone en de anderen renden al naar de gang.

Caleb riep over zijn schouder: 'Rachel, ik hou van je!'

Ze bloosde en riep terug: 'Caleb, je weet dat ik getrouwd ben, maar misschien kunnen we eens ergens iets gaan drinken.'

'Weet je waar Chambers woont?' vroeg Stone toen ze buiten waren.

Caleb knikte. 'Niet ver hiervandaan.' Ze hielden twee taxi's aan en waren een kwartier later in een rustige straat met oude, goed onderhouden rijtjeshuizen. De kleine voortuin werd door een laag gietijzeren hekje van de straat afgescheiden.

'Om de een of andere reden komt deze omgeving me bekend voor,' merkte Stone op.

'Al dit soort buurten lijken op elkaar,' zei Caleb.

Ze stapten uit en liepen achter Caleb aan naar een huis waarvan de gevel blauw was geverfd en de luiken zwart. Op de vensterbank stonden bloempotten met bloeiende planten.

'Je bent hier kennelijk eerder geweest,' zei Stone.

Caleb knikte. 'Monty heeft hier een werkplaats. Hij klust thuis weleens bij, en af en toe verwijs ik mensen naar hem door. Hij heeft ook een paar van mijn eigen boeken hersteld. Ik kan bijna niet geloven dat hij bij deze zaak betrokken is. Hij is de beste conservator van de hele Congresbibliotheek. Hij werkt er al tientallen jaren.'

'Iedereen heeft zijn prijs. En als er iemand is die geheime berichten in boeken kan aanbrengen, dan is het wel een conservator,' merkte Stone op, terwijl hij aandachtig naar het huis keek. 'Het lijkt niet waarschijnlijk dat hij hier nog is, maar je weet maar nooit. Rueben en ik kloppen aan en jullie houden je op de achtergrond.'

Ze klopten, maar er kwam geen reactie. Stone keek om zich heen. Er was niemand te bekennen. 'Geef me dekking, Rueben,' zei hij.

Rueben draaide zich om en plaatste zijn brede lijf tussen Stone en de straat. Een minuut later sprong het slot open. Stone ging naar binnen, gevolgd door Rueben. Op de begane grond was niet veel interessants te zien. Het meubilair was oud, maar zeker niet antiek, en de schilderijen aan de muur waren reproducties. Er stonden een paar afhaalmaaltijden in de koelkast, en de vaatwasser was leeg. In de twee slaapkamers boven was niets van enig belang te vinden. In een kleerkast hingen wat pantalons, overhemden en jasjes, en een ladekastje bevatte alleen onderbroeken en sokken. In de badkamer was niets ongebruikelijks te vinden, al verscheen er een verbaasde uitdrukking op Stones gezicht toen hij een paar voorwerpen oppakte. Het medicijnkastje bevatte het normale assortiment medicijnen en toiletartikelen. Er was niets te vinden waaruit viel op te maken waar Chambers naartoe kon zijn gegaan.

Toen Rueben en Stone weer beneden kwamen, stonden de anderen in het halletje.

'Iets gevonden?' vroeg Caleb.

'Zei je niet iets over een werkplaats?' zei Stone.

'In de kelder.'

Ze liepen de trap af en doorzochten Chambers' werkruimte. Daar was alles te vinden wat je van een boekconservator kon verwachten, maar meer ook niet.

'Dit is een doodlopend spoor,' verklaarde Rueben.

'Je kunt vanuit de kelder het huis uit komen,' zei Stone, terwijl hij door het raam naar buiten keek. 'De kelderdeur komt uit op een steeg aan de overkant.'

'Nou en?' vroeg Rueben geïrriteerd. 'Het lijkt me niet waarschijnlijk dat een voortvluchtige landverrader in een steeg blijft rondhangen totdat de FBI ter plekke is.'

Stone deed de deur open, stapte naar buiten en speurde de steeg af. 'Blijf hier wachten!' Hij rende de steeg uit en de hoek om. Enkele minuten later kwam hij met een glinstering in zijn ogen terug.

'Oliver, wat ben je toch allemaal aan het doen?' vroeg Annabelle.

Rueben nam zijn oude vriend aandachtig op. 'Je zei dat deze omgeving

je bekend voorkwam. Ben je hier eerder geweest?'
'We zijn hier allemaal eerder geweest, Rueben.'

67

Stone liep voor hen uit langs de huizen in de steeg achter het huis van Chambers. Halverwege bleef hij staan en gebaarde de anderen hetzelfde te doen. Hij keek op het huis waar ze nu recht tegenover stonden.

'Godallemachtig,' zei Caleb, toen het tot hem doordrong. 'Ik heb het nooit bij daglicht gezien.'

'Bel aan, Caleb,' zei Stone gebiedend.

Caleb deed wat hem gezegd werd, en een diepe stem zei: 'Ja, wie is daar?'

'Ik ben het, meneer Pearl. Caleb Shaw. Ik eh... Ik wilde u spreken over het *Bay Psalm Book.*'

'De zaak is gesloten. De openingstijden zijn duidelijk op het bord aangegeven.'

'Het is dringend,' zei Caleb. 'Alstublieft, het hoeft niet lang te duren.'

Ze moesten even wachten, maar toen hoorden ze een klik. Caleb trok de deur open en ze liepen naar binnen. Toen Vincent Pearl een ogenblik later het vertrek binnenkwam, droeg hij geen lange mantel, maar een zwarte broek, een wit overhemd en een groene voorschoot. Zijn lange haar en baard zagen er onverzorgd uit. Hij leek even te schrikken toen hij de anderen zag. Toen zei hij nors: 'Ik heb het druk, Shaw. Wat moet je?'

Stone deed een stap naar voren. 'Waar is Albert Trent? In de achterkamer?'

Pearl gaapte hem aan. 'Wat krijgen we nou?'

Stone drong langs hem heen, trapte de deur naar de achterkamer open en liep naar binnen. Een minuut later was hij terug. 'Boven misschien?'

'Wie zijn jullie, verdomme?' riep Pearl. 'Ik bel de politie!'

Stone liep om hem heen naar de wenteltrap en wenkte Rueben dat hij mee moest komen. 'Pas op, misschien is Foxworth bij hem.' De twee mannen verdwenen uit het zicht. Even later hoorden de anderen geschreeuw en het gebonk en gestommel van een worsteling. Het kabaal hield abrupt op. Toen Stone en Rueben de trap af kwamen, hielden ze Albert Trent stevig bij zijn schouders.

Ze duwden hem in een stoel en Rueben ging naast hem staan. De stafmedewerker van de commissie voor de Inlichtingendiensten zag er verslagen uit. Rueben gromde: 'Geef me een excuus om je nek om te draaien.'

Stone draaide zich om naar Pearl, die niets van zijn zelfbeheersing had verloren.

'Ik heb geen idee waar u mee bezig bent,' zei hij, terwijl hij de voorschoot over zijn hoofd trok. 'Deze man is een vriend van me en hij is hier omdat ik hem heb uitgenodigd.'

'Waar is Chambers?' zei Caleb. 'Hebt u die ook uitgenodigd?'

'Wie?' zei Pearl.

'Monty Chambers!' riep Caleb geërgerd.

'Die staat hier voor ons, Caleb,' zei Stone. Hij greep Pearl bij zijn baard en rukte eraan. Terwijl een hoek van de baard loskwam, wilde Stone met zijn andere hand Pearls dikke haardos vastgrijpen, maar de man hield hem tegen.

'Als u me toestaat...' Hij trok zijn baard los en daarna de pruik, waardoor zijn kale hoofd zichtbaar werd.

'Haal de verdikkingen van zijn buik, de plasticine van zijn wangen, de gekleurde contactlenzen uit zijn ogen, en je ziet Monty Chambers. Maar als je je identiteit echt wilt verhullen, dan moet je geen haarborstel en shampoo in de badkamer achterlaten. Kale mannen hebben die over het algemeen niet nodig.'

Pearl liet zich in een stoel zakken en streek over de pruik in zijn handen. 'Ik heb mijn pruik en baard altijd met veel zorg onderhouden. Het was een moeizaam gedoe, maar een groot deel van het hele leven is nou eenmaal moeizaam gedoe.'

Caleb stond nog steeds naar Vincent Pearl te staren die hij voor zijn ogen in Monty Chambers had zien veranderen.

'Ik kan niet geloven dat jullie twee een en dezelfde persoon waren.'

'De vermomming was wel effectief, Caleb,' zei Stone. 'Je hebt zelf gezegd dat je Pearl maar twee keer eerder hebt gezien, hier in zijn winkel, en alleen 's avonds bij gedempt licht.'

'In de bibliotheek was Monty altijd nogal zwijgzaam. En als hij wat zei, had hij een hoog piepstemmetje,' zei Caleb en hij knikte. 'Wie was er het eerst?' vroeg hij toen. 'Vincent Pearl of Monty Chambers?'

'Monty Chambers,' zei Pearl met een moeizame glimlach. 'Dat is mijn echte naam. Pearl is een alias.'

'Maar waarom had u een alias nodig?' vroeg Stone.

Eerst leek Chambers daar geen antwoord op te willen geven, maar toen haalde hij zijn schouders op. 'Het maakt nu toch niet meer uit. In mijn jeugd was ik dol op acteren. Ik vond het heerlijk om me te verkleden en een rol te spelen. Maar helaas was mijn talent groter dan de kansen die ik kreeg. Boeken waren mijn andere passie. Als jongen ben ik in de leer gegaan bij een goede conservator, en zo heb ik het vak geleerd. Ik werd aangenomen bij de Congresbibliotheek en dat was het begin van een voorspoedige carrière. Maar ik wilde ook boeken verzamelen, en het salaris dat ik bij de bibliotheek verdiende, liet dat niet toe. Dus ben ik in zeldzame boeken gaan handelen. Ik had de kennis en ervaring die je daarvoor nodig hebt. Maar wie zou een eenvoudige conservator bij de Congresbibliotheek om advies gaan vragen? Niet de rijken, en dat was de klantenkring waar ik op mikte. Dus heb ik een personage bedacht waar ze wel naartoe zouden komen. Vincent Pearl, theatraal, mysterieus, en onfeilbaar.'

'En die alleen 's avonds geopend was, zodat hij overdag gewoon naar zijn werk kon,' zei Stone.

'Ik heb deze winkel gekocht omdat hij vlak achter mijn huis lag. Ik trok mijn vermomming aan, liep de deur uit en kwam als een ander mens mijn winkel in. Het werkte heel goed. In de loop der jaren werd mijn reputatie als antiquair steeds groter.'

'Maar hoe ben je spion geworden?' vroeg Caleb met trillende stem. 'Hoe ben je van conservator tot moordenaar geworden?'

'Niets zeggen!' zei Trent. 'Ze kunnen niets bewijzen.'

'We hebben de codes,' zei Milton.

'O ja?' sneerde Trent. 'Als jullie die hadden gehad, waren jullie wel naar de politie gestapt.'

'E, w, f, w, s, p, j, e, m, r, t, i, z,' zei Milton. 'Moet ik nog even doorgaan?'

Ze keken hem allemaal als met stomheid geslagen aan.

'Milton,' zei Caleb, 'waarom heb je dat niet eerder gezegd?'

'Ik dacht dat het niets uitmaakte omdat we geen bewijs hadden. Maar ik heb de geelgemaakte letters gelezen voordat ze verdwenen, en als ik eenmaal iets heb gezien, dan vergeet ik het nooit meer.' Hij keek even naar Trent, die het allemaal machteloos aanhoorde. 'Het schiet me net te binnen dat de autoriteiten kunnen proberen de code te ontcijferen als ik ze vertel wat de letters waren.'

Chambers keek Trent aan en haalde zijn schouders op. 'Alberts vader en ik waren vrienden. In mijn bestaan als Monty Chambers, bedoel ik. Toen hij overleed, ben ik voor Albert een soort vaderfiguur geworden, of anders in elk geval een mentor. Dat was jaren geleden. Na zijn studie is Albert teruggegaan naar Washington en bij de CIA gaan werken. In de loop der jaren hebben hij en ik het regelmatig over de wereld van de spionage gehad. Toen is hij bij de Senaat gaan werken, en ook daar hebben we uitvoerig over gepraat. Tegen die tijd had ik hem ook mijn geheim verteld. Hij was geen boekenliefhebber, maar aan die tekortkoming heb ik helaas nooit iets kunnen doen.'

'Ook niet aan zijn spionageactiviteiten?' vroeg Stone.

'Hou je kop, ouwe gek!' schreeuwde Trent.

'Nou is het mooi geweest,' zei Rueben. 'Bedtijd, manneke.' Hij sloeg Trent met een vuistslag op de kaak buiten westen, en voegde er met een strijdlustige blik op Chambers aan toe: 'Ga rustig verder.'

Chambers keek naar de bewusteloze Trent. 'Misschien ben ik inderdaad een ouwe gek. Stukje bij beetje heeft Albert me verteld hoe er geld te verdienen viel met het verkopen van wat hij minder belangrijke geheimen noemde. Hij legde me uit dat het eigenlijk geen spionage was, maar gewoon handel. Hij zei dat hij in zijn positie als stafmedewerker van de commissie iemand had ontmoet die over contacten bij alle inlichtingendiensten beschikte en dat die graag met hem in zee wilde gaan. Naderhand bleek dat trouwens een uiterst gevaarlijke man te zijn. Maar Albert zei dat veel mensen in beide kampen geheimen verkochten. Dat dat bijna van je verwacht werd.'

'En dat geloofde u?' vroeg Stone.

'Deels wel en deels niet. Ik wilde het graag geloven, want boeken verzamelen is een kostbare liefhebberij, en ik kon het geld goed gebruiken. Ik besef nu maar al te goed dat dat verkeerd was, maar destijds had ik het gevoel dat het niet veel kwaad kon. Albert zei dat het probleem was dat alle spionnen vroeg of laat werden betrapt terwijl ze hun informatie overdroegen. Hij zei dat hij een manier had bedacht om dat probleem te omzeilen, en dat hij mij daarbij nodig had.'

'Je vaardigheden als conservator van zeldzame boeken,' zei Caleb. 'Daar ging het hem om. Jij beschikte over de benodigde deskundigheid en je had toegang tot de bibliotheek.'

'Ja. En Albert en ik waren oude vrienden, dus er was niets verdachts aan als hij me een boek kwam brengen. Dat was per slot van rekening mijn specialiteit. In die boeken werden bepaalde letters met een stipje gemarkeerd. In een van de bibliotheekboeken markeerde ik dan eenzelfde reeks letters met een chemische kleurstof. Bij incunabelen heb ik altijd al een grote liefde gehad voor de prachtige miniaturen die erin waren aangebracht. Voor mij waren het miniatuurschilderijen. Ze zijn honderden jaren oud, maar als je ze goed behandelt kunnen ze er vandaag nog net zo mooi en levendig uitzien als op de dag dat ze werden gemaakt. Op mijn eigen manier ben ik al jarenlang met dergelijke materialen in de weer geweest. Gewoon als hobby, want voor dat soort dingen is er tegenwoordig geen markt meer. Het was eigenlijk helemaal niet zo moeilijk om een chemisch middel te vinden dat onder het juiste type lens geel werd. Die lenzen heb ik trouwens zelf gemaakt. Ik ben niet alleen altijd al gefascineerd geweest door oude boeken en chemie, maar ook door de kracht en manipuleerbaarheid van het licht. Ik geniet echt enorm van mijn werk in de bibliotheek.' Hij zweeg even. 'Maar dat is nu natuurlijk voorbij,' zei hij met een diepe zucht. 'Ik heb begrepen dat Albert regelmatig bezoekers met een speciale bril naar de leeszaal heeft gestuurd, ook als er geen berichten waren, zodat ze geen argwaan zouden wekken.'

'Oude dames en heren die oude boeken zitten te lezen in de bibliotheek zouden toch nooit argwaan hebben gewekt,' zei Stone. 'Ze hadden die geheimen ook gewoon in een ouderwetse brief aan een zogenaamd familielid in het buitenland kunnen zetten. Dan had zelfs de almachtige NSA met al zijn supercomputers en satellieten er nooit erg in gekregen. Het was echt perfect van opzet.'

'Ik vertelde Albert wanneer een boek klaar was om terug te worden gestuurd naar de bibliotheek, en vervolgens plaatste hij dan een paar korte regels op bepaalde internetsites, zodat bepaalde bezoekers wisten wanneer ze naar de leeszaal moesten komen en naar welke titel ze moesten vragen. Dat boek zou ik dan op de ochtend van hun bezoek terugbrengen. Ik had een eindeloze stroom boeken die ik daarvoor kon gebruiken, want er moeten voortdurend boeken hersteld worden. Dat was geen probleem. De bezoekers kwamen naar de leeszaal, schreven de code over en gingen weer weg. Een paar uur later verdampte de chemische kleurstof en daarmee was ook al het bewijs verdwenen.'

'En daarvoor werd je heel goed betaald en het geld werd op een buitenlandse bankrekening gestort,' zei Annabelle.

'Zoiets,' gaf hij toe.

'Maar zoals je net zei, Vincent Pearl was een groot succes,' zei Stone. 'Waarom ben je niet gewoon fulltime antiquair geworden?'

'Ik hield van mijn werk bij de bibliotheek. Ik genoot ervan iedereen in de maling te nemen. Ik denk dat ik van twee walletjes wilde eten.'

'Spionage is al erg genoeg,' zei Caleb. 'Maar moord! Bob Bradley, Cornelius Behan, Norman Janklow en waarschijnlijk ook Jewell English. En Jonathan? Jij hebt Jonathan laten vermoorden!'

'Ik heb helemaal niemand laten vermoorden!' protesteerde Chambers woedend. Hij wees naar Trent. 'Dat is zijn werk, en van degene met wie hij samenwerkt, wie dat dan ook mag zijn.'

'Meneer Foxworth,' zei Stone langzaam.

'Maar waarom Jonathan?' vroeg Caleb. 'Waarom hij?'

Chambers wreef nerveus in zijn handen. 'Hij kwam 's avonds een keer onverwacht onze werkruimte binnen en zag dat ik codes in een boek aan het aanbrengen was. Ik probeerde hem iets wijs te maken, maar ik weet niet zeker of hij me geloofde. Ik heb het meteen aan Albert verteld, en niet lang daarna was Jonathan ineens dood. Albert zei naderhand dat het moest lijken alsof hij een natuurlijke dood was gestorven omdat we onze berichten doorgaven in de leeszaal. Als we de leeszaal niet meer konden gebruiken, zouden we de operatie moeten staken.'

'Maar je wist wat er was gebeurd en toch ben je niet naar de politie gegaan?' zei Caleb beschuldigend.

'Hoe had ik dat kunnen doen?' zei Chambers. 'Ik zou levenslang hebben gekregen.'

'Dat krijg je nu toch wel,' zei Stone kort. 'En hij ook,' voegde hij eraantoe met een blik op de wezenloos voor zich uit starende Trent.

'Misschien ook niet,' zei een stem.

Ze draaiden zich allemaal razendsnel om en zagen Roger Seagraves naar hen toe stappen, met in beide handen een pistool.

'Foxworth!' riep Caleb.

'Kop dicht!' zei Seagraves ongeduldig. Zijn blik bleef rusten op Trent, die net weer bijkwam.

'Goddank, Roger,' zei hij toen hij Seagraves zag.

Seagraves glimlachte. 'Hallo, Albert.' Hij haalde de trekker over en raakte Trent midden in zijn borstkas. De man hapte naar adem, zakte in elkaar en gleed langzaam van zijn stoel. Seagraves richtte zijn andere pistool op Stone en Rueben, die klaarstonden om op hem af te duiken.

'Dat zou ik maar laten.' Hij richtte een van zijn pistolen op Chambers. 'Jou hebben we ook niet meer nodig.' Terwijl Chambers zich schrap zette voor de kogel stapte Stone tussen hem en Seagraves in.

'Ik heb de politie al gebeld. Ze zijn onderweg. Als je wilt ontsnappen, dan moet je het nu doen.'

'Wat ontroerend. De ene 666'er die een andere de hand boven het hoofd houdt?'

Stones gezicht verstrakte.

Seagraves glimlachte. 'Dus het is waar. Dan weet je ook wat onze belangrijkste regel is: nooit getuigen achterlaten. Maar ik ben wel benieuwd hoe je klusjesman op een kerkhof bent geworden. Dat moet voor iemand als jij een behoorlijke degradatie zijn.'

'Ik zie het eigenlijk meer als een promotie.'

'Als ik je gewoon had gedood toen ik daar de kans toe had, dan had ik mezelf een hoop moeite bespaard,' zei Seagraves hoofdschuddend. 'Jij hebt een geweldige operatie verknoeid. Maar ik heb nu genoeg geld om heel goed van te leven.'

'Als je weet te ontkomen,' zei Annabelle.

'Dat zal me wel lukken.'

'Daar zou ik maar niet te zeker van zijn,' zei Stone, terwijl hij langzaam zijn rechterhand naar zijn jaszak bracht. 'De Secret Service en de FBI zijn er nu ook bij betrokken, en die kunnen hier elk ogenblik zijn.'

'O, wat ben ik nu bang,' zei Seagraves sarcastisch. 'Hé, handen omhoog, ouwe!' Stone hield snel zijn hand stil, zodat die vlak bij zijn jaszak bleef hangen.

'Wat?' zei Stone.

'Handen omhoog, 666'er! Ik wil je handen zien! Nú!'

Stone bracht zijn beide handen met een ruk omhoog.

Seagraves hapte naar adem, zwalkte naar voren, liet de pistolen uit zijn handen vallen en probeerde het mes uit zijn keel te trekken. Maar het mes dat Stone had geworpen terwijl hij zijn handen omhoog bracht, was dwars door de halsslagader gegaan, waardoor Seagraves onmiddellijk door zijn knieën zakte. Stone liep rustig op hem af en trok het mes uit zijn keel.

De vorige die hij met de onderhandse mesworp had gedood, was net zo iemand geweest als deze man, en hij had het net zo verdiend.

Milton wendde zijn ogen af, terwijl Caleb wit wegtrok en stond te wankelen op zijn benen. Annabelle en Rueben stonden als verstijfd naar de dodelijk gewonde man te staren.

Stone keek onaangedaan op hem neer.

Terwijl Roger Seagraves de geest gaf, hoorden ze in de verte sirenes. 'Toen ik me realiseerde dat Chambers' huis recht achter de boekwinkel lag, heb ik Alex Ford gebeld,' legde Stone uit.

'Het ging me om de boeken,' zei Chambers, toen hij zijn blik van de dode Seagraves wist af te wenden. 'Ik wilde ze kunnen kopen en veilig kunnen bewaren voor de volgende generatie. Met het geld dat ik heb verdiend, heb ik een paar buitengewone aankopen kunnen doen. Echt heel buitengewone aankopen.' Toen hij opkeek, zag hij dat ze hem allemaal vol weerzin aankeken.

Chambers stond op. 'Ik heb nog iets voor je, Caleb.'

Argwanend liep Stone achter hem aan naar de toonbank. Toen hij zijn hand in een la stak, greep Stone zijn pols vast. 'Laat mij dat maar doen.'

'Het is geen wapen,' zei Chambers.

'Dat zullen we dan wel zien.' Stone haalde een doos uit de la, maakte die open, keek er even in, deed hem toen weer dicht en gaf de doos aan Caleb. Er lag een eerste editie in van het *Bay Psalm Book*.

'Dank u, God!' zei Caleb. Toen keek hij Chambers vol verbazing aan. 'Hoe heb je dat te pakken gekregen? Je had geen sleutel van de kluis, en ook de code had je niet.'

'Weet je nog dat ik me niet lekker voelde toen we Jonathans kluis uit wilden en dat je even een glas water voor me bent gaan halen? Zodra je weg was, heb ik de kleine safe opengemaakt. Ik had je de code zien intoetsen en het nummer onthouden; dat was niet moeilijk want het was het nummer van de leeszaal. Toen je terugkwam, heb je de kluis afgesloten en zijn we weggegaan.'

'Idioot dat je bent!' kreunde Rueben. 'Heb je hem alleen gelaten in de kluis?'

'Hoe kon ik nou weten dat hij het zou stelen,' snauwde Caleb.

Chambers tuurde naar zijn handen. 'Het was een opwelling. Zodra ik het boek had gestolen voelde ik me doodsbenauwd, maar ik vond het ook enorm opwindend. Zoiets had ik nog nooit gedaan. Ik ben altijd honderd procent eerlijk tegenover mijn cliënten. Maar dat boek! Het was al een bijzondere ervaring om het even in handen te kunnen houden.' Even verscheen er een bijzondere glans in zijn ogen, maar die verdween even snel als hij gekomen was. 'In elk geval kan ik zeggen dat ik het heb bezeten, al was het maar voor even. Ik bleef erop aandringen dat je het op echtheid liet onderzoeken. Wanneer de vermissing werd ontdekt, hoopte ik dat daardoor de verdenking op anderen zou vallen.'

Annabelle keek even in de doos. 'O, dat boek! Dus hier heeft hij het in bewaard.'

Caleb keek haar achterdochtig aan. 'Wat bedoel je? Weet jij hier meer van?'

'O, dat is een lang verhaal,' zei ze haastig.

68

Even later stormde Alex Ford met een legertje politiemannen het huis in. Kennelijk was Albert Trent nog in leven, al was hij zwaargewond. Het bundeltje reisdocumenten in de binnenzak van zijn jasje had de kogel gedeeltelijk tegengehouden. Hij was weggebracht in een ambulance.

Chambers legde tegenover de politie een gedetailleerde verklaring af, waarin hij alles bevestigde wat hij de anderen al had verteld. Toen hij werd weggeleid, zei hij tegen Caleb: 'Pas alsjeblieft goed op het *Bay Psalm Book*.' Calebs antwoord was voor iedereen een verrassing, misschien vooral voor hemzelf. 'Het is maar een boek, Monty of Vincent, of wie je ook mag zijn. Ik had veel liever Jonathan levend en wel voor me gehad dan deze stapel oud papier.' Hij hield het kostbare boek op en liet het achteloos in de doos vallen.

Toen de ware toedracht naderhand bekend werd, bleken de conclusies die Stone en de anderen hadden getrokken grotendeels te kloppen. Bradley was inderdaad vermoord omdat hij Trent wilde dwingen zijn baan bij de commissie op te geven, en het voor hem en Seagraves onmogelijk zou worden hun ogenschijnlijk onschuldige relatie voort te zetten. En Behan was inderdaad doodgeschoten omdat hij erachter was gekomen dat Jonathan was vermoord door kooldioxide dat uit een van zijn bedrijven was gestolen.

Chambers onthulde ook dat een van Trents mannen een baantje bij Fire Control, Inc. had aangenomen. Hij had zich voorgedaan als onderhoudsmonteur toen hij een cameraatje in de leiding van de airconditioning had geïnstalleerd. Annabelle en Caleb hadden dat niet op de videobanden gezien omdat het op een zaterdag was gebeurd toen de leeszaal was gesloten en de videorecorder niet was ingeschakeld. Maar natuurlijk was er iets veel belangrijkers dat ze wel hadden opgemerkt: de behendigheid waarmee Jewell English de bril verwisselde, en die ertoe had geleid dat ze de ware toedracht van de gebeurtenissen hadden ontdekt.

Er was een man in de kelder gestationeerd die had gewacht tot DeHaven de dodelijke zone in de kluis zou betreden. Chambers had toegegeven dat hij daarna de kluis was binnengegaan om de camera weg te halen.

Milton had het codebericht doorgegeven aan de NSA, waar het inmiddels was ontcijferd. Uit het weinige wat Stone en de anderen erover te horen hadden gekregen, maakten ze op dat de code was gebaseerd op een eeuwenoude versleutelingsformule die met behulp van moderne computertechnieken eenvoudig te kraken viel. Waarschijnlijk was Seagraves ervan uitgegaan dat niemand Monty Chambers, Norman Janklow of Jewell English van spionage zou verdenken. Om bestand te zijn tegen de brute rekenkracht van computers werden moderne codeberichten allemaal elektronisch gegenereerd met sleutels die uit lange cijferreeksen bestonden, die onmogelijk in een oud boek konden worden verwerkt.

Trent was hersteld van zijn verwondingen en druk aan het praten geslagen, vooral toen hij erachter kwam dat de autoriteiten hun uiterste best deden hem ter dood veroordeeld te krijgen. Uit de informatie die hij gaf, bleek onder meer dat Roger Seagraves de leiding over de organisatie had gehad. Nu eenmaal bekend was dat Seagraves erbij was betrokken, stelde de FBI een onderzoek in naar iedereen die in de verste verte ooit ook maar iets met hem te maken had gehad, en arrestaties zouden waarschijnlijk niet lang uitblijven.

Ze hadden ook Seagraves' huis doorzocht en zijn 'verzameling' gevonden. Hoewel ze er nog niet helemaal achter waren waar al die artikelen voor stonden, zouden de zaken erg ingewikkeld worden zodra ze dat wel hadden vastgesteld, want een groot deel daarvan was afkomstig van slachtoffers die Seagraves om het leven had gebracht in het kader van zijn werkzaamheden voor de CIA.

Stone had lange gesprekken gevoerd met Alex Ford, medewerkers van de FBI en de twee rechercheurs van het Washingtonse bureau Moordzaken die Caleb in de Congresbibliotheek met een bezoek hadden vereerd.

'We wisten dat ergens in Washington een spionageorganisatie actief was,' zei een FBI-agent. 'Maar we zijn er nooit in geslaagd die te vinden. En in de Congresbibliotheek zouden we die zeker nooit gezocht hebben.'

'Nou,' zei Stone, 'ten opzichte van jullie waren wij in het voordeel.'

De agent keek hem verbaasd aan. 'Hoezo?'

Alex Ford was degene die daar antwoord op gaf. 'Wij beschikten over een uiterst bekwame bibliothecaris, Caleb Shaw.'

De ogen van een van de rechercheurs lichtten op. 'Ja, ja. Shaw, die is goed, hè? Al leek hij me wel een beetje eh... nerveus.'

'Laten we het er maar op houden,' zei Stone, 'dat zijn gebrek aan lef ruimschoots wordt gecompenseerd door...'

'Stom geluk?' viel de rechercheur hem in de rede.

'Oog voor details.'

Ze bedankten Stone voor zijn hulp en sloten niet uit dat ze in de toekomst nog eens om zijn medewerking zouden vragen.

'Als u ooit hulp nodig hebt,' had een van de FBI-agenten gezegd terwijl hij Stone zijn kaartje gaf, 'laat het ons dan weten.'

Ik hoop bij god dat ik jullie hulp nooit meer nodig zal hebben, dacht

Stone, toen hij het kaartje in zijn zak liet glijden.

Toen alles weer een beetje tot rust was gekomen, waren ze in Stones huisje bij elkaar gekomen, en daar had Caleb het *Bay Psalm Book* omhoog gehouden en geëist dat Annabelle hem de waarheid vertelde.

Ze haalde diep adem en stak van wal. 'Ik wist hoeveel Jonathan van boeken hield en op een dag vroeg ik hem welk boek hij zou willen hebben, als hij uit alle boeken ter wereld kon kiezen. Het *Bay Psalm Book,* zei hij. Nou, ik heb wat research gedaan en ontdekte dat ze allemaal in het bezit waren van instellingen. Maar er was een exemplaar dat me een stuk makkelijker te pakken leek te krijgen dan de andere.'

'Laat me raden,' zei Caleb, 'de Old South Church in Boston?'

'Hoe weet je dat?'

'Daar kom je makkelijker binnen dan in de Congresbibliotheek of in de universiteitsbibliotheek van Yale. Dat mag ik tenminste hopen.'

'Hoe dan ook, ik ben daar met een vriend van me naartoe gegaan en zei dat we studenten waren die een werkstuk moesten schrijven over beroemde boeken.'

'En toen mochten jullie ernaar kijken,' zei Caleb.

'Ja. En nog foto's nemen ook. En ik had nog een vriend, die heel goed was in het maken van valse pa... dingen, bedoel ik.'

'Dus hij heeft een vals *Bay Psalm Book* gemaakt?' zei Caleb.

'Het was echt geweldig. Ze waren absoluut niet uit elkaar te houden.' Annabelles enthousiasme verdween toen ze zijn woedende blik zag. 'Maar goed, we zijn teruggegaan en hebben een wisseltruc gedaan.'

'Jullie hebben een wisseltruc gedaan?' Caleb liep rood aan. 'Jullie hebben een wisseltruc gedaan met een van de zeldzaamste boeken uit de Amerikaanse geschiedenis?'

'Waarom heb je DeHaven niet gewoon die uitstekende kopie gegeven?' vroeg Stone.

'De man van wie ik hield een vervalsing cadeau geven? Waar zie je me voor aan?'

Caleb liet zich in een stoel zakken. 'Ik kan mijn oren niet geloven.'

Ze ging haastig door met haar verhaal, voordat hij nog bozer werd. 'Toen ik hem het boek gaf, wist Jonathan totaal niet hoe hij het had. Maar ik heb hem natuurlijk verteld dat het maar een facsimile was die ik voor hem had laten maken. Ik weet niet of hij me geloofde. Ik denk dat hij misschien wat heeft rondgebeld om te controleren of er ergens een exemplaar werd vermist. En ik denk dat hij tot de conclusie is gekomen dat de manier waarop ik de kost verdiende, niet helemaal door de beugel kon.'

'Meen je dat nou?' snauwde Caleb. 'Dat moet een hele schok voor je geweest zijn.'

Ze negeerde die opmerking en vervolgde: 'Maar omdat de kerk niet in de gaten had dat haar exemplaar vals was en er geen *Bay Psalm Books* werden vermist, denk ik dat Jonathan er uiteindelijk van uit is gegaan dat ik de waarheid sprak. Het maakte hem zo gelukkig! En het was maar een oud boek.'

'Máár een oud boek!' Caleb stond nu echt op springen, en Stone legde snel een hand op zijn schouder. 'Laten we nou geen oude koeien uit de sloot halen, Caleb.'

'Oude koeien?' sputterde Caleb.

'Ik leg het wel terug.'

'Neem me niet kwalijk?' zei Caleb.

'Ik neem het weer mee terug en doe nog een wisseltruc.'

'Dat meen je niet.'

'Dat meen ik wel. Ik heb het al een keer verwisseld en ik kan het nog wel een keer verwisselen.'

'Maar wat als je wordt betrapt?'

Ze wierp Caleb een minachtende blik toe. 'Ik ben nu veel beter dan vroeger.' Ze keek naar Milton. 'Doe je mee?'

'Meteen!' riep hij enthousiast.

Caleb zag eruit alsof hij elk ogenblik een rolberoerte kon krijgen. 'Ik verbied je mee te werken aan een misdrijf!'

'Doe toch niet zo moeilijk, Caleb!' riep Milton. 'Als we het echte boek terug leggen dan is het toch geen misdrijf?'

Caleb dacht even na. 'Nee, ik neem aan van niet.'

'Ik regel de details wel,' zei Annabelle. 'Mag ik dan wel het boek hebben, Caleb?' Ze boog zich naar hem toe om het te pakken.

Onmiddellijk klemde hij het tegen zijn borst. 'Kan ik het niet houden totdat je het werkelijk nodig hebt?' vroeg hij, terwijl hij met zijn hand over de band streek.

'Je zei tegen Monty Chambers dat het niet meer dan een stapel oud papier was,' hielp Rueben hem herinneren.

Caleb was nu een toonbeeld van verslagenheid. 'Ik weet het,' zei hij somber. 'En sindsdien heb ik geen oog meer dichtgedaan. Volgens mij is dat de vloek van de boekenfeeën.'

'Oké,' zei ze. 'Hou het voorlopig dan maar.'

Rueben keek haar hoopvol aan. 'Mooi, en nu alle feestelijkheden voorbij zijn: heb je zin om een keer mee uit te gaan? Vanavond bijvoorbeeld?'

Ze glimlachte. 'Een andere keer graag, Rueben. Maar ik stel het aanbod zeer op prijs.'

'Het zal niet het laatste zijn, Annabelle.' En hij gaf haar een handkus.

Toen de anderen weg waren, liep Annabelle naar Stone toe, die aan het werk was gegaan op het kerkhof.

Terwijl hij een grafzerk schoonspoelde, stopte zij wat onkruid in een plastic zak.

'Je hoeft me niet te helpen,' zei hij. 'Werken op een kerkhof lijkt niet helemaal jouw soort leven.'

Ze zette haar handen in haar zij. 'En wat mag mijn soort leven dan wel zijn volgens jou?'

'Een man, een paar kinderen, een leuk huis in de voorstad, de oudervereniging en misschien een hond.'

'Dat is toch zeker een geintje, hè?'

'Ja. Dus wat nu?'

'Nou, ik moet het boek terugbrengen om van Caleb af te komen.'

'En daarna?'

Ze haalde haar schouders op. 'Ik kijk meestal niet zo ver vooruit.' Ze pakte een spons en knielde naast hem neer om hem te helpen de grafsteen schoon te maken.

Later, toen Annabelle wat te eten had gemaakt en ze samen hadden gegeten, zaten ze op de veranda.

'Ik ben blij dat ik terug ben gekomen,' zei ze.

'Ik ook, Annabelle,' zei Stone.

Ze glimlachte toen hij haar echte naam gebruikte. 'Die Seagraves noemde jou een 666'er. Wat bedoelde hij daarmee?'

'Dat was een jaar of dertig geleden,' zei Stone.

'Oké, we hebben allemaal onze geheimen. Heb je er weleens over gedacht om ergens anders naartoe te gaan?'

Hij schudde zijn hoofd. '*Hier* is een plek waar je steeds meer waarde aan gaat hechten.'

Misschien wel, dacht Annabelle. Ze bleven zwijgend naast elkaar zitten en keken naar de volle maan.

Jerry Bagger stond uit het raam naar dezelfde maan te kijken. Hij had de hulp ingeroepen van iedereen die hem nog iets schuldig was, en meer mensen bedreigd en in elkaar geslagen dan hij zich kon herinneren. Het resultaat was dat haar dekmantels en verdedigingslinies een voor een begonnen te bezwijken. Het zou niet lang meer duren voordat het zijn beurt was. En wat hij Tony Wallace had aangedaan, was niets vergeleken met wat hij met haar van plan was. Elke keer als hij voor zich zag hoe hij haar tergend langzaam dood zou martelen, verscheen er een glimlach op zijn gezicht. Hij had de touwtjes weer in handen. Vergenoegd nam hij een trekje van zijn sigaar en nipte aan zijn whisky.

Maak je borst maar nat, Annabelle Conroy. Hier komt de grote, boze Jerry.

• Dankwoord •

Aan Michelle, degene die er werkelijk voor zorgt dat het allemaal werkt.
Aan Colin Fox, voor zijn geweldige redactiewerk. Dat we nog vele boeken lang mogen samenwerken.
Aan Aaron Priest, de meester, meer hoeft er niet gezegd te worden.
Aan Maureen, Jamie, Jimmy en de rest van de Hachette Book Group USA, omdat ze zulke goede vrienden en zakenpartners zijn.
Aan Lucy Childs en Lisa Erbach Vance, voor alles wat jullie voor me doen.
Aan Dr. John Y. Cole van de Congresbibliotheek, omdat hij de bibliotheek voor mij tot leven heeft gebracht.
Ann Mark Dimunation en Daniel DeSimone van de Congresbibliotheek, omdat ze me de prachtige leeszaal Zeldzame Boeken hebben laten zien.
Aan Diane van der Reyden van de Congresbibliotheek, omdat je me hebt rondgeleid over je afdeling. Ik hoop dat ik het grotendeels goed begrepen heb.
Aan Dr. Monica Smiddy, dank u voor uw gedetailleerde en goed doordachte medisch advies.
Aan Bob Schule, de lezer met het scherpe oog en een consultant van wereldklasse.
Aan Deborah, die me helpt om geestelijk gezond en op schema te blijven.
Aan Rosemary Bustamante, omdat je zoveel vreemde talen spreekt en zo'n goede vriendin bent.
Aan Maria Rejt, omdat ze het vanaf de andere kant van de grote plas heeft weten te verbeteren.
Aan Cornelius Behan, omdat ik je naam heb gebruikt. Ik hoop dat het personage je bevalt.
En ten slotte, ter nagedachtenis aan Robert (Bob) Bradley, die nooit zijn naam in dit boek heeft zien staan, maar die voortleeft in de harten en geesten van de families Bradley en Hope en van al zijn vrienden.

Blijft u graag op de hoogte van de nieuwste spannende boeken?

Kijk dan op

www.awbruna.nl

en geef u op voor de spanningsnieuwsbrief.

Op deze manier krijgt u steeds als eerste alle informatie
over nieuwe boeken en kunt u gebruikmaken van
aantrekkelijke kortingen en andere lezersacties.